愛と差別と友情と LGBTQ+

言葉で闘うアメリカの記録と内在する私たちの正体

北丸雄二

LOVE, DISCRIMINATION, FRIENDSHIP and LGBTQ+

The History of the Battles for Human Rights, and the Search for Our Truth

by YUJI KITAMARU

HITO BITO SHA
人々舎

死んだ父へ、母へ、弟へ
生きている英樹へ、友人たちへ

はじめに　いったいいつ、日本の「そういう時代は終わった」のか？

こんな本を書くことになった私も、実は新聞記者としてニューヨークに赴任した一九九三年までは あまりよくわかっていませんでした。当時の日本には、唖然とするほど情報がなかった。今でこそLGBTQ＋と並べられた性的少数者の頭字語総称がありますが、私が思春期を迎える一九七〇年ごろには、そういう「男」はみんな「オカマ」でした。その中に「ゲイボーイ」とか「ブルーボーイ」とか「シスターボーイ」とか、よくわからない横文字言葉で細分化されるカテゴリーがありました。「女」版は「レズ」でしたが、それはどちらかと言うと実在の関係性ではなくポルノ映画（ピンク映画）におけるカテゴリーでした（戦後間もなく高等女学校に入った私の母はもっとロマンティックに「エス」と言っていました。女性同士の恋愛感情を「シスター」（姉妹）の頭文字の「S」で隠語化したものです）。女性たちのことはいつだってあまりまともに取り合われていませんでした。

当時、「オカマ」と「ホモ」は違うと、もっともらしい講釈を垂れる人もいました。私家版のその定義では、オンナっぽいのが「オカマ」で（つまりトランスジェンダーもゴチャ混ぜで）、オトコっぽいのが「ホモ」でした。「ホモ」は普通の男の格好をしているが、「オカマ」は「着流しとか女装」だそうでした。

「ホモセクシュアル」を短縮した「ホモ」という外来語はそのころまだ新しい言葉で「オカマ」ほど侮蔑的な響きをまとっていませんでした（今はどちらも同じくらい人口に膾炙《かいしゃ》して同じくらい汚辱にまみれた言葉になりましたが）。だから、こぞって何やらモダンでオシャレな「ホモ」の方を自称する人も多かった――でもそれはみんな、日本のある閉塞したコミュニティ内での定義で、そこから出れば何の意味もない――。そういう時代がずっと続きました。そもそも、テレビで見るカルーセル麻紀や丸山明宏（後の美輪明宏）やゲイバー「青江」のママ以外に「オカマ」を見たことがありませんでした。

札幌・狸小路にほど近い長屋小路のどん詰まりに、私の高校時代の放課後の溜まり場だった喫茶店『唯我独尊』がありました。その建屋の二階に「海上自衛隊出身の『オカマ』がやっている『マリーン』というゲイバー」があったのですが、その「ママさん」の実物もついに目撃することなく私は高校を卒業して東京に出て行きました。「オカマ」の情報は、あの二階の暗いドアの向こう側の謎とともにほとんど更新されないままでした。

この本は、そんな私の情報更新の、というか「気づき」のいろいろをまとめたものです。情報を更新するきっかけを得たのは、一九九〇年に出版した『フロント・ランナー』（パトリシア・ネル・ウォーレン／第三書館／一九九〇）というアメリカ小説の翻訳を通してでした。簡単にいえば、そこで私は「ゲイ」という存在を知りました。そしてさらに「オカマ」と「ゲイ」とが、呼び名の方向性は真逆ながらも実体は同じものだということにもやがて気づくことになりました。

『フロント・ランナー』出版の二年四ヵ月後にはアメリカで暮らし始めるのですから、以後帰国までの二十五年近くにおよぶ私の情報更新はほぼアメリカでの現地情報に偏っていると思います。でも、学問の分野でも「日米比較文学」なんていうジャンルがあるくらいですから、そこで浮かび上がってくるものはあながち偏ったものでもないはず（だといいのですが）。

この本では、そんな経緯を行ったり来たりしながらいま日本や世界で起きていることとの背景を考えています。ではなぜ私がそんな「気づき」のいろいろをまとめることにしたのか？

私が日本に帰って来た二〇一八年に、自民党衆議院議員の杉田水脈が「ＬＧＢＴのために税金を使うことに賛同が得られるものでしょうか。彼ら彼女らは子どもを作らない、つまり生産性がないのです」などと寄稿（《新潮45》二〇一八年八月号）したのが、そのドミノの最初のコマでした。いや、この発言だけならよくある「情報未更新の自民党の政治家の話」でした。そこではなくて、実はその後に日本社会で耳にした対杉田水脈批判の方が、私にいろんなことを考えさせ始めたのです。それはちょっとした「違和感」でした。

テレビ朝日の朝の番組で羽鳥慎一さんの「モーニングショー」という情報番組を見ていたときのことです。テレ朝社員のコメンテイターである玉川徹さんが（この人はいろいろと口うるさいけれどとにかく論理的に物事を考えようという姿勢が私は嫌いじゃないのです）、杉田水脈の生産性発言に対し、ＬＧＢＴＱ＋を擁護する立場から「とにかく今はもうそういう時代じゃないんだから」

と言って結論づけようとしたのでした。

「ん？　ちょっと待って」と私は思いました。「もうそういう時代じゃない」って、本当に「もうそういう時代」じゃないの？　いつからそうなったの？「そういう時代」はもう、片が付けられたの？

仕事柄、日本のさまざまな分野で功成り名遂げた人々に会ってもきました。そういうじつに知的で理性的な人たちであっても、こと同性愛者やトランスジェンダーの人々のことに関してはとんでもなくひどいことを言う場面に遭遇してきました。

高校時代から私が敬愛した吉本隆明は一九七八年のミシェル・フーコーの来日の際に対談を行い、その後にフーコーの思索を同性愛者にありがちな傾向と揶揄《やゆ》したりしました。国連で重要なポストに上り詰めた有能な行政官は九〇年代半ば、ニューヨークの日本人記者たちとの酒席で与太話になった際「国連にもホモが多くてねえ」とあからさまに嫌な顔をして嗤《わら》っていました。今ではとてもLGBTQ＋フレンドリーな映画評論家も数年前まではLGBTQ＋映画を面白おかしくからかい混じりに評論していました。私が最も柔軟な頭を持つ哲学者の一人として尊敬している人も、かつて同性愛に対する蔑《さげす》みを口にしました。今も現役の著名なあるジャーナリストは「LGBTなんかよりもっと重要な問題がたくさんある」として、そのときの杉田発言を問題視することを「くだらん」と断じていました——他のすべてのことでは見事に論理的でやさしくもある人々が、こと同性愛に関してはそんなことを平気で口にしてきました。

そのたびごとに私は軽く裏切られた気分になりながらも、一方で自分は、この「すごい知性」たちも知らないことを知っているのだと、ひそかな自負を育ててきました。

それにしてもテレビや週刊誌での、つい数年ほど前までの描かれ方と言ったら……そういう例は枚挙にいとまがありません。

表面的にその「描かれ方」は抑制されるようになってきましたが、しかし内実としていったいいつ、日本の「そういう時代は終わった」のか？

「LGBT（Q＋）」なる言葉は、二〇一五年の渋谷区や世田谷区での同性パートナーシップ制度開始の頃あたりから主流メディアでも頻繁に登場するようになりました。大手メディアでのニュースとしての扱いはあるいはもっと以前の「性同一性障害」の性別取扱特例法が成立した二〇〇三年くらいかもしれません。とはいえ、二〇〇三年時点では「T」のトランスジェンダーが一様に「GID＝性同一性障害」と病理化されて呼称されていたくらいですから、「T」を含む「LGBT」なる言葉はまだほとんどの日本人は聞いたことがなかったはずです。

なので、性的少数者に関して主流メディアが友好的に、肯定的に、あるいは同情的に対応し始めてから、まだたかだか数年しか経っていません。その間のいつかに、「もうそういう時代じゃなくなった」？

それは信じ難いのです。

フジテレビのスペシャル番組でとんねるずの石橋貴明扮するあの「保毛尾田保毛男」が二十八年ぶりに復活したのは二〇一七年のことでした。「もうそういう時代じゃない」はずなのに、彼は「保毛尾田保毛男」の復活で批判を浴びて以降も無傷で、お笑いタレントの大御所然として振る舞っています。

足立区の自民党区議白石正輝が「LもGも法律で守られているという話になったら次の世代が生まれず足立区は滅んでしまう」と発言したのは、杉田水脈がさんざん批判されて「もうそういう時代じゃない」と言われた二年後の二〇二〇年十月のことです。その白石正輝がさらにさんざん批判されてたった七ヵ月後の二〇二一年五月には今度はまたもや本丸、「LGBT理解増進法」案なるものを了承しようという自民党の合同会議で山谷えり子や簗和生ら衆参議員たちが「LGBTは種の保存に背く」「生物学の根幹にあらがっている」「道徳的にゆるされない」などと了承反対を唱えるのです。

おそらく彼らにはなにか重要な情報が根本的に欠損している——けれどテレビの報道番組や情報番組のコメンテイターたちはそこは飛ばしていっさい触れず、当然のことのように一様にLGBTQ＋コミュニティの肩を持って、眉をひそめて「もうそういう時代じゃないんです」と話します。「多様性の時代なんですから」と——その空虚感。あたかも自分には彼らの、あるいは世間の情報の欠落、空洞の責任はないかのように。まるで私はずっと前からあなたたちの味方でした、みたいな。そんな人たちもまた私に、聖書に出てくる「手をすすぐピラト」を思い浮かばせます。

いや、もちろん心からそう思っている人たち、初めから偏見や欠落などない若い人たちもすでに多く存在しています。でも一方で「汝らのうちでまず、罪なき者、石もて打て」と言いたくなる人もいる。私はその部分はかなり意地悪で、結構そういうことは憶えています。

「もうそういう時代じゃない」という言葉の欠損部分を埋めたい――それがこの本を書いたいちばんの動機でした。「もうそういう時代じゃない」と頭ごなしの公式のように丸暗記して、なんでもそれに当てはめれば正解を答えられるという、そういうことではない。なぜそのような公式が築かれてきたのか？　その筋道が欠損したまま、空白のままならば、私たちの〝正解〟な振る舞いも実は空虚なままです。

私も私の中の空虚を、三十年以上にわたってどうにか情報で埋めてきました。今の「時代」を「もうそうじゃない」と言って強引に、一足飛びに進めようとしても、ジャンプした部分の空っぽさが振りかざされるばかりで誰かが、それも多くの誰かが置き去りになる。だから今からでも遅くはないから、その空洞を埋める――。

この本は、奇しくも杉田発言があった直後の、二〇一八年十一月から公開され、全世界で予想以上の大ヒットを記録した『ボヘミアン・ラプソディ』の話から始めます。「クイーン」というじつにクイアな名前のバンドのヴォーカリスト、フレディ・マーキュリーの話です。

それは「性のバケモノ」とされた「ゲイ」の扱われ方に関係してきます。そして当然、フレディの死因だった「エイズの時代」の話になります。忌避と反発の時代に、米国の人気俳優ロック・ハドソンが与えた影響についても考えます。

そうやって時代を概観しながら、苦難の中でＬＧＢＴＱ＋がどうやってアイデンティティを獲得していったかをアメリカの黒人解放運動（公民権運動）や女性運動、さらにスポーツ界、演劇界の動向などを参考にしながら考えてみます。

また一方で、ドナルド・トランプという人物がアメリカ大統領になったことで、「アイデンティティの政治」や「政治的な正しさ（ポリティカル・コレクトネス＝ＰＣ）」に対する反撃が苛烈になってきた「今」のことを考えます。ＰＣを揶揄するあまり、トランプは、手の不自由な《ニューヨーク・タイムズ》の記者をからかって自身の選挙集会で彼の身振り手振りを大袈裟に真似て見せ、観衆の支持者たちを大いに笑わせることまでしました。バイデンの大統領就任で彼の四年間は終わりましたが、トランプの記憶は終わっていません。

同時並行して二〇二〇年はまた「ブラック・ライヴズ・マター（ＢＬＭ）」の時代でした。それもまたＬＧＢＴＱ＋の運動と深く関係しています。

それらをすべて見てきてたどり着くのは、最終章で触れる「友情と連帯の問題」だと思っています。というかこの本は、私の、私たちの「友情のこと」を目指して書き進められました。

愛と差別と友情とＬＧＢＴＱ＋。これが読者の方々の何らかの生きるヒントになれば幸いです。

では始めます。

愛と差別と友情と LGBTQ+

言葉で闘うアメリカの記録と内在する私たちの正体

目　次

愛と差別と友情と
LGBTQ+

言葉で闘うアメリカの記録と
内在する私たちの正体

プロローグ

小学校五年生の時にビートルズが来日しました。いま調べると六月三十日の夜だった武道館のライヴ中継を、十一歳の私は実家の居間の、大仰にも「ニッポン」と名付けられた（当時は）大型の21型白黒テレビでかぶりつくように観ていました。その年の母の誕生日に父がサプライズで購入した家具調の新製品でした。背後ではその父と仕事仲間が麻雀をしていて、部屋の中にはもうもうとタバコの煙とにおいとが充満していました。そういうのが常態だった昭和四十一年でした。

「なんでこんなのがいいんだろうね」とオジサンたちが麻雀牌を片手に言っていました。「キャーキャーうるさくて歌なんか聞こえてないだろうに」。私には勝負が着くたびにジャラジャラと掻き回される麻雀卓の方がうるさかったのですが、とにかくビートルズは評判が悪かった。

髪が長いというのが一因でした。「女みたいな髪しやがって」。今から見れば「マッシュルームカット」なんて髪が耳に懸かるだけで、「ちょっと長め」程度のものです。でも当時の男子はみんな刈り上げみたいなもんでしたからその程度でも「不良だ！」ったわけで、父と二十も歳の違う本家の伯父などは「気持ち悪い」と吐き捨てるように言っていました。敗戦からまだ二十一年しか経っていない昭和では、外国（西洋）文化はまだまだ文脈もわからぬ唐突なものだったのでしょう。

しかし、「女みたいに長い髪の、気持ち悪い、不良の」ビートルズが、当時の日本の「オトナ」たちが漠然と不安に感じたジェンダーベンディング（ジェンダーの概念を捻じ曲げ撹乱するよう）な意図を持っていたかは疑わしいと思います。「長髪」は当時、既成概念や体制に対する反抗や反発の象徴でしたし、一方で歴史的な古典音楽家たちの長髪のカツラをも連想させるものだったでしょう。欧米人の友人に聞くと、あのころ彼らの長髪には批判があったが、すでに「ビート族（beatnik）」などのモジャモジャ頭（moptop）が先行していて、そこにジェンダーベンディング的な男女逆転のニュアンスがあったとは記憶していない、とのことでした。というか、あのヘアスタイルはビートルたちと友人とのちょっとした遊びから生まれたものだったようですし。[*1]

小学生の私は、べつにビートルズが好きだったわけじゃありません。その年に初めて自分で買ったアルバムはローリング・ストーンズのものだったし、以後も高校にかけて、クリームとかジミヘンとかジャニスとか、コルトレーンとかマイルズとか、ずっと重たく激しいブルースやハードロックやジャズに傾倒していました。

子どもの頃から「ここより他の場所」「自分以外の可能性」の情報が好きだったのは確かです。

＊1　The Origin of the Beatles Haircut（ビートルズのヘアカットの起源）との記事（二〇一二年一月二十六日）に「休みだったのでバカなことをやりたかったのだ」というポールの証言がある。https://www.neatorama.com/2012/01/26/the-origin-of-the-beatles-haircut/

音楽で言えば最も自分から遠い、遥か異界の情報が自動的に付随してくる洋楽が好きでした。とはいえ、それも説明的に過ぎます。本当は「なぜ、他の場所？」「なぜ違う可能性？」と問われてもわかりません。知的好奇心？　ならばそれは自分の欲動とどう関係しているのか？

ところが中学生になると、欲動に関してはより（少し）明確に、顧みて思い当たる節があります。確か、一九六九年、若かりし関口宏や大石吾朗らが司会を務めていた朝の『ヤング720』という番組で、レッド・ツェッペリンが白黒のフィルム映像で紹介されたのでした。演奏は「グッド・タイムズ・バッド・タイムズ」だったか「コミュニケイション・ブレイクダウン」だったか、いずれにしても私は学校に遅刻するまでその画面に釘付けになっていました。まずはものすごい曲だったこと。自分でも趣味でドラムを叩いていたこともあって、ジョン・ボーナムの重く深いドラミングに圧倒されていました。そこに纏《まと》わりつくジョン・ポール・ジョーンズの柔らかくもきっかりしたベースのリフ、聞いたこともないジミー・ペイジのギター・フレーズ、そして何より同時に、ヴォーカルの金髪たなびく（ように白黒テレビでは見えた）二十一歳のロバート・プラントが、天使のように美しかったことに目を奪われてもいたのです。まるでミケランジェロかダ・ヴィンチの描く両性具有の顔でした。もちろんその時はメンバーの名前も知りません。間もなく札幌の玉光堂で見つけた彼らのデビューアルバム『レッド・ツェッペリンⅠ』の日本版ジャケットは、裏面の四人の顔写真と名前とがまるで入れ違っているという、じつに昭和な代物でした……。

私が自分で「ゲイ男性」のアイデンティティを選び取ることにしたのはそれからずっと後になっ

てのことですが、十四歳の少年の、あのロバート・プラントへの目の奪われ方は、具体的な性衝動には至らなかったにせよ、なんらかの欲動であったことは確かだと思います。ただこれも、何がどうしてそういう欲動が動いたのか、と問われてもわかりません。ただ、そうだった。だからと言ってその後の私が西洋人を性愛の対象にすることはありませんでした。完璧に美しいと思う人はいても、違った……いわゆる「外専（ガイセン）」（外国人好き）にならなかったのはなぜなのか、その理由もわかりません（ちなみに英語でも「欧米人好き」「アジア人好き」という言葉があって、それは「ポテト・クイーン」「ライス・クイーン」と言います）。

そういえば今に限らずゲイ男性はどうだこうだというステレオタイプな言い方がよくなされますが、あれって、どこまでがネタなのかよくわからないところがあります。

いずれにしても、ステレオタイプな抽象像を代表にして物事を論じることには、煩雑な議論が省けるというそれなりの経済性があると思いますが、ここではなるべく、そうした従来のステレオタイプな物言いに捉われずに話を進めていきたいと思います。というのも、私の友人知人のゲイ男性、レズビアン女性、トランスジェンダー男女たちは、本当に巷間言われるステレオタイプにはほとんど当てはまらない人も多い。もちろん、いわゆる新宿「二丁目」などで長年かけて磨き上げられてきたスタイルというものを纏うことはありますが、あれもその場で便利だから流通している一種の「様式」、つまりは「ネタ」で、「期待される人間像」を逆手に取って演じてやっている場合も少なくないのでしょう。

百万の異性愛者にはさまざまな要素が交差する百万通りの異性愛の在り方があるように、百万の非・異性愛者にもまた百万通りの非・異性愛の在り方があるのは道理です。ビートルズが好きか、ヴィレッジ・ピープルが好きか、聖子か明菜か中島みゆきか、尾崎か矢沢かひばりかちあきか、はたまたラグビーか柔道か水泳かフィギュアスケートか、熊か狼か猫か馬かポテトかライスか——並べ立てればさまざまな趣味嗜好があり、そしてそれはまたさまざまな指向ともどこかで働き合いながら深いところでとても原初的な欲動と関係もしているのでしょう。そこまで来るとなかなか説明は難しい——。

最初にビートルズ、次にレッド・ツェッペリンに話を振ったのも、実は二〇一八年に公開され、世界的なヒットとなった映画『ボヘミアン・ラプソディ』のクイーンのことを、この本で考えることの皮切りにしたいと思ったからです。そして私は、クイーンが嫌いでした。理由は、ハード・ロックじゃなかったから。八〇年代の音楽へとつながる、なんだか人工的でコマーシャルな印象があったのです。でも、この映画での「彼ら」はとても素敵だった。本当にいい映画でした。

映画『ボヘミアン・ラプソディ』と「普遍的な愛の物語」

『ボヘミアン・ラプソディ』が米国ゴールデン・グローブ賞を取ったとNHKニュースが伝えたの

はフレディ・マーキュリーが死んでから二十七年が経った二〇一九年早々のことでした。NHKはこの映画を「英国のロックグループ『クイーン』が世界的なバンドになるまでを描いた作品」と紹介しました。

無難な紹介でしたが、しかしなんだかそれじゃあ観る気も起きない。とても重要かつ本質的な「紹介」が抜け落ちていたからです。

外されたポイントはどこにあるのか？　この映画はクイーンそのものというよりメイン・ヴォーカリストのフレディ・マーキュリーを軸とする映画なのですが、キモは、彼が男性同（／両？）性愛者で、ＨＩＶに感染するということでした。ＨＩＶとはヒト免疫不全ウイルス、当時「死病」と言われていたエイズ＝後天性免疫不全症候群を発症させる原因ウイルスです。そしてそこに〝家族〟としてのバンド・メンバーの「友情」が関係してくる。そういう構造がなければこの映画は「世界的なバンドになるまでの成功譚」という凡庸な内容となって、ゴールデン・グローブ賞にはノミネートすらされなかったはずです。

いやいや短いニュース原稿の中でそんな詳細まではとても言えない、というのは当然です。ゲイだとかエイズだとかに触れても、それだけでは逆に偏った紹介になってしまうし、勢い、いろんなことを今さらながら説明しなくてはならなくなる。そうするとだんだんと面倒くさい話になってきて、ああ、そんなことまで聞きたくない、となります。ゲイだとかエイズだとか、急に言われたってこちとら関係ないよ、です。

でも、この映画からゲイとエイズを取り去ったら、あんな世界的な感動は生まれなかったはずなのです。

ゲイやエイズやその他もろもろ、そういう一つ一つ（の些細なこと、あるいは些細なこととされること）をこれまで何十年にもわたってうっちゃってきたせいで、私たちの「世間」では、人権に関して欧米では通じる話を下支えする、基本情報や基礎知識があまり共有できていないように思われます。共有できていなくとも、人はその時代その時代で結論を導き出さねばなりません。しかしそれがいつも文脈も史実も知らぬ中で唐突に出くわす問題なものだから、結論を出すために今の自分が拠って立つ情報が、何周も前の無知や偏見に彩られたものだとすら気づかないままだったりする……。だからなのです、そういう一つ一つの些細なこと、あるいは些細なこととされることを、後になって急に一気に開陳したりされたりするのではなく、その都度その都度片付けてゆくことが大切なのは。

ゲイだとかエイズだとかの話を面倒くさいと感じるのは、日本社会だけではありません。先ほど人権先進国のように書いた欧米でだって五十歩百歩です。実はこの『ボヘミアン・ラプソディ』の公開に先立ち、配給の20世紀フォックスは「フレディ・マーキュリー」がヘテロセクシュアル（異性愛者）のように見える（女性といちゃつくシーンはあるがゲイのシーンはない）予告編第一号を作り、かつその映画サイトではフレディの病名をエイズではなく「命を脅かす病（a life-threatening illness）」としか記述していませんでした。

実際の映画の編集では「ゲイ」の記号《サイン》がのっけからちりばめられていましたし、エイズであることも正面から取り上げられていたのですが、結果、配給会社のそのような腰砕けの姿勢を知ったプロデューサーのブライアン・フラーやメディアが当初の無難すぎる広告戦略に厳しい批判を展開し、逆にそれがＳＮＳ上で話題を呼びもしました。

そういうことはこれまでもよくありました。ゲイやエイズを「面倒くさい」とするだろう「世間」の推定反応を背景に、それらを（その種の話なら見に行かないというう）マーケティング上のリスクとして排除・消去する行いを「De-Gay（脱ゲイ化＝ゲイ的要素を消し去る）」、あるいは「straight-washing（異性愛洗浄＝異性愛の振りで洗い覆うこと）」と呼びます。この映画の広告戦略では同時に「De-AIDS（脱エイズ化）」も行われたわけです。同じことは頻繁に繰り返されてきました。なにせこの「商品」のメインの標的顧客層は、ゲイにもエイズにも無関係な（と思われている）圧倒的多数層だからです。

欧米でさえそうなのですから、日本ではこの振る舞いは公然と批判されることもなく続いてきています。古くは一般公開のゲイ映画として話題になった『アナザー・カントリー』（一九八四）の主演俳優ルパート・エヴェレットがプロモーションで来日した際に、本国英国ではゲイであることをオープンにしていたにも関わらず当時の日本の配給会社の〝配慮〟で「用意された」〝ガールフレンド〟を同伴していたことです。オスカーを受賞したあの紛うことないゲイ映画『ブロークバック・マウンテン』（二〇〇五）は、やはり配給会社から「ゲイ映画」として宣伝することは控えてほしいとの要望が映画評論家らに伝えられていました。日本でもヒットし、オスカーにもノミネートされた『君の名前で僕を呼んで』（二〇一七）の日本語サイトにもまた、「同性愛」を示唆するような言葉は一つもありませんでした。そう、いずれの場合も「これはゲイ映画ではなく、人間の普遍的な愛の物語だ」というのが謳い文句なのです。

実例を示しましょう。手元に、ある配給会社から報道向けに届いた「お願い」と題した紙切れがあります。日本では二〇一六年公開の映画でしたが、そこには「ご掲載の際の注意事項　※必ずご一読くださいますようお願い申し上げます」と下線が引かれた太字のテキストがあり、その下に次のような具体的な指示が記されてありました。

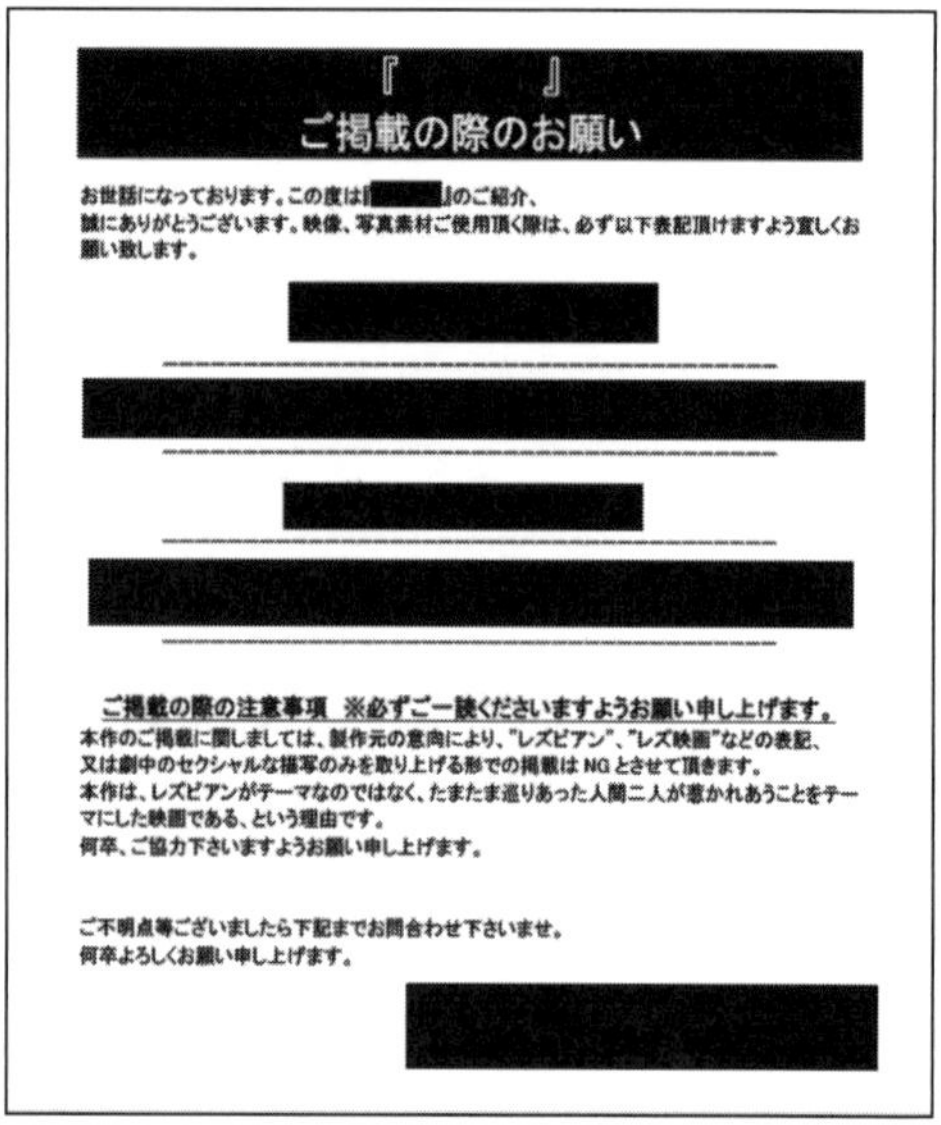
『　』
ご掲載の際のお願い

お世話になっております。この度は『[redacted]』のご紹介、
誠にありがとうございます。映像、写真素材ご使用頂く際は、必ず以下表記頂けますよう宜しくお願い致します。

[redacted]

[redacted]

[redacted]

[redacted]

ご掲載の際の注意事項　※必ずご一読くださいますようお願い申し上げます。
本作のご掲載に関しましては、製作元の意向により、"レズビアン"、"レズ映画"などの表記、
又は劇中のセクシャルな描写のみを取り上げる形での掲載は NG とさせて頂きます。
本作は、レズビアンがテーマなのではなく、たまたま巡りあった人間二人が惹かれあうことをテーマにした映画である、という理由です。
何卒、ご協力下さいますようお願い申し上げます。

ご不明点等ございましたら下記までお問合わせ下さいませ。
何卒よろしくお願い申し上げます。

[redacted]

本作のご掲載に関しましては、製作元の意向により、〝レズビアン〟、〝レズ映画〟などの表記、又は劇中のセクシャルな描写のみを取り上げる形での掲載はNGとさせて頂きます。本作は、レズビアンがテーマなのではなく、たまたま巡りあった人間二人が惹かれあうことをテーマにした映画である、という理由です。何卒、ご協力下さいますようお願い申し上げます

「脱ゲイ化」で助長される「性のバケモノ」

ことは映画に限りません。ある米国系出版社の外国人社長は、二〇一八年に翻訳刊行された自社の本（アルツハイマーに見舞われた老齢の父親と息子の感動のノンフィクション）で、著者である息子さんの紹介文から「ゲイ」という単語を排除した顚末を教えてくれました。

「この本の内容は、著者がゲイであることとは直接的にはなんの関係もありません。父親のことを書いたのがたまたまゲイの息子だったというだけのことです。それでも私は、紹介文に著者が『ゲイ』であると記すことはふつうに当然のことと思っていました。それは著者がイギリス人でアイルランド系で、というのと同じ背景情報だと思うからです。けれど日本人スタッフから『だからこそ「ゲイ」と書かない方がいい』と言われました。『ゲイの話かと最初から敬遠される恐れがあるから』と言うのです。まさかそう言われるとは予想していませんでした。まだそんなことを言ってるんですかと反論しましたが、ここは日本、その出版風土を知っている彼らに結局押し切られました」

べつにいちいちゲイだと言わなくてもいいじゃないか、とも言われます。そのとおりでしょう。ただ、「いちいち言挙げする」というのではなく、ふつうにゲイであることは言ったっていいはずです。さらにはイギリス人だとかアメリカ人だとかの白人や黒人ならばパッと見てだいたいはすぐ「外国」人だとはわかる一方で、ゲイとかレズビアンとかは見ただけではわからないし、私たちの「世間」では「そう」だと言わない限りは「そうじゃない」(異性愛者である)ことがデフォルトとして大前提のようです。普段はそれでも結構ですが、私たちの「世間」はよくそこから踏み込んで「ご結婚は?」「お付き合いは?」「お子さんは?」と、本当は大して興味のない質問でもそれを訊くことが、さらに一歩お互いの親密さへと踏み進むことであるかのように慣習的に推奨されています。そしてその筋で進んでいくとどんどん話が合わなくなってくるのです。

つまりはその話の大元の「大前提」が、必ずしも真実とは限らないのだという情報アップデートのためにも、さりげなくふつうにゲイであると言ったってぜんぜん問題はないのではないか? ゲイが存在することが見過ごされたり軽んじられたり敢えて無視されたりしてきた経緯があることを知ればなおさら、いちいちとは言わぬまでも肝心なところではふつうにゲイだと言って悪いわけがありません。ところがなかなかそのさりげなさが難しい。なぜなのでしょう?

それは、「ゲイ」という存在が長いことただの性的倒錯者だったり変態だったりセックスのバケモノだったりと思われていた歴史が続いてきたからです。日本のあるラッパーだかDJだかがツイッターで唐突に「いや、マジでホモとかクソだと思ってるね。性の対象が男ってのがありえない。女を見るように見られてるってのは考えすぎか？　なんにしても気持ち悪い。考えてみろよ、男が男の肛門に陰茎をぶちこむ行為はどうなんだよ」と宣言して炎上していたのは二〇二〇年十月のことでした。

男性間性行為は西洋や中東ではユダヤ教の昔から、アジアでもヒンドゥー教や仏教の法典・経典に禁忌として示されています。つまりはもっぱら性モラルの問題として同性愛が語られてきた。男性同性愛者というのは「セックスや性的快楽の追求しか考えていない不道徳なヘンタイ」だったのです。だからせっかく勇気を出してカミングアウトしても、「なぜいちいちそうやってセックスの話をしたがるのか？」と眉をひそめられる。

さすがに今では表立ってそこまでの嫌悪を表明する人は先ほどのDJみたいな人以外よほどの宗教原理主義者くらいしかいないでしょうが、しかしゲイのことを表立って話さないこと、あるいはより積極的にその言挙げを忌避すること、つまり「脱ゲイ化」を通用させることは、いつまで経っても「ゲイ」が「セックスのバケモノ」であるという旧来の情報を、アップデートしないままに放置してしまうことにつながるわけです。

ちなみに、私は性的〝倒錯〟や「セックスのバケモノ」という在り方自体を否定しているわけではありません。人間は、というか生き物はすべて性的な存在ですし、性に関して生殖以外の意味を発見したのもまた、とても人間的な在り方だと思っています。
なので、私が反論しているのは「ただの性的倒錯者やただのセックスのバケモノ」とだけ規定されてしまうやり方です。人間がそんな「ただの」単純な存在であるわけがない。「単純な存在」に憧れることはありますが、「性的存在としてのみの人間」という考察もまた、「セックスの人間化」の時代を経たからこそそれを担保にして可能なのであって、私はそれらを片目ずつ割り当てて見ていたいと思うのです。単純に「ただの」愛や優しさだけという、逆の存在も想像に難いように。

さて先ほど「私たちの『世間』では人権に関して欧米では通じる話を下支えする、基本情報や基礎知識があまり共有できていない。共有できていないから、文脈も史実も知らぬ中で唐突に導き出す結論が、何周か前の無知や偏見に彩られたものだと気づかない」ということを書きました。
人権に関する齟齬《そご》――私たちが日々話をする仕事相手とか目にする時事問題とか遭遇する経済事情とか、今たちどころに世界とつながるさまざまな分野、さまざまな状況下で、これまでアップデートを放置してきたことによるさまざまな齟齬が生じ始めています。例えば足立区という東京の一地域の区議会議員の「同性愛が広がれば足立区が滅びる」発言が、アップデートを完了した側と直結しているこの世界ですぐさま反発を呼び、あっという間に英語ニュースともなって伝わり炎上したりします。もう二十年以上も前から、世界では同性婚法制化の動きが加速していますが、その同性婚の法制化の理由が、私たちの「世間」ではなかなか理解されていないままだからです。[*2] 二〇〇五年に世界で三番目の同性婚法制国となったスペインの当時の首相ホセ・ルイス・ロドリゲス・サパテロは、法制化に際して「我々は、同性婚を認める最初の国になる栄誉は逃したが、最後の国になる不名誉は回避できた」と演説しました。なぜそれが「栄誉」であり「不名誉」であるか、日本の政治家の多くは理解していないでしょう。

ちなみに、欧米の企業が自社で働く性的少数者の社員を日本に長期派遣しようとする場合、その社員のパートナーに配偶者ビザが発給されないなどの問題が生じ、結局、派遣を断念するケースも生じています。そこでアメリカの在日商工会議所（ACCJ）は二〇一八年九月、日本政府に対し、オーストラリア、ニュージーランド、イギリス、カナダ、アイルランドの在日商工会議所との連名で「LGBTのカップルにも婚姻の権利を認めることを提言する」とする、異例の声明を提示しました。[*3]

＊2　二〇〇一年のオランダに始まって二〇二一年六月現在、二十九の国・地域で同性婚が可能。婚姻とほぼ同等の権利が保障されるのは三十三カ国。アジアでは二〇一九年五月から初めて台湾で同性婚が法制化。

＊3　在日米国商工会議所意見書「日本で婚姻の平等を確立することにより人材の採用・維持の支援を」https://static1.squarespace.com/static/5eb491d611335c743fef24ce/t/5f6d9f53c4fbac20f4989b4/1601019733492/2017+Marriage+Equality+%28HRM%29.pdf

外国の企業や自治体はなぜ、自分たちの従業員や職員の同性カップルに異性カップルと同じ福利厚生を与えているのか？　これも同性間の性的関係がセックスや性的快楽のことだけだと考えていたらよくわからないままでしょう。そうした国々や企業などと仕事や学問や家族や友人知人を通じてつながるとしても、そこを触れないでお付き合いできるならばいいのですが（「ご結婚は？」「お付き合いは？」「お子さんは？」）、なかなかそれは難しいかもしれません。

冒頭の『ボヘミアン・ラプソディ』でも同じことが起きます。観客たちは、そこに描かれる「ゲイ」や「エイズ」という重要なサブプロットの正体を十分に理解できないまま物語を咀嚼《そしゃく》しなければならなくなります――フレディはどうして女性ではなく男性に惹かれていくのか？　なぜセックスに溺れたのか？　どうしてＨＩＶに感染してしまうのか？　そもそも同性愛って、何なのか？そしてなぜ映画のバンド・メンバーたちは、彼がゲイでＨＩＶ陽性とわかった後でもああもやさしく描かれているのか？

十把一絡げで「ゲイ」だった「ＬＧＢＴＱ＋」

ところで外部（非当事者）社会にとって「ゲイ」とか「ホモセクシュアル」という言葉はかつては、今でいうＬＧＢＴＱ＋全部のことを指していました。というか、ＬＧＢＴＱ＋の当事者たちが自らのアイデンティティを語り始めるまでは、その呼称や研究自体も適当なものだったせいで、その全部が「同性愛者」（みたいな）「性的異常者」だと分類されていたわけです。つまりどうでもよかったわけで、（非・ホモセクシュアルの人々という）圧倒的多数の（と思われている）人々にとっては、自分たち以外の「変な人たち」の呼称などべつに大して意味もなかった――それはちょうど、鳥に興味のない人にとっては鳥はみんな鳥で、植物に興味のない人にとって雑草はみんな雑草であるようなもんです。つまり「ホモセクシュアル」も「ゲイ」も、外部世界からは「変な連中《クィア》」全部のことだった――。

そのうちに「ゲイ」の意味をコミュニティ内部から自分たちに引き寄せるアイデンティティ獲得の時代が始まります。

「現代ゲイ解放運動の嚆矢《こうし》」と呼ばれる一九六九年の「ストーンウォール・インの暴動」（あるいは「ストーンウォールの反乱」）のことはすでに知っている人も多いでしょう。そこで先頭に立って警官隊と対峙したのは、今から振り返れば現在の「ゲイ」という言葉から連想する「男性同性愛者」たちというよりは、主に当時「ドラァグクイーン」と呼ばれていた女装のゲイ、あるいは男性から女性へのＭｔＦトランスジェンダーたち（手術をしていようがいまいが）や男装のブッチ・レズビアン、あるいは女性から男性へのＦｔＭ[＊4]トランスジェンダーたち（手術をしていようがいまいが）だったこと

＊4　男性から女性へ（Male to Female）、女性から男性へ（Female to Male）のトランスをそれぞれＭｔＦ、ＦｔＭという。

がわかってきました。厳密に言えばそれはつまり「男性同性愛者」を意味する「ゲイ」たちの暴動というよりもむしろ、「男だか女だかわからない変な連中」としての「ゲイ」たちの暴動だった――むしろ「ストーンウォール」以前は、彼ら彼女らこそが「ゲイ」を自称していました。社会の主流に紛れ込みたい白人男性同性愛者たちは「ゲイ」と呼ばれることを逆に嫌っていたのです。

暴動の先頭に立ったドラァグクイーン、ブッチ・レズビアン、トランスジェンダーらの中には黒人やラティーノらの人種的マイノリティも多く、さらにはセックスワーカーも多く、これは今で言うインターセクショナリティ（差別の交差性）から言ってもさらに周縁化された層です。数や経済力として中心を占めた「白人の男性の同性愛者」たちは、今では、その割には〝暴動〟には直接参加していなかった（遠巻きに眺めていた）と考えられています。

「女だか男だかわからない変な連中」の怒りの臨界点越えと、彼ら彼女らに比べれば相対的にまだ恵まれていた白人の男性の同性愛者たちの大多数との齟齬、軋轢《あつれき》はその後も続きます。しかしそのうちに、そんな「恵み」の社会への徹底反抗に逡巡していた白人男性同性愛者も、四の五の言っていられない時代が訪れます。エイズの時代です。

「カミングアウト」〜愛と性欲の「バベルの塔」

ゲイの話題を避けること、「De-Gay（脱ゲイ化）」のそもそもの端緒、「べつにいちいちゲイだと言わなくてもいいじゃないか」というそれとない一連の圧力の出どころは、ゲイが「セックスや性的快楽の追求しか考えていないヘンタイ」だと考えられてきたからだと書きました。「ゲイ」と発語するのが、性的な言挙げだと思われている——。

なので「私はゲイです」というカミングアウトは、極論を言えば、その相手には「私は同性とセックスしたいと思っているんです」と打ち明けているように聞こえてしまう——そういうメカニズム。

カミングアウトの困難とは、たとえさりげなくであっても「ゲイです」と表明することが、「おまえのセックスの話なんかいちいち聞きたくないんだよ」という反射的な反応を惹《ひ》き起こしてしまうことが原因です。こちらは自分の生きる在り方を話しているつもりなのに、相手は単にセックスの話だと受け取るという、まるでバベルの塔みたいな思いの不通。

もっと敷衍《ふえん》してしまえば、カミングアウトしてわかることは、カミングアウトした自分の〝正体〟というよりもむしろ、カミングアウトされた相手の〝正体〟の方なのかもしれません。その相手が、LGBTQ＋のことをどういうふうに考えているか、とか、人権とか差別とか社会正義とかいうものを（そして愛も）どう考えてきたのか、といった生き方の正体……すごく挑発的な言い方ですが。

とはいえ、「ゲイ」が「セックス」の話であるという思い込みに、根拠がないわけではありません。

私の高校時代からの親友はその後札幌市役所の公務員となって結構偉いところまで行った人物ですが、その間に公共イヴェントやら男女共同参画事業やら人権問題などにもタッチし、当然のことながら札幌で長く続けられてきた「レインボーマーチ札幌」の市側の協力に関わりもしました。[*5] その男が私に「なあ、あれは一体何なんだ?」とすごい顔をして聞いてきたことがありました。
札幌の中心部をパレードして性的少数者の存在を示し、かつ孤立している目に見えない〝兄弟姉妹〟たちを励ます、というこのイヴェントでは、事務局が公式パンフレットを作成して市長のメッセージなども掲載するのですが、そこに集まった協賛広告が乱交だフンドシだ緊縛だハッテンだとまるでセックスだらけだったと言うんですね。「あんなものに市長のメッセージなんか載せられないぞ。何考えてんだ、あいつら」と。

私と何十年も付き合ってきて私の書くものも読んできた男ですから、よくある薄っぺらな偏見とは違うと思うのですが、まあ、ゲイ関連の広告が「性」に偏る事情に通じていなければ、突然出遭った「性産業」の実態にビックリするのも宜《むべ》なるかなとは思います。

なぜゲイ(ここでは男性同性愛者)向けのメディアが「性」に傾くのか?——というテーマの立て方が正しいとは、実は思ってません。立場が同じなら、男性異性愛者のメディアだって同じことになると思うからです。それ以上に、新宿歌舞伎町の裏側を知っているならそれは新宿二丁目の裏側とほとんど同じ、いやいや絶対的に数が多い異性愛者たちのヴァラエティから言って、歌舞伎町の方がよほどヤバいというのが私の印象です。「立場が同じ」というよりもむしろ、数や認知の上で圧倒的優位に立っているその立場ゆえに、異性愛者（と分類される人）たちの性への躊躇・逡巡・屈託・罪悪感のなさは同性愛者たちの想像を遥かに凌駕しているのではないかとさえ思っています。違うのはただ、その絶対的な需要人口の多さによって、彼らには交通可能な供給場所がTPOのすべてでゾーニング規制されても十分に成立しているという点でしょう。

とはいえ、そんな事情を知る由もなかった私の思春期が、いちばん初めに抱いた疑問は「同性愛」という言葉の意味でした。これは「同性」に対する「愛」の問題なのか、それとも「同性」への「性愛」の問題なのか、というのがわからなかったのです。天使のような（あるいはとても悪魔的な）ロバート・プラントの外見に魅了されていた中学二年生でした。当時は『広辞苑』でも百科事典でも同性愛は「性的倒錯」だとか「異常性欲」「変態性欲」と書かれていた時代ですから、世間は圧倒的に「同性愛」は「性」の問題だと捉えているようでした。[*6]

＊5　「レインボーマーチ札幌」は二〇一三年に終了。二〇一七年以降、別組織の運営で「さっぽろレインボープライド」が開催されている。

＊6　一九九一年五月、同性愛者人権活動団体「動くゲイとレズビアンの会OCCUR」（後述）が岩波書店『広辞苑』に「同性愛を異常性欲とする根拠は何か？」と申し入れ、同書は同年十月の第四版改訂で価値中立的な記述に修正された。以後九〇年代半ばにかけ平凡社、TBSブリタニカ、小学館、学研の百科事典などもこれに続いた。

「同性愛」という翻訳元の「Homosexuality」にも「愛」の痕跡はどこにもありません。「-sexuality」の部分を「性愛」というふうに「愛」という文字を添えて訳したのは、誰かさんの忖度《そんたく》なのか斟《しん》酌《しゃく》なのか。しかしいずれにしてもこの「愛」は「sex」に基づく心理的な「粘着」を言い換えた翻訳上の補足語なんでしょうし。つまり欲動と欲望の結果の産物を、私たちはなんだか麗しく「愛」と呼びなした。

当時読んだ芥川龍之介の『侏儒の言・西方の人』に、「恋愛はただ性欲の詩的表現を受けたものである。少なくても詩的表現を受けない性欲は恋愛と呼ぶに値しない」と書いてあって、十四歳の私は泣きました。そのころ初めて人をすごく好きになっていたからです。同性の同級生でした。私はそれを友情と愛情の混淆《こんこう》物だと考えていました。けれどその「友愛」にくっついて、自分の「性」が影のようにうずうずと蠢《うごめ》いていることも知っていました。「性」はそのころ、不安であり不穏でした。芥川の言葉に反応したのは、もちろんその不安で不穏な「友愛」が「恋愛」と同義であろうことにどこかで気づいていてもいたからでしょう。

余談ですが、くだんの芥川のアフォリズムは、ずるいレトリックを使っています。「恋愛はただ性欲の詩的表現を受けたものである」と言って、「恋愛」と「性欲」とを同じ価値に置きます。でも二つ目の文で「詩的表現を受けない性欲は恋愛と呼ぶに値しない」と、「呼ぶに値する」「恋愛」

を「性欲」より上のものと読んでしまうように誘導するのです。どっちなんだ、とツッコミたくもなりますが、これを書いた当時の彼だって三十代そこそこ。このことを書いていること自体、芥川もまた「愛」と「性」のあわいで行ったり来たりしていたということでしょう。もっとも彼は、その後すぐに自殺してしまうのですが。

しばらくして私も性と愛が同じものだと気づきますが、この二つの齟齬は世間ではかなり大きなものです。そもそも「性」を描くことだけを純粋にテーマにした小説とか映画というのは大体がポルノとして表の社会からは遠ざけられます。「ポルノ以上の価値」があるとされる純粋ポルノは、寡聞《かぶん》にして十八世紀末に登場したマルキ・ド・サドくらいしか思いつきません。『O嬢の物語』(ポーリーヌ・レアージュ/一九五四)だって「O」は愛を求めていたし、二〇一一年に出版され話題になったアメリカのエロティック小説『フィフティ・シェイズ・オヴ・グレイ(Fifty Shades of Grey)』(E・L・ジェイムズ)だって純粋に性だけを書いていたら物語は成立していません。ほとんどすべての「性」は、「愛」の色付けによって、あるいは「愛」にならない葛藤によって、あるいは「愛」ではないという逆説によって、意味を付与されてきました。まさに芥川の指摘した〝ポエム化〟の罠です。

ちなみに、三島由紀夫はこの「愛」による〝ポエム化〟化を避けるために、「美」という概念をそこに置き換えたと、二〇一九年に亡くなった橋本治が看破しています。

血みどろの性欲を語るために「美」という比喩が使われ、同時に、血みどろの性欲を示唆するものが、「美」を語るための比喩にも使われる。そこまでは三島由紀夫の尋常であるが、しかし、文体における装飾性には、もう一つの役割がある。それは、論理を迂回させる機能である。[*7]

いずれにしても、私たちはそういう「性」を迂回させる共同幻想の中で〝表〟の世間を営んでいるようです。

匿名と実名のあわいで〜フレディが陥った〝倒錯〟

ところでアメリカでは六〇年代の女性解放運動や性の解放の時代に、そんな〝幻想〟や〝ポエム〟に頼らない、そのままの「性」が探究されました。ヒッピー文化とかフリーセックスとか麻薬とかによって、「人間性の拡張」が唱導された時代です。

ところがゲイ男性の自叙伝として史上初めて全米図書賞を受賞したポール・モネットの『Becoming a Man（男になるということ）』（未訳／一九九二）が、当時の時代状況を「ヒッピーの性革命はだれもがだれとでもセックスできるということではあったが、ゲイであってもいいということではなかった。女性にも有色人種にも戦争にも政治哲学はあったが、ゲイにはなんの政治的意味もなかったのだ」と書いています。

奇妙な逸話もあります。ある作家が七〇年代初期に、思想・政治分野を扱う専門書店でゲイに関する本があるかと訊いたら「ポルノや変態モノは置いてない」と言われたというのです。店の本棚には女性、少数民族、さらには動物への抑圧という本まであったのですが、ゲイに対する抑圧は「なかった」。

アメリカ合衆国はもともとピューリタンの国で、大雑把にいえば俗に堕したカトリックのヨーロッパから、もっと聖書に忠実な国を作ろうとやってきたプロテスタントの人たちが西へ西へと拠点ごとに教会を作りながら拓いてきた土地です。なので、「アメリカはセックスにもおおらかでポルノも見放題」と言うのは実は微妙に思い違いで（ヨーロッパ人と比べると、アメリカの白人文化ではお風呂で裸を見せ合うことさえ恥ずかしがることも多いのです）、性表現やポルノはあくまで「表現の自由」を保障した合衆国憲法修正第一条で保護されているだけであって、実際には厳しくゾーニング（表現のTPO規制）されています。逆にいえばゾーニングさえ守れば性の享楽も保障されているのですが、前段で示したように、ゲイは六〇年代の性解放運動からも除外され、社会的弱者の政治運動からも排除されてきた。「どうすりゃいいんだよ!?」ってなもんです。

先ほど比喩として歌舞伎町（男性異性愛者たち）と新宿二丁目（男性同性愛者たち）の性の在り方の比較を挙げましたが、クローゼット（自分の性の在り方を「押入れ＝プライヴェートな場所」に隠しておかなけ

＊7　『「三島由紀夫」とはなにものだったのか』二百三十七頁（橋本治／新潮社／二〇〇二）。

ればならない状態）という意味では宗教的制約の実感が乏しい日本の異性愛者たちより、プロテスタントの国であるアメリカの異性愛者たちは比率としてはもっとずっと秘匿圧力が強いかもしれません。当然の帰結として同性愛者たちもまた同じく、アメリカではもっと過酷にクローゼットであることを強いられました。そしてそこに、自分たちだけが除外され排除された「性の解放」と「人権運動」の気運が、「いや、そんなことはないはずだ」という反作用として、後追いあるいは後付けの形で入ってくるのです。これも「ストーンウォール・インの暴動」がきっかけでもあったはずです。

ところがいくら「性の解放」と「人権」と言っても、ゲイにとっては当時、それはまだ厳しく匿名での言挙げでした。なぜなら異性間と違って、同性愛者たちにはソドミー法[*8]が存在していたからです。ソドミー法によって性行為に関係することが（つまりは性愛のすべてが）一括りに犯罪とされた社会で、社会生活を営みつつゲイであると実名を明かすことはリスキーに過ぎた——なぜならカミングアウトは、「犯罪者としての名乗り」でもあったのですから。

それでも性愛への希求は募ります。性愛＝性欲と恋愛欲、そのどちらも同じステロイド分泌あるいは幸福ホルモンのオキシトシンの為せるワザなんでしょうが、しかし匿名でも可能なものは性愛の「性」の部分でした。「愛」は匿名では為し得ない。社会生活においてはなおさら。けれど「性」は匿名で〝処理〟できるのです。性欲を処理する→ステロイド分泌の欲動に片を付ける→恋愛欲も片が付く。そういうことです。

「性の解放」はしかし、本来はもっと大きな「性の可能性の拡張」のことでした。異性愛者にとってそれは文字どおり「人間性＝生き方の可能性の拡張」だった。彼らにとって、「性」は「生き方」の根幹の一部だったからです。

ところが、匿名のままの「生き方」を強いられた同性愛者たちにとっては、「性」は「可能である自分」のすべてでした。「性」以外に匿名で可能なものはなかったからです。そこにしか自分につながる「本当」がなかった。「性」は「生」と切り離さざるを得なかった。「性の可能性の拡張」は「人間性＝生き方の可能性の拡張」とは遮断されていたのです。

「性」以外の残りの「生」の部分で社会生活を営み、仕事もし、人とも話し、家族親戚とも付き合っているのだけれど、実名でのそんな生活の方が「ウソ」に思えて、匿名でのセックスだけが「本当」の自分に思えてくる。それこそが〝倒錯〟でした。ですが、どうしようもないのです。それが〝倒錯〟だと気づいたら、あとはクローゼットから出る以外にない。にもかかわらず、クローゼッ

＊8　生殖に関係ない性行為＝反自然な性行為をすべて違法とする法律の総称。「ソドミー」は、旧約聖書にある、男性間性行為の横行を暗示させる町「ソドム」から派生した「肛門性交」の婉曲語。

トから出た途端に同性愛者たちは「性犯罪者」になったのです。

もちろん「愛なんて〝ポエム〟は必要ないさ、セックスだけで一〇〇%満足」と嘯《うそぶ》く人が存在するのは、異性愛者も同性愛者も分け隔てありません。〝片付け〟のメカニズムは誰にでも平等に働きます。さらに進めて言えば、異性愛者にも同性愛者にも、男性の場合、射精してしまえばそれで終わりというタイプAと、射精してから相手がより愛おしくなるタイプBとがいます。もちろんこれも二元論ではなくて相手によって違うという人が多いでしょうから、ここは偏差、傾向で判別してください。そして異性愛・同性愛どちらのタイプAにも、そのためだけの場所はビジネスとしてもすでに用意されています。私たちはそんなすごい規範化の社会に生きています。

まあそういう諸々の事情の詳細は、ここで私が口を挟みたいことではありません。私がいま口を挟んでいるのは、どうしてレインボーマーチ札幌のパンフレット協賛広告が性産業のものに偏っていたのか、の背景の、一つの説明です。このプロローグの冒頭に記した『ボヘミアン・ラプソディ』の話に立ち戻れば、フレディはなぜセックスに溺れたのか、の答えの可能性に関してです。

そしてフレディがそうだったように、「性の解放」と「人権」とが結びつき始めた不完全な匿名の過渡期に、ゲイ・コミュニティにエイズ・ウイルスが襲い掛かる——。

列挙しながらもまだ説明していないことがあります。フレディはどうして女性ではなく男性に惹かれたのか？　そもそも同性愛って、何なのか？　そしてなぜ映画のバンド・メンバーたちは、彼がゲイでHIV陽性とわかった後でもああもやさしく描かれているのか？——そのやさしさは、一九九〇年代を経てやがて二十一世紀の最初の年から、人権先進国での同性婚（結婚の平等）の動きへとつながっていきます。ほどこしではなく、平等の気づきとしての友愛のやさしさとして。

その流れ、変遷をたどることは、私にとって、私たちの生きる「世間」の謎解きの航路でもあり、同時に、私たちのさまざまな「生き方」の練習問題でした。

1.

愛と差別と

言葉で闘うアメリカの記録

第一章 「ロック・ハドソン」という爆弾

誰も知らない、日本史上画期的なゲイ差別裁判

一九九三年二月二十三日、大雪積もるJ・F・ケネディ空港に下り立って、新聞社特派員としての私のニューヨーク生活が始まりました。それから二十五年近くもここに住み着くことになるとは予想もせずに。

ニューヨーク特派員の仕事は国連本部（特に安全保障理事会）および全米の社会ニュースの取材です。政治や経済ネタはワシントン総局がカヴァーしています。なのでニューヨークには社会部畑の記者が赴任することが多い（ウォールストリートがあるので経済部記者を送る社もあります）。

赴任して三日目の二月二十六日の正午過ぎ、八年後に起きることになる「9・11」の伏線と言うべき「世界貿易センター地下駐車場爆破事件」[*1]が起きました。それればかりか四月十九日にはテキサス州ウェイコで「ブランチ・ダヴィディアン事件」[*2]が起こり、二年後の同日には「オクラホマ連邦政府ビル爆破事件」[*3]が発生したりと、私の赴任期には大事件や大事故が立て続きに起きました。おまけに国連はブトロス・ブトロス・ガリが事務総長で、「平和への課題」という提言の下に国連に

よる世界和平への積極介入が行われた時代でもあり、ボスニア・ヘルツェゴビナ内戦の国連平和執行部隊取材でクロアチアやマケドニアに入るなど、大忙しの三年間でした。

その間に、それでも日課のように取材しようとしたテーマが「エイズ」でした。八〇年代に始まったエイズ禍はニューヨークでも（あるいはニューヨークだからこそ）まだまだ猛威を振るっていました。日本ではゴシップやスキャンダルの類いで扱われることの多かったエイズ関連のニュースは、アメリカでは連日硬派・軟派[*4]ともどもトップの扱いでしたし、社会全体が（子どもたちへの教育も含めて）一丸となって取り組んでいる問題でもありました。映画、小説、TVドラマ、さらにはブロードウェイまでがエイズ抜きでは語れませんでした。そしてエイズ問題を通じて、私はおびただしい量、おびただしい分野、おびただしい人間の、ゲイ関連情報に触れることになりました。

＊1　タワー倒壊を意図し、爆弾を満載したヴァンが地下二階の駐車場で爆発、六人が死亡、千四十人以上が負傷したイスラム過激派によるテロ事件。駐車場四階層にわたって直径三十メートルの穴が開く威力だった。

＊2　武装籠城したカルト集団が五十一日に及ぶ連邦司法当局との対峙の末に銃撃戦となり、出火する形で集団自殺。集団側は子ども二十五人を含む八十一人が死亡。

＊3　死者百六十八人、負傷者六百八十人以上という犠牲者を出した白人武装ミリシア（民兵）による車載爆弾テロ事件。

＊4　日本の新聞社では政治・経済部記事を硬派、社会部記事を軟派と呼ぶ。

それは生まれて初めての「ゲイ」情報のシャワーでした。日本では決して得られることのなかった硬軟とりまぜての情報の大波でした。

私は、この九〇年代半ばに、ほとんど英語情報によって「ゲイ」というものを知り始めました。もっとも、ニューヨークに来る前の日本には「ゲイ」の情報がまったくなかったかといえばそうではありません。

私の渡米二年前の一九九一年に、日本でも初の画期的なゲイ差別訴訟「府中青年の家事件」裁判が始まっています。これは「動くゲイとレズビアンの会（通称「アカー」OCCUR）」というゲイの人権団体が東京都を相手取って起こした損害賠償訴訟で、「府中青年の家」[*5]で研修合宿に入ったアカーのメンバーたちが、同性愛者のグループであることを理由に同じ日に利用した他団体から差別的嫌がらせを受けたことに端を発した事件です。アカーは青年の家の職員側に善処を求めましたが、「家」側は逆にアカーの存在こそが問題の引き金となったとして、あろうことか以後のアカー側の施設利用を拒否したのでした。

裁判は一審、二審ともアカーの勝訴に終わりましたが、この画期的な判決は、当時の日本で大きく取り上げられることはあまりありませんでした。

しかしアメリカでは違いました。一審の東京地裁での勝訴があった一九九四年は「ストーンウォール・インの暴動」から二十五周年を迎える記念すべき年でした。私のニューヨーク赴任二年目でもあったその年の六月末、ニューヨークの「ゲイ&レズビアン・プライド・パレード」に参加しようと、そのアカーの（当時の）若者たち二十数人がはるばるやってきました。この時、彼ら彼女たちが着ていたお揃いの特注Tシャツには「You Can Fight City Hall」と書かれていました。

英語のイディオムで「Can't Fight City Hall」というものがあります。「シティホール（市役所）とは戦えない」。つまり、役人たち＝官僚制度と戦おうと思っても無理、日本流に言えば「お上には逆らえない」「長いものには巻かれろ」という意味です。その「Can't（できない）」を「Can（できる）」に言い換える。日本には「ゲイに対するあり得べからざる差別が存在する」と日本の司法に初めて認めさせた「アカー」の勝訴は、「やればできる」というメッセージをアメリカ人に伝えて沿道から大きく拍手を浴びたのでした。

そのパレードの終わった夜に、解散地点に近かった私の自宅に彼らを招いてささやかなパーティーを催しました。好天に恵まれ陽に焼けた彼らの晴れがましく誇らしげな顔を私は今も忘れていません。

「日本の文化は武家の衆道《しゅどう》や仏教の稚児の慣習のように歴史的にも同性愛に寛容で、欧米のような

＊5　東京都の青少年育成施設。民間の青少年団体等が申請して使用。二〇〇五年二月に閉鎖。

（あるいは死刑相当の刑罰の残るアフリカやイスラム圏諸国のような）差別はない」と言う人たちがいます。もっとも、この場合の「歴史的にも」という言い方は明治以降の流れを無視していますし（歴史は、ある場合は簡単に断絶もするものです）、「色小姓《いろこしょう》」とか「陰間《かげま》」などのあまり肯定的ではない響きにも耳に蓋しているのでしょう。「歴史的に寛容だったから、いま現在も寛容になれる素地はあるのだ」という希望的な文脈で戦略的に語られることもありますが、そこにある欺瞞的な論理立ては否定しようがありません。いやそれ以上に、「差別はない」ならばなぜかくも多くのＬＧＢＴＱ＋の人たちがカミングアウトに逡巡するのか説明がつきません。[*6] その差別が、妄想や自家中毒の類いだと言うならば話は別ですが。

「アカー」の裁判はその「差別」の存在を日本の歴史に初めて公に記したものでした。同宿した「日本イエス・キリスト教団青年部」から「こいつらホモの集団なんだぜ」と揶揄されたり旧約聖書の「女と寝るように男と寝るものは、ふたりとも憎むべきことをしたので、必ず殺されなければならない」の一節を読み上げられたり、別の少年サッカーの団体からは入浴を覗き見されたり「またオカマがいた」と嘲笑されたりした嫌がらせについて、被告の東京都側は同性愛者が同宿したことによって惹き起こされた「秩序の乱れ」であると主張したのですが、判決は明確に「同性愛者に対する蔑視」こそが原因だと認定し、さらに、嫌がらせをした側に対して施設利用を拒絶するならわかるが、嫌がらせをされた同性愛者側の利用を拒絶することには理由がないと断罪したのです。

つまり、「秩序」を乱したのはアカー側ではなく、嫌がらせした側、さらにはそれを庇《かば》った青年の家側だと明言した――そして「従来同性愛者は社会の偏見の中で孤立を強いられ、自分の性的指向について悩んだり、苦しんだりしてきた」とまで言い切ったのでした。

負けた都側は控訴します。けれど九七年結審の東京高裁でも、判決文はこう結論づけます。

（アカー側が嫌がらせを受けた）平成二年当時は、一般国民も行政当局も、同性愛ないし同性愛者については無関心であって、正確な知識もなかったものと考えられる。しかし、一般国民はともかくとして、都教育委員会を含む行政当局としては、その職務を行うについて、少数者である同性愛者をも視野に入れた、肌理《きめ》の細かな配慮が必要であり、同性愛者の権利、利益を十分に擁護することが要請されているものというべきであって、無関心であったり知識がないとい

＊6　「ａｕじぶん銀行」調べ（二〇二〇年八月二十五～二十八日、調査対象は、ＬＧＢＴなど性的マイノリティ当事者と非・当事者のビジネスパーソン各五百人）では当事者が職場の同僚・上司に自分がＬＧＢＴであるとカミングアウトした人の割合が一七・六％。非当事者で自分の友人・知人にＬＧＢＴの人を知っている人は二一・四％（https://suits-woman.jp/kenjitsunews/163923/）。かなり増えてはきたが、アメリカでは二〇二〇年同様調査（各二千人対象）で、逆に四〇％の従業員がＬＧＢＴＱを公表していないこと、うち二六％が公表したいと願っていること、などが明らかになった（https://www.bcg.com/publications/2020/inclusive-cultures-must-follow-new-lgbtq-workforce）。

うことは公権力の行使に当たる者として許されないことである。このことは、現在ではもちろん、平成二年当時においても同様である。（中略）都教育委員会にも、その職務を行うにつき過失があったというべきである。

――都側は上訴を諦めました。

相対的であれ絶対的であれ「日本には同性愛差別はない」あるいは「法律で禁止しなければならないような差別はない」と言い立てる人たちは、法律で裁かれねばならなかったこの事例、司法による差別の明記の歴史を（恣意的に見ないフリをしているのではないのなら）単に知らないだけなのかもしれません。そしてこの日本初の同性愛差別裁判の勝訴の論拠となったのは、実は「ストーンウォールの暴動」から続く、アメリカおよび世界の「同性愛」非病理化の流れで構築された言説群だったのです。

第一審判決は次のように言っています。長いですが、とても重要な歴史的事実として引用します。

かつて、同性愛に関する心理学上の研究の大半は、同性愛が病理であるとの仮定に立ち、その原因を見い出すことを目的としていたが、一九七五年以来、アメリカ心理学会では、同性愛に対する固定観念・偏見を取り除く努力が続けられてきた。

国際的にも影響力のあるアメリカ精神医学会により作成される精神障害の分類と診断の手引き（DSM）においては、一九七三年十二月、アメリカ精神医学会の理事会が同性愛自体は精神障害として扱わないと決議し、DSM-IIの第七刷以降「同性愛」という診断名は削除され、代わって「性的指向障害」という診断名が登場しDSM-IIIにおいてはそれが「自我異和的同性愛」という診断名に修正された。これは、自らの性的指向に悩み、葛藤し、それを変えたいという持続的な願望を持つ場合の診断名である。しかし、この「自我異和的同性愛」という診断名も、同性愛自体が障害と考えられているとの誤解を生んだこと、右診断名が臨床的にほとんど用いられていないことなどから、一九八七年のDSM-IIIの改訂版DSM-III-Rからは廃止された。

世界保健機構で作成されているICD国際疾病分類の第九版であるICD-9をアメリカ連邦保険統計センターが修正し一九七九年一月に発効したICD-9-CMでは、「同性愛」という分類名が「性的逸脱及び障害」の項の一つとしてあげられていたが、ICD-9の改訂版であるICD-10の一九八八年の草稿では「同性愛」の分類名は廃止され、「自我異和的性的定位」という分類名が用いられており、これについては、「性的同一性、性的指向に疑いはないが、もっと違ったものであればよいのにと願い、それを変えるための治療を求める場合がある。」と記述されている。同じく一九九〇年の草稿では、「自我異和的性的定位」の項に「性的指向自体は、障害と考えられるべきではない。」と記述されている。

日本においても、精神科国際診断基準検討委員会によってわが国の診断基準の「試案」が作られ、そこにおいては種々の意見があったが、「同性愛」は「性障害」の診断名としては取り上げられず、「同性愛」は精神障害に入らないとの前提のもとに、参考項目に付加的分類名として残されるのみとなった。

このように、心理学、医学の面では、同性愛は病的なものであるとの従来の見方が近年大きく変化してきている。

ところで、従来同性愛者は、婚姻制度の枠組みの外におかれていたが、サンフランシスコ市では、平成三年二月から同性愛者のカップルの内縁関係を市が認定する制度が発足した。

サンフランシスコ市でも同性愛者に対する嫌がらせ、暴行が起こり、同性愛者の自殺も問題となった。また、教育の場では、一般の生徒は、同性愛者を性的な存在としてしかとらえず、完全な人格を持ったものとしてはとらえない傾向があった。そこで、サンフランシスコ市では、右のように従前正当な認知を与えてこなかった同性愛者の生徒の教育を受ける権利を保障するため、一九八九年から、同性愛者の生徒のためのサポートサービスが取り組まれている。

同種のサポートサービスは、ロサンゼルス市、サンディエゴ市でも取り組まれている。

——今から見ればとんでもなくニュース価値のある判決文ですが、九〇年代日本の大方の人は、そういうことにはほとんど興味がなかった。

それはちょうど、一九六九年六月二十八日の夜からニューヨークのグリニッチ・ヴィレッジで、ゲイたち数百人、数千人が三日三晩にわたってストーンウォールの〝解放区〟を作った時も、そこからちょっと離れたウォール街やミッドタウンではまるで何もなかったかのように普段の生活が続いていたのと似ています。世界の性的少数者の人権運動史上燦然と輝くこの暴動、反乱事件ですら、実は今でもアメリカ国内で（日本ではなおのこと）知らない人は多い。人は、自分に関係のあるものにしか興味を持ちません。「関心」とはそういう言葉です。

オールアメリカン・ボーイの憂鬱

ところが一九八五年のアメリカに、一般人が「ゲイ」のことに急に関心を持たざるを得ない事件が起きたのでした。私はおそらくこれが、日本の「無関心」とアメリカの「関心」を分けた事件ではないかと思っています。もちろんそれ以前に、「関心」への下地は十分に準備されていたのですが。

「一九八五年十月二日、ビヴァリーヒルズの自宅で、俳優ロック・ハドソンが朝九時ごろにエイズ関連の合併症で亡くなった」というニュースが世界を駆け巡ったのです。彼は五十九歳でした。

彼はエイズで死亡した世界的有名人の初めての例となりました。身長百九十六センチ、黒い髪にやさしげな目、ロマンティックな低い声——彼は、最もエイズから遠い（すなわちゲイとは無縁の）「オールアメリカン・ボーイ（All-American boy／すべてのアメリカ人を代表するような男性）」という称号をほしいままにしていた人物だった（と一般には思われていた）のです。

日本の芸能界なら誰に相当するでしょう。女性にも男性にも大人気の国民的青春スターだった昭和の石原裕次郎とか加山雄三とか、そのあたりでしょうか。今はメディアが細分化した分だけ人々の関心も細分化して、昔のような老若男女すべてを惹きつける国民統合的な「大スター」という人物を挙げられないのが残念なところですが。

数カ月前から、病状や所在などに関してさまざまな噂や憶測は渦巻いていました。これ以上興味本位のゴシップをばらまかせておくことはできないと、八五年七月二十五日（死の六十九日前です）、ロック・ハドソンのエージェントがとうとう「エイズを発症している」と認めました。ところがその後でもしばらく、彼の罹患は「男性同性愛者以外でもエイズになる」という文脈で語られました。「オールアメリカン・ボーイ」の「異性愛性」を信じる、社会的喚起・啓発の一環として。当時の《ピープル》誌がハドソンの叔母リーラのコメントを引用しています。[*7]

彼がそう（ゲイ）だとは私たちは誰も一度も思ったことはありません。いつもなんともいい人（such a good person）だった。それだけです。

けれど彼はゲイでした。

《タイム》誌はこう書きました。[*8]

先週、ハドソンがパリの病院でエイズによる重篤な病状で横たわっているとき、このオールアメリカン・ボーイは、長年にわたりずっと公にしてこなかった秘密を抱えていたということが明らかになった：彼はほぼ確実にホモセクシュアルだったのである（he was almost certainly homosexual）。

＊7　"How Rock Hudson's Death Changed the Perception of AIDS" https://goodmenproject.com/featured-content/how-rock-hudsons-death-changed-perception-aids-jvinc/

＊8　"Medicine: Rock: A Courageous Disclosure / Hudson spotlights the dilemma of gays in show business" http://content.time.com/time/magazine/article/0,9171,1048462,00.html

なんともホモフォビック（同性愛嫌悪的）でスキャンダラスな書き方です。確かに一九八五年というのはアメリカでエイズ禍が拡大（全米死者数はその年一万二千五百二十九人を数えました）し、その〝元凶〟としてゲイ・コミュニティが槍玉に挙げられ、それゆえに宗教保守派に支持基盤を持つ当時の共和党大統領ロナルド・レーガンはエイズを政治課題としてはまったく取り上げないままでいた、そんなホモフォビックな年でした。エイズ活動家たちの常套句は「誰か白人で金持ちのヘテロセクシュアルがエイズになるまでマスメディアも政治家もエイズのことに振り向きもしない」というものでした。そこに白人で、裕福で、屈強な〝ヘテロセクシュアル〟のシンボルだったハリウッドスターがエイズに襲われたのです。しかも彼は（やはりハリウッドの俳優だった）レーガンの長年の友人で、保守的なバリバリの共和党支持者でした。彼の真実が露呈したことの衝撃は凄まじいものでした。

《サンフランシスコ・クロニクル》紙のジャーナリストだったランディ・シルツが一九八七年、エイズ禍拡大の真っ只中で大部の労作『And the Band Played On : Politics, People, and the AIDS Epidemic』（『そしてエイズは蔓延した』訳・曽田能宗／草思社／一九九一）を刊行しました。その本の最初の五年間のエイズ史の書き出しは「一九八五年十月二日、ロック・ハドソンが死んだ朝に、（エイズという）その単語は、西側世界のほとんどすべての家庭で普通に知られる言葉となっていた」でした。

「ゲイ」の変身、「女」たちの献身

彼の死がアメリカの「世間」に与えた衝撃は二種類です。一つは、自分の知っている人物がエイズで死ぬという衝撃です（それまでの死者はすべてほとんど「他人」でした）。もう一つはそれに関連して、あんなに男らしいロック・ハドソンがゲイだとすれば、他の誰がゲイではないと言い切れるだろう、という、反語の形の衝撃でした。

「ゲイ」は自分たちとは関係のない、どこか闇の世界の住人でした。「性のバケモノ」という話は「プロローグ」で説明したとおりです。そうした、これまで揺るぐことのなかったゲイに対する自分の認識が、ひょっとしたら間違っているのかもしれないという初めての疑義が世間の人たちの心によぎった……それはまさにこのロック・ハドソンの、スキャンダラスな報道に汚され、衰弱した姿を写真で晒され、尊厳も奪われた非業の死がもたらした衝撃の余波でした。

——私たちの周りには、私たちが気づかなかっただけで、ゲイやレズビアンであることをひた隠しにしている友だちや家族や同僚がいるのではないか？　私たちは気づかぬうちに、そんな友人知人たちにひどい言葉を聞かせていたのではなかったか？　私たちは彼ら／彼女らに対して、取り返しのつかないことをしてきたのではなかったか？——私のことをいつもやさしく大切に思ってくれていたあの人は、ひょっとしたらゲイだったのでは／レズビアンだったのではないのか？

この時、エイズをめぐる潮目が変わります。同時に、ゲイに関する見方も変わり始めるのです。それらは不意に「自分に関係のあるもの」へと変貌する。

もちろん依然として、「ロック・ハドソンも、うまく隠していたが結局は変態性欲の異常者だったのだ」という昔ながらの言説の引力は大きなものでした。それは主に保守的な男性層からの反応でした。けれど(これはどうもジェンダーロール＝男女に期待される役割分担のステレオタイプを語るようで難しいのですが、敢えて記せば)主に(「共感性が強い」とされる)女性層の中から、ゲイ男性に対するこの〝ひどい仕打ち〟に関して、そうであってはならないという反発が生まれたように思います。ロック・ハドソンにとってのその筆頭は、彼と何度も共演し、アメリカのスイートハート(恋人)と呼ばれた女優で歌手のドリス・デイや、誰もが認める大女優エリザベス・テイラーでした。

彼女たちはハドソンについて発言し、エイズについて(つまり間接的にゲイについて)語りました。エリザベス・テイラーが米国エイズ研究財団(amfAR = American Foundation for AIDS Research)の創設メンバーとなり(一九八五)、自らの名を冠した「エリザベス・テイラー・エイズ基金」を創った(一九九三)のも、ハドソンの感染と死がきっかけでした。フェミニズムの台頭で七〇年代に袂を分かつことの多くなっていたゲイ・コミュニティとレズビアン・コミュニティが、多くレズビアン女性たちの方から再び歩み寄り始めたのも、そんな彼女たちがゲイ男性たちを看病するためのエイズ禍が契機の一つだったように思います。同様に、ハドソンの死の時期を境目に急激に増え始めたゲイ男性やエイズをめぐる数々の小説や映画やTVドラマ（NHKでもその後に放送された米NBC製作の『An Early Frost（早霜）』は、ハドソンの死から一ヵ月余り後、一九八五年十一月の放送でした）でも、多くゲイ男性の女友だちや母親、祖母、姉妹などの女性たちが理解と和解の橋渡し役を担うパターンが定着していきました。

「政治的正しさ」と「綺麗事」と

忘れてならないことがあります。「ゲイ男性に対するこの〝ひどい仕打ち〟に関して、そうであってはならないという」言説が多く女性たちの中に生まれてきたのが、八〇年代の「ポリティカル・コレクトネス（政治的正しさ＝PC）」の風潮を土台にしていたということです。

このPCという用語は初めは七〇年代にかけての学生運動の新左翼やフェミニストたちが、内輪のジョークのように使っていたものでした。仲間内で性差別あるいは人種差別的な物言いがあった時に、彼ら／彼女らは文化大革命の政治委員や紅衛兵のような言い回しで「同志よ、それはあまりポリティカリーにはコレクトではない！（Not very 'politically correct', Comrade!）」と言っていたそうです。

けれど性差別、人種差別の問題は七〇年代を通して肥大する一方でした。そこにエイズ差別（を通したゲイ差別）が被さってきます。ＰＣはその時、揶揄やジョークではない、命に関わる切実な運動になっていきます。そしてその切実さと重要性をすでに知っていたのが、マチズモ（男性主義）の横行するアメリカ社会の真っ只中にいた女性たちだったわけです（もちろんそうじゃない女性たちも多かったですが）。

八〇年代のアメリカで九年にわたって大ヒットした大富豪一家の愛憎劇ＴＶドラマ『ダイナスティ』で、ロック・ハドソンが主人公一家の妻クリスティにキスをする場面がありました。八四年のシーズンでした。そして翌八五年、ハドソンのエイズ発症が公のものになる――その際、ハドソンのキスがクリスティ役の女優リンダ・エヴァンスにＨＩＶを感染させたかもしれないという疑問が持ち上がりました（もちろんキスなんかでＨＩＶは感染しないということは今ではわかっています）。ＴＶホストにそう質問されたエヴァンスは毅然として返します。「私は病気ではないし、私は何も恐れていません。いったいどこからそんな話が出てきたんですか？」

この時のことを後に彼女は回顧録（『Recipes for Life: My Memories』未訳／二〇一六）で記しています。要約すれば――

情熱的なキスの代わりに、ロックはさっと唇を掠《かす》るようなキスしかしてこなかった。そしてすぐに体を引いてしまう。何度やってもそうだった。業を煮やした監督が私の方から情熱的なキスをしてと言ったが、私はそれは「クリスティ」の役柄にそぐわないと言って断った。翌週に再撮影したときもロックのキスは同じだった。やがてロックのエイズが明らかになった。彼がどうしてキスをしてこなかったのか、私はその時そのわけを知った――。

「思えばあのとき」とエヴァンスは書いています。「彼は懸命に私を守ろうとしていてくれたんだと思う。それを思うと感動で心が震える」と。

彼女のこの言葉を綺麗事だと吐き捨てることは私にはできません。その時に「きゃー、怖い！」と喚《わめ》かない矜持《きょうじ》。そのプライドを「綺麗事」と言い換えるのは、ポリティカリー・コレクトを矮小化するトリックです。PCとは、八〇年代の米国で立ち上がりつつあった社会的弱者たちの言挙げを支える、切実で真剣な言説運動でした。それはのちに「アイデンティティの政治」として批判される先制攻撃の道具としてではなく、自衛のための装具として働きました。今でこそ「ポリコレ棒」とか「PC疲れ」とか「正義を振り回す少数派」とか非難されもしますが、そもそも我が物顔で「正義」の棒を振り回して「自分たち以外の者」を叩きまくったのは「宗教という絶対正義」を盾にした保守派（多数派）の人々の方でしたから、「ポリコレ棒」とはまさに逆に、そんな彼らの（数千年に及ぶ）先制攻撃に対する初めての正当防衛の道具、反撃の大義名分として機能したのです。たとえその後、それがある部分で「言葉狩り」の皮相へも流れたとしても。

大義名分としての「エイズ」

《ワシントン・タイムズ》の保守派編集長ウェスリー・プルーデンは当時、ロック・ハドソンのエイズにかこつけて「いまやエイズは、戦闘的ホモセクシュアルたちにとっては有名人の病に格上げされた」と皮肉たっぷりに書き記しました。これでまた喧《やかま》しく騒ぎ立てるのだろう、という揶揄です。

彼の予想どおり、ゲイ・コミュニティは社会の危機としてのエイズ対策を大義名分として「戦闘」していきます。「ゲイ」という個人的事情はカミングアウトに逡巡するのですが、「エイズ」のカミングアウトは政治対応を訴え社会危機を防ぎ対策予算を得るための、奨励されるべき立派な行いになったのです。かくして人々はエイズのカミングアウトを通して、あるいはエイズ患者／ＨＩＶ陽性者支援活動への参加や関与や関心を通して、ゲイであることも間接的あるいは直接的に公にするようになってきました。

ロック・ハドソンの悲劇が異性愛社会にもたらした啓示——「私たちの周りには、私たちが気づかなかっただけで、ゲイやレズビアンであることをひた隠しにしている友だちや家族や同僚がいたのではないか？　私たちは気づかぬうちに、そんな友人知人たちにひどい言葉を聞かせていたのではなかったか？　私たちは彼ら／彼女らに対して、取り返しのつかないことをしてきたのではないか？」という気づきの予感は、かくして時間をかけながらも確実に実感に変わっていきます。大統領のレーガンは友人だったはずのハドソンの死から二年後に、やっとエイズ対策を自分の政権の政治課題として演説の中で登場させます。それはエイズ患者たちも（そしてゲイたちもまた）人間なのだという、政治的な宣言の第一歩になりました――ロック・ハドソンの死は、世間を覚醒させる爆弾として機能したのです。

第二章

エイズ禍からの反撃

「チェルシー・クイーン」出生の背景

ロック・ハドソンの死が世間を覚醒させる爆弾だったとしても、エイズ禍が終わったわけではありませんでした。一九八五年末までに、世界のすべての地域でエイズの発症例が報告されました。発症者は世界全体で二万人を超えました。

「レッドリボン」がエイズ啓発の国際的なシンボルとなった一九九一年には、バスケットボール界のスター、マジック・ジョンソンが自らHIV陽性であることを発表しました。このことは「エイズはゲイ（だけ）の病気」というイメージを払拭する一助となりましたが、それから間もなくクイーンのフレディ・マーキュリーのエイズ発症も明らかになり、そのニュースは翌日（十一月二十四日）、すぐに彼の訃報に変わりました。九二年にはプロの花形テニス選手だったアーサー・アッシュ[*1]が九年前の心臓手術の輸血からエイズにかかったことを発表し、彼も翌年二月にエイズ関連の肺炎で死去します。

私がニューヨークに赴任したのは、今から思えばアッシュの亡くなった二週間ほど後だったんですね。

支局のあるニューヨーク市はアメリカのどの都市よりもエイズの影響をまともに受けた街です。一九八九年、エイズに関連する病死者はニューヨーク市だけで年間で五千人を超え、五年後の九四年にはそれが八千人を超えました。[*2] その真っ只中で、あるいはその真っ只中だからこそ、マンハッタンのゲイ・コミュニティは不思議な隆盛を極めていました。

ゲイ・コミュニティは「エイズ」という大義名分をテコに社会的に、政治的に攻勢を強めます。九三年六月のストーンウォール記念イヴェントのスローガンは「Be Visible（目に見える存在になれ）」でした——八〇年代、ゲイであることに加え、「エイズに罹患する人たち」という属性を付与されたことで二重の差別を受けたゲイ・コミュニティには、再びクローゼット（ゲイであることを隠している状態）に籠《こ》もろうとする傾向が芽生えました。けれどそれではエイズ禍と戦えなかった。エイズ禍との主戦場は、病院の中だけでなく社会と政治の表舞台でもあったからです。そこでもう一度

＊1　一九四三年生まれのアッシュは人種差別の強かったテニス界で公民権運動の高まりとともに次第に試合への出場が認められるようになり、黒人として初めてテニス四大大会のシングルズ（全米、全豪、全英）で優勝した伝説の選手。

＊2　https://www1.nyc.gov/assets/doh/downloads/pdf/ah/surveillance2014-trend-tables.pdf

原点に戻って「カム・アウトせよ」と訴えることが必要となった。

「エイズに罹患する人たち」という汚名を濯《すす》ごうと、暗いクローゼットから出てきた主に白人のゲイ男性の新世代は、エイズの影に怯えつつも自分の健康さを誇示するために人工的な「筋肉づくり」を始めました。

「マッスル・クイーン」「ジム・クイーン」という言葉が生まれていました。「筋肉ネエさん」「ジム通いの女王様」という（ある種自嘲的でもあった）呼称です――まるで絵に描いたような筋肉美の皮膚に（エイズ関連症候の病変たる）カポジ肉腫の斑点がないことを見せるため、彼らは露出の多いタンクトップを身につけ、ショートパンツでマンハッタン・チェルシー地区を闊歩しました。「チェルシー・クイーン」たる彼らの姿はその画一的なスタイルから「チェルシー・クローン」とも揶揄されましたが、それもこれも端緒は「エイズ」だったのです。

高級化を見せつけたゲイ・コミュニティ

そうそう、「ゲイ地区」といえばニューヨークではかつてはグリニッチ・ヴィレッジ[*3]でした。昔から自由人の住む「リトル・ボヘミア」として栄え、最初のゲイバー（当時は花の名の「パンジー」がゲイを指す隠語で、「パンジー・バー」と呼ばれました）めいた店も一八九〇年代にこの地区にできています。あの〈ストーンウォール・イン〉も七番街からクリストファー・ストリートをすぐ東に入ったヴィレッジの中心部にあります。

しかしヴィレッジは基本的には住宅地で、道路も狭く商業施設のスペースも限られています。おまけにどんどん瀟洒《しょうしゃ》になって家賃も高くなり、年齢層も高い金持ちゲイしか住めない場所になった。

＊3 マンハッタンのダウンタウン、西十四丁目からハウストン・ストリートにかけての古くからの住宅地区。チェルシーの南隣に位置する。

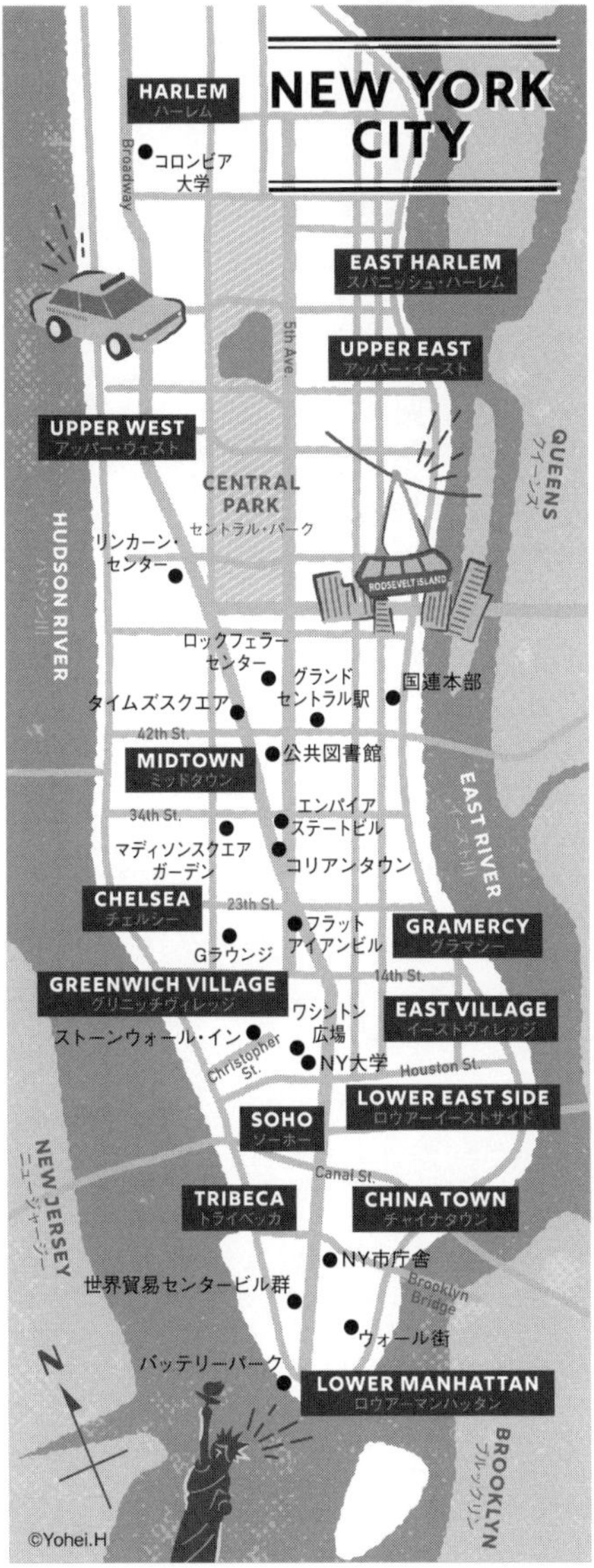

ゲイたちがその北隣のチェルシー地区[*4]に移り始めたのはそんな九〇年代に入ってからです。

チェルシーはそれまで特に八番街から西ではなんだか危険な感じもする倉庫街でした。だから家賃も安くて若いゲイたちも住むことができたのですが、そうやってゲイたちが入り始めてから街はどんどん明るく安全になってきて、当時はすっかりニューヨークでいちばんトレンディな地区になっていました。そして現在、二〇〇〇年代になってゲイ人口はマンハッタンを離れてブルックリンに移動した後、二〇一五年に同性婚が合法化されてからは家族化することで、市内どの地区にも年収に見合った場所場所に遍在するようになっています。

そういえばサンフランシスコのカストロ地区も「ゲイの街」になってから見違えるほど綺麗になりました。ロサンゼルス近隣のウエスト・ハリウッドもゲイ地区化とともに豪奢になりました。ケープコッドのプロヴィンス・タウンやフロリダのサウスビーチ、キーウエストなど、ゲイのリゾート地は不況時でさえも賑わっていました。

チェルシー地区はまさにその流れで繁栄しました。次々とおしゃれなカフェやレストランやゲイクラブができ、ヴィレッジにあったゲイ専門書店〈ディファレント・ライト〉も一九九三年に三倍の店舗面積を求めてチェルシーの西十九丁目に移転しました。その近くに〈Gラウンジ〉という画期的なゲイバーができたのは一九九五年でした。ドアも閉じて窓も小さく、内部の窺い知れないゲイバーが多かったのですが、この店は通りに面して全面がガラスのドアでした。そこにはゲイフレンドリーなストレートの若い男女もゲイの友人に連れられて数多く訪れ、おしゃれなカクテルと会話を楽しんでいました。ニューヨークのストレートの若者たちの間では、ゲイの友人がいることはそのころ「シック（chic）」でクールなことになっていました。それはすでに政治的にもリベラルで人権意識も高いという、当時のトレンドの「ブランド」であり「記号」でもあったわけです。

例の、エイズ発症者／ＨＩＶ陽性者への「友情・支援」を示す「レッドリボン」もまたどんどん記号化し、エイズ・フレンドリーであることを「エイズ・シック（AIDS chic）」と呼ぶ傾向も生まれました。レッドリボンが高級宝飾店からとんでもなく高額な、真っ赤なルビーのアクセサリーとして売り出されたのもこの頃でした。

不思議な時代でした。エイズ禍は去っていないのによりヴィジブル（目に見えるよう）になって元気なゲイたちを（正確に言えばそれは選別的に「白人ゲイ男性」層だったのですが）、生き馬の目を抜く米ビジネス界がターゲットにし始めるのです。

九〇年代に入って、アメリカの主流メディアは（そしてそれに触発されたヨーロッパ・メディアもまた）こぞってゲイたちの可処分所得の多さを喧伝《けんでん》し始めます。その先駆けとなったのは《ウォール・ストリート・ジャーナル》の一九九一年六月十八日付けの大々的な統計記事でした。米商務省国勢調査局と民間調査機関の共同調査によるその統計数字は、ゲイ男性の世帯が他のアメリカの一般世帯

＊4　二十世紀前半から倉庫や流通施設が多かった西十四丁目から西三十丁目にかけての地区。

よりはるかに年間所得や可処分所得が大きく高学歴で、旅行や買い物に多大な興味を示しているというものでした。

今から三十年ほど前となるその当時のアメリカにおける統計数字を少し抜き出してみましょう。

▼一世帯平均年収はゲイ男性世帯で五万五千四百三十ドルで、全米平均より二万三千ドル多い

▼米国人平均個人年収一万二千百六十六ドルに対し、ゲイ男性個人は三万六千八百ドルと三倍

▼大卒者は米国平均では一八％なのに対しゲイ男性では五九・六％とこれも三倍以上

▼年収十万ドル以上の高額所得者はゲイ男性で七％を占め、アメリカ平均の四倍

▼回答レズビアンの二％は年収二十万ドルを超え、これはゲイ男性内の比率より多い

▼全米でゲイ男性とレズビアン女性が獲得する所得総計は年間で五千百四十億ドル

▼海外旅行経験者はアメリカ人全体では一四％だが、ゲイ男性では六五・八％
▼航空会社のフリークエント・フライヤーズのメンバーも米国人全体で一・九％だった当時に、ゲイ男性はその十三倍以上の二六・五％

ここで断っておかねばならないのは、これらの数字はあくまで「自分はゲイである／レズビアンである」とアンケートに答えることのできる、すなわち自分に自信を持っていたカム・アウト済みの人たちの回答結果だということです。当時ゲイ（厳密にはLGBTQ＋）人口は全体の一〇％を占めると言われていました。なので「テン・パーセント」という言葉自体が「総体としてのゲイ・コミュニティ」の代名詞として使われることもありました。もちろん「私たちは一〇％もいるんだ。無視できないぞ！」という戦略的な数字です。もっとも実態としては三％から五％、あるいは六、七％か八％か、統計の取り方で変わって、よくわかりませんが。

いずれにせよ、当時言われたその「一〇％」の構成者がすべてこの《ウォール・ストリート・ジャーナル》掲載の統計数字を具現していたわけではないのは自明です。けれど、需要と供給の新市場が生まれることはメディアにも企業にも、そしてゲイ・コミュニティにも、さらには経済戦略的にも政治的正しさにおいても損はなかった。だから皆この戯画化した「ゲイ金持ち説」にまんまと乗ったわけです。そう、ちょいと片眉にツバしながらも。

チェルシー地区やカストロ、プロヴィンス・タウンに象徴される当時のゲイ・コミュニティの「ジェントリフィケーション（居住地区の高級化）」の流れを、しかし逆に黒人ゲイ、ヒスパニック系ゲイ、あるいはレズビアンやトランスジェンダーたちに対する、九〇年代版「排除と周縁化」の動きだったとして批判することは可能でしょう。

けれど、中南米を含めて世界的なエイズ支援活動を担った「GMHC（Gay Men's Health Crisis＝ゲイ男性の健康の危機）」はこのチェルシーで本部を改築し資金を増やし、日本人を含むアジア太平洋諸島系エイズ支援団体「APICHA（Asian and Pacific Islander Coalition on HIV/AIDS）」もここに移転して活動を拡大しました。あの時代、LGBTQ＋コミュニティ内では積極的なトリクル・ダウンの意志が働いていました。エイズを前に総力戦を戦っていた彼ら彼女らには、「ジェントリフィケーション」の批判を相手にする余裕もなかった。たとえ批判はあっても、それはあの時には必要な資金戦略だったのだと多くの者たちは言ったでしょう。

そうした中でアメリカの大企業がゲイたちをひそかに「上客」として狙い始める——そのときの《ウォール・ストリート・ジャーナル》の見出しは「根深い敬遠を捨て、ゲイ社会への企業広告増加」でした。《サンフランシスコ・クロニクル》も「隠れた金鉱ゲイ・マーケット」と書きました。《ニューヨーク・タイムズ》も九二年三月、「誰もがゲイ・ビジネスに乗り出そうとしている。ストレート（異性愛者）社会の気づかないところで、一般企業までもがみんなゲイ市場になだれ込んでいる」とのマーケッターの分析コメントを掲載しています。

九〇年代半ばにかけ、大企業がこうしてゲイ向けのマーケティングを本格化させていきます。アメックスは顧客の財形部門にゲイとレズビアンの担当員を置いてゲイの老後の資産形成などきめ細かな相談に乗り始めました。アメリカン航空は九四年からゲイ専門部門を作ってゲイ・イヴェントへの格安航空券の提供やゲイの団体旅行割引販売などを企画し成功します。そして九五年四月にはニューヨークで初めて『ゲイ・ビジネス・エキスポ』が開かれ、チェイス・マンハッタン銀行やらメットライフ（保険）、メリルリンチ（証券）など、当時は特段ゲイフレンドリーでもなかった企業の投資部門までもが出展しました。当時のNY市長ルドルフ・ジュリアーニもその開会式に出席して「ニューヨークがこの素晴らしいエキスポの恒常的な拠点都市になることを希望します」と、（トランプの私設弁護士として醜悪な晩年を晒した後年からは想像すらできない）人の好い満面の笑みを浮かべて祝辞を述べたのです。

政治的な論争や宗教的な思惑や偏見で煮詰まったりしているときに、この企業の論理＝おカネの論理は時にウンザリするほどわかりやすかったりします。事実あの当時、LGBTQ＋の働き手を差別すれば優秀な人材を逃すことにもなると、家族手当や扶養手当などの福利厚生で差別撤廃に着手したのは、まずは欧米の新進民間企業だったのです。

第三章　エイズ禍への反撃

逆転する「汚れ」

「不思議な時代」だったと書きました。エイズ禍は去っていないのに、ゲイたちがそれを逆バネにして社会的にどんどん可視化し、結果、カミングアウトを果たしたそのゲイ・コミュニティに、鵜の目鷹の目のアメリカのビジネス界が新しい（未開拓の）マーケットとして狙いをつけた――けれどそれはそんなに単純な話ではありませんでした。ロック・ハドソンの死が一つの契機だったことは確かですが、それを最大限に利用して、八〇年代後半から九〇年代のアメリカのリベラル社会全体がエイズ禍と差別システムへの猛反撃を始めたわけです。そのことなしに、現在の同性婚合法化（結婚の平等）につながるゲイ・コミュニティ受容の現状はありません。

その反攻の第一は、ゲイとエイズからスティグマ（社会的汚辱）を拭い去ることでした。

エイズと診断された恋人ロジャーを最期まで看取ったポール・モネットの回顧録『Borrowed Time』（一九八八／『ボロウドタイム』訳・永井明／時空出版／一九九〇）に象徴的な記述があります。ある打ち合わせでロジャーが向かうことになるカフェのテーブルを、モネットが事前に懸命に拭くのです。HIV／エイズが人々の脅威であり、死に直結するその感染に社会全体が恐れおののいていた時代でした。けれど彼が拭くのはHIVに〝汚染〟されているロジャーが「触れた」テーブルではなく、「これから触れる」テーブルです。

エイズは奇妙な（という書き方自体、実はさまざまな「隠喩」をもたらす有害な表記なのですが）病気です。HIVそのものがもたらす発熱、倦怠、発汗などの症状よりも、後天性免疫不全症候群（Acquired Immunodeficiency Syndrome）の略称どおり、免疫が機能しないことによって、その肉体が外界のすべての病原体が思う存分暴れることのできる場所になってしまうのです。つまり、エイズは外界の汚れを映す「鏡」のような病気でした（現在は検知できないほどHIVの数を減じさせる治療法が発達して、その「鏡」効果も減じています）。

懸命にテーブルを拭くモネットの姿に（「HIV陽性者／エイズ患者」ではない）読者は気づきます。さまざまな病原体で「汚れ」ているのは実はHIV陽性者／エイズ患者ではなく、自分たちの方ではなかったのかと——。

「自分たち」は免疫力によって自らがさまざまな病原体で「汚れ」ていることに気づかずにいられますが、HIV陽性者／エイズ患者はそういう諸々の「汚れ」を敏感に引き受けてしまいます。モネットが拭いていたのは、そんな「自分たち」の汚したテーブルであり、彼はロジャーの触れるそのテーブルの「汚れ」の方を除菌していたのです。「汚れ」に脆弱なのは「自分たち」ではなく、ロジャーたちの方なのであり、「自分たち」がロジャーを恐れるその謂《いわ》れなき「汚れ」よりも、実はロジャーたちの方こそが「我々」の「汚れ」を恐れていたのでした。

この逆転は当時の私の無知を打ちのめしました。スティグマの除去は、生身の人間たちのこうした具体的な（かつ普通の日常では気づくことのできなかった）生き方、死に方を提示することでしか成し遂げられない。なぜならスティグマというのは往々にして妄想であることを見逃している妄想であり、それに伴う隠喩だったからです。それらに対抗するには、隠喩を拒む直截《ちょくせつ》な事実を突きつけるしかなかった。

ストーンウォール以後、ハーヴィー・ミルク（Harvey Milk）の「カム・アウト！　カム・アウト！」の呼びかけ[*1]へとつながる可視化の流れとは別の、もう一つの「カム・アウト！」が、こうしてエイズによって〝再発明〟されました。なぜなら、社会的、政治的という意味とは別に、もう一つの意味で「クローゼットのままではエイズと戦えなかった」からです。隠れた存在である限り、世間の「妄想」は歯止めが利かない。隠れたセックスをしている限り、ＨＩＶの感染は際限なく拡大する。

それはセックスおよびその主体である性的な存在を白日の下へと晒すことでした。さもなくば、セックスそのものを諦めるか——なぜならその当時、果たして安全なセックスがあるのかどうかすらも、誰にもわからなかったから……。

エイズとの「真昼の決闘」

エイズ文学の傑作の一つとされるラリー・クレイマー（Larry Kramer）の自伝的戯曲『ノーマル・ハート（Normal Heart）』（一九八五年、NYオフ－ブロードウェイで初演）[*2]では、エイズが「ゲイの癌」と呼ばれていた最初期一九八一年を舞台に、エイズ医療の只中で孤軍奮闘する女医エマ・ブルックナーが、主人公のネッド・ウィークスに向かって「ゲイの男たちに、セックスするのをやめろって言ってほしい」と頼むシーンがあります。ネッドは思わず聞き返します。

――「すんません、いまなんて？」

エマ　誰かが言わなくちゃ。あなたじゃダメだって理由はない。

ネッド　言えるわけないじゃないですか、そんなバカなこと。

＊1　一九七七年、ゲイ男性として米国史上初めて選挙で公職（サンフランシスコ市政執行委員）に就いたミルクは、ゲイの人権運動にはカム・アウトすることが必要として事あるごとにそう呼びかけた。

＊2　二〇一九年六月、クラウドファンディングで拙訳の書籍台本が大都社より限定出版された。

エマ　とんでもなく聞こえるけどね、あと何年かしたらそうじゃなかったって気づくのよ。

ネッド　ブルックナー先生、ご自分でわかってます？　何百万人ものゲイの男たちがこれまで唯一ピックアップした最重要の政治課題は、自由にセックスできること、ってそれだけだったんですよ。みんな、セックスの権利を手放すくらいなら死んだ方がマシだって思ってる。それをどうしろって言うんですか？

エマ　手放さなきゃほんとに死ぬんだって言うの。

ネッド　先生が言ってくださいよ！

エマ　あなたたち、セックス抜きじゃあ誰とも関係を作れないわけ？

ネッド　そんな簡単なことじゃないんだ。多くの連中にとって、それ以外には他の連中と出会うことだって容易じゃない。セックスはつながるための方法なんだ。で、中毒になる。そのうちに他の連中もそうやってるんで自分ももっとやらなきゃもっとやらなきゃって思うようになる。……先生、これ、セックスでうつるんですか？

エマ　肝炎のウイルスを分離するずっと前から、あたしたち現場の医者は肝炎がどういう病気か、どううつるか、ちゃんとわかってた。病原体を特定するまでもなく、わかるのよ。あたしは先週も患者を診た。今週も診た。次の週は前の週より患者はいつも必ず多い。今年の終わりまでには、患者数は半年で倍々に増えていく計算。つまり来年の六月には患者数は千人を超える。で、そのうちの半分は死んでる。さっきあたしが診断した、あなたの知人の二人、そのうちの一人は死んでるの。悪けりゃ二人とも。

ネッド　だから先生はオレに、ニューヨーク中のゲイたちにセックスをやめろと言わせたい……。

エマ　ニューヨーク中？　それで済むと思う？

ネッド　アメリカ中のゲイたちに……。

エマ　世界中のよ！　それが唯一この病気が蔓延するのを止める方法なの！

ネッド　ブルックナー先生、それってちょっと非現実的じゃないですか？

エマ　ミスター・ウィークス、セックスしたら死ぬってことがわかっていたら、頭が半分しかない人でもファックするのをやめるんじゃないの？　あなたはきっとまだ何も失ったことがないからそんな顔をしてられる――わかった。もういい。さようなら。[*3]

セックスを諦めることはできません。かといってエイズの〝隠喩〟を暴走させておくわけにもいかない。夜戦を仕掛けてくるＨＩＶに対して、欧米社会は真昼の決闘を挑むことになります。クローゼットから出て、太陽の下に顔を晒す。それはゲイ男性たちに限りませんでした。

一九八四年十二月に汚染血液からＨＩＶに感染と診断された十三歳の血友病の少年ライアン・ホワイトは、余命六カ月と宣告されながらもインディアナ州ココモの自分の中学校に復学しようとしました。けれど全校生徒三百六十人の同校では、百十七人の父母と五十人の教師たちが彼の復学への反対署名を行ったのです。同校だけでなく近隣の学校を含む数多くの関係者たちが復学反対のデモまで行いました。当時すでにＨＩＶは空気感染はしないとわかっていたにもかかわらず、子ども同士のことだから何かひょんなことでケンカになって怪我をするかもしれない、それが感染につながるかもしれない、という理由で。いや、理由などどうでもよかったのです。とにかくエイズに対する底知れない恐怖が支配していた。

復学を拒否されたホワイトは裁判に訴えます。翌八六年二月、彼は一日だけの登校を認められます。その日、三百六十人のうち百五十一人の生徒は自宅待機しました。ホワイトは新聞配達のアルバイトもしていたのですが、彼の配達地区の世帯の多くは購読をやめたりもしました。新聞紙を通してHIVがうつるかもしれないと恐れて。

ライアン・ホワイトをめぐる地域での衝突や騒動はたちまち全米ニュースになりました。前述のロック・ハドソンの死の衝撃と合わせ、エイズをめぐるアメリカでのニュースは一九八五年から八七年にかけて倍増しました。ホワイトはたちまちエイズ禍の悲惨さとそれに対峙する「政治的正しさ」の象徴的存在となり、TVの人気トーク番組に呼ばれて話をしたり、女性ホストが彼の頬にキスして見せたりもしました。エルトン・ジョンやマイケル・ジャクソンら数多くのセレブたちも支援・応援を表明し、一九八九年にABCが放送したドラマ『The Ryan White Story（ライアン・ホワイト物語）』は全米で千五百万人が視聴しました。ホワイトは余命宣告に反して診断後も五年間生き延び、一九九〇年四月八日に呼吸器系疾患で亡くなりました。十八歳、高校卒業の一カ月前でした。

＊3　『ノーマル・ハート』第一場／二十一頁（拙訳／大都社／二〇一九）

ライアン・ホワイトの教訓を糧に、エイズ関連の実名報道が拡大していきます。エイズに苦しむ市井の人々の艱難《かんなん》が（つまり多くはゲイ男性たちおよびその恋人・家族・友人たちの困難が）地方紙や地方局のレヴェルから続々と報告されました。前述のように、九一年にはWHOが十二月一日を第一回の世界エイズ・デイと宣言しました。八八年にはプロスポーツのスター選手として初めてNBAのマジック・ジョンソンがHIV陽性を公表しました。

エイズ禍に対してどう振る舞うのが正しいことなのか？――八〇年代に醸成された（揶揄的ではない方の）「政治的正しさ」の社会的広がりは、エイズ禍を経験することで人間の個人的な「正義(justice)」と「公正さ(fairness)」という生き方の問題としても規範化していきます。

立ち上がったブロードウェイ

そのころ、ブロードウェイ（舞台演劇界）も深刻な打撃を受け始めていました。現役の、あるいは次世代を担うはずの若く才能ある製作者や俳優たちがエイズによって次々と斃《たお》れていきました。エイズは性的に活発な、すなわち人生に最も勢いのある二十代、三十代という世代を直撃していたからです。ブロードウェイの人材の裾野の広さは、地方から（最終的にニューヨークに）出てきた若者たちがカフェやレストランでウェイターのアルバイトをするなどしながら懸命にオーディションを受け切磋琢磨することで担保されています。もちろん当時の彼らに日本のような健康保険制度はなく、病気になればたちまち経済的に立ち行かなくなります。アメリカ社会で強大な資金力を誇るキリスト教系の慈善団体は、〝罪〟である同性愛者のエイズ患者たちには救いの手を差し伸べようとはしませんでした。

一九八五年に映画にもなった『コーラスライン』というミュージカルを知っている方も多いと思います。ブロードウェイの劇場で、役名も与えられないダンス兼コーラス要員（舞台の床の上に引かれたラインから前には出てきてはいけない出演者）たちのオーディションを描いたこの作品は、一九七五年の初演から九〇年四月までの十五年間という異例の最長公演記録を立て、九部門ものトニー賞を獲得しました。

劇中、わずか八人の採用枠を目指してオーディションを受けるダンサーたちは、演出家のザックの指示に従って振り絞るようにそれぞれの人生を語り始めます。その中には、ゲイである自分を嫌い、この先の人生になんの希望も持てない「グレッグ」や、スパニッシュ・ハーレム出身の〝女性〟的な「ポール」というゲイの若者の切実な〝告白〟も含まれていました。

この『コーラスライン』の制作にあたって原案から振付、演出まで担当したのは、自身もダンサーだったマイケル・ベネット（Michael Bennett）でした。時代設定上、まだ劇中にはエイズは登場しません。けれどベネット自身が実生活でエイズを発症します。『ドリームガールズ』の舞台版（一九八二）を作ったことでも知られる彼は一九八七年七月、恋人のユージーン・プルイット、友人ボブ・ハーに看取られながら四十四歳で亡くなります。

その彼は八〇年代半ば、エイズがブロードウェイを滅ぼしてしまう危機感を軸に、観客を含めた劇場コミュニティ全体にさまざまな募金活動を呼びかけていました。それはまさに『コーラスライン』に登場したような若いゲイ男性たちを救おうという活動でした。

ハーヴィー・ファイアスティン（Harvey Fierstein）も同様に立ち上がっていました。『トーチング・トリロジー』（一九八一〜八五）や『ラ・カージュ・オ・フォール』（一九八三〜八七）のロングラン舞台でゲイ男性たちの人生を描き、主演や脚本部門でトニー賞を受賞した彼もまた、オープンリー・ゲイとして何かをせねばならないと衝き動かされていました。

そんな声がまとまって一九八八年に設立されたのが「Broadway Cares/Equity Fights AIDS（BC/EFA＝ブロードウェイは関わる／公正さがエイズと闘う）」という名のチャリティ基金活動でした。ブロードウェイで観劇すると、今でもカーテンコールの出演者たちがエイズ問題啓発と募金を訴えます。それは三十年以上前にベネットやファイアスティンらが始めたものです。ちなみに、エイズ患者支援と啓発のシンボルである「レッドリボン」が一般に知られるようになったのも、九一年のトニー賞授賞式の全米生中継がきっかけでした。あの時、赤いリボンを着けて出席しようという一部の呼びかけが参加者の間でどんどん拡散し、ついには大半の人たちがレッドリボンを着用してTVカメラの前に姿を現していたのです。

ブロードウェイばかりではありません。欧米のテレビ界、映画界、文学界、音楽界、スタンダップ・コメディ界でさえ続々とゲイであることとレズビアンであることをカム・アウトする人たちが増え、大衆文化がこぞってエイズ禍への総力戦を展開していきます。

「クローゼットのままではエイズと戦えなかった」と書いたのはそういうことです。「カミングアウト」は名乗りを上げてエイズ禍と闘うという、立派な大義名分を得ました。そこにはキリスト教の支持母体を気にかけて動こうとしない当時八〇年代の米国レーガン政権に対する「公憤」がありました。それは「政治的に正しい」戦いであり、奨励される生き方になりました。ゲイであること、レズビアンであることは、公言することを未だ躊躇《ためら》われがちな私的な問題から、こうして一気に公的な課題になった——「個人的なことは政治的なこと」という六〇年代フェミニズムのモットーが、LGBTQ+コミュニティの中で再発見されたのです。

「死亡した高倉健」

同じ頃、日本でもエイズがとうとう社会的問題として取り上げられ始めました。ただし、スキャンダルやゴシップの形の「エイズ報道」として。

「エイズ・パニック」という言葉が生まれました。一九八六年十一月、マニラ出身のセックスワーカー女性がHIVに感染していたと報じられました。その女性の働いていた長野県松本市は大騒ぎになりました。全国的に「松本」ナンバーの車が避けられたり（そう言えば二〇二〇年からのコロナ禍でも他都道府県ナンバーの車への嫌がらせがありました。同じです）、銭湯やサウナなどでは感染や風評を恐れるあまり「外国人お断り」と張り紙されることも起きました。外国出身者ではなく、日本人の女性として国内初のエイズ患者も翌八七年一月神戸で確認されました。全国で魔女狩りのようなエイズ患者探しが始まりました。

同じ一九八七年の四月、私が東京で社会部の記者をしていたある夜勤の夜に、「高倉健がエイズで危篤状態だ」という未確認情報が入りました。「ひょっとしたら死んだかもしれない」。

深夜、その彼の自宅にどこからともなく新聞記者たちが群がり集まりました。私もその中に混じっていた一人でした。顔を知った他社の記者もいました。近隣住民の迷惑にならないよう、あるいは何の騒ぎかと勘ぐられないよう、新聞社の黒塗りのハイヤーはそれぞれ少し離れたところに停まっていました。

閑静な都内の高級住宅街、彼の邸宅をぐるりと取り囲む塀の外、インターフォンを押しても（もちろん）応答がない寒空の下で、いったい自分は何をしているのかと自問していたことを今でも苦々しく思い出します。夜勤デスクの指示のままに社を飛び出してきたものの、自分は何をどう確認しようというのか？　彼が本当にエイズだったらどうするのか？　そもそもどう確認が取れるのか？　エイズとなれば〝当然〟ゲイだという〝疑惑〟も生まれる。ゲイだとなれば日本社会で何かが変わるのだろうか？　いやそもそも、そんなことを新聞が書いていいのか？――もちろんその時の日本の状況下で、彼が「ロック・ハドソン」にはなり得ないことは私にもよくわかっていました。

――結局それはガセネタで、健さんはその後自分で「死亡した高倉です」と言ってメディアに登場したほどでした。それから彼は三十年近く第一線で活躍し続けて亡くなりました。

エイズ禍に対応して、欧米社会はどんどんとカミングアウトの方向へと進みました。対して日本社会は逆に、ますますクローゼットの中へと隠れる方向に向かいます。（もちろん、エイズ禍の社会的な意味を知って日本でも果敢にカム・アウトしていた人々は存在します。性交渉によるＨＩＶ陽性を日本で初めて公表して九四年に亡くなっていた平田豊や、ピンクベアというドラァグ名で活躍していた長谷川博史[*4]、さらにあの『Ｓ／Ｎ』を作ったダムタイプの古橋悌二[*5]らです）

ゲイ男性およびエイズ患者の置かれる苛酷な差別や偏見の環境に日本と欧米との違いはありません。住宅や医療差別もありました。雇用差別、職場差別、親に勘当されたり、パートナーが葬式にも呼ばれなかったりするのも同じです。

なのにどうして、歴史のヴェクトルは違う方向に進んだのでしょうか？　文化の違い？　ならば

＊4　九〇年代にゲイ雑誌『バディ』や『G-men』の創刊制作を行ったほか、ＨＩＶ／エイズ患者会「NoGAP」や「JaNP＋」の設立など日本のゲイ・コミュニティへの多大な功績で知られる編集者・アクティヴィスト（一九五二〜）。

＊5　一九九二年にＨＩＶ陽性を公表した現代美術家（一九六〇〜一九九五）。一九九四年に発表したメディアパフォーマンス舞台『Ｓ／Ｎ』は、ジェンダーやセクシュアリティ、人種や国籍をテーマとした傑作として世界的評価を受ける。

その文化の違いとはいったい何なのでしょうか？——それを、私はニューヨークで暮らし始めてやっと実感として感じることになりました。

第四章　クローゼットな言語

「目張りを入れた眼でその夜の相手を」

高校時代に一度ニューヨークに来たことがありました。祖父母のアメリカ旅行に「ボディガード兼通訳」と自称して同行させてもらったのです。九三年からの赴任はそれ以来ほぼ二十年ぶりのアメリカでした。仕事とはいえ、完璧に「お上りさん」でした。地下鉄の乗り方がわからない。国連本部がどこにあるのかもわからない。レストランでメニューを見てもわからない。どうやって注文するかもわからない。

ある程度、英語は話せました。英語が話せても、システムがわからないと何の意味もないということがしばらくしてわかりました。なにせ、サンドイッチ一つ頼むのに、パンの種類はどうするか、野菜は何を入れるか、ハムはどれがいいか、チーズはチェダーかモッツァレラかエメンタールか牛か山羊か羊か、マヨネーズかマスタードかホースラディッシュか……まるで百万通りの組み合わせから自分で自分の好みのただ一つの選択を次から次へと主張していかなければなりません。「OMAKASE（お任せ）」という言葉が通用するようになるのは、二〇一〇年代の高級SUSHI店の登場まで待たねばなりませんでした。

なので、ミッドタウンのロックフェラーセンターの中にあった紀伊國屋書店でニューヨークのガイド本を買うことにしました。どうせなら英語のがいいかなと思って『ロンリープラネット』のニューヨーク・シティ版を手に取りました。ところがパラパラめくってみると、四百ページ以上もあるのにどこもかしこもびっしり文字ばかりで埋まっていて、地図以外に図版というものがほとんどありません。こりゃちょっと無理かと思って、次にあの有名な日本の『地球の歩き方』を見てみました。

なんと読者にやさしいことでしょう。写真、イラスト、コラム、旅行者情報……色とりどりで目にもやさしく、何より文章が短くてすぐに読めてしまう。でもそうやって立ち読みしているうちに気づきました。すぐに読めてしまい過ぎるのです。まるで街をスキップして歩くみたいに、次から次へと情報が流れていくけれど、なんだか肝心のことがスキップされている。

もう一度『ロンリープラネット』を開きます。そこにはこの街の歴史が、社会が、人々の喜怒哀楽までもが文字としてびっしりと詰まっていました。観光ガイドながら、編集者たちはとにかくこれも知ってもらいたい、あれも知ってもらいたいと、ものすごい情熱を持って言葉を送ってくれているのです。そして何より、読んでいて面白い。物語なのです。

結局、私はその二つの本を買うことにしました。

「ゲイ」に関係する部分を比べてみましょう。

『ロンリープラネット』の方にはストーンウォールの反乱からゲイ関連の史跡、人権運動、そして市内のゲイとレズビアン専門書店やゲイバー、レズビアンバーの案内までが網羅されていました。そこには性的少数者を揶揄する言葉など一つも書かれていませんでした。編集者は、その本の制作陣の中に、読者の中に、性的少数者が多く存在していることを大前提としていました。

対して『地球の歩き方』では、(九〇年代の版を通して) グリニッチ・ヴィレッジの項目の最初に「(ヴィレッジは) ゲイの存在がクローズ・アップされる昨今、クリストファー通りを中心にゲイの居住区として有名になってしまった。このあたり、夕方になるとゲイのカップルがどこからともなく集まり、ちょっと異様な雰囲気となる」と書かれていました (傍点筆者)。

しょうがありません。そういう時代だったのです。『地球の歩き方』の読者の中には (あるいは編集部内にも)「ゲイなんかいない」と信じられていた、あるいは想定する必要はないと考えられていた時代です。

かつて一世を風靡した《ブルータス》の九五年のニューヨーク特集でも、チェルシー地区にあった〈スプラッシュ〉という当時の大人気ゲイバーについて「目張りを入れた眼でその夜の相手を物色する客が立錐の余地なく詰まった店で、彼ら (筆者注：バーテンダーたちのことです) の異様なまでの明るい目つきが、明るすぎてナンでした」と紹介されていました。

同じ年の《モノ・マガジン》の「TREND EYES」のページには当時の渋谷PARCOで

の男性ヌード写真展の紹介があったのですが、その写真展の名称を「〝らお〟といっても（中略）〝裸男〟と表記する。つまり男のヌード。（中略）男の裸など見たくもないと思う向きもいるだろうが」と書いてあった時代です。

一九九六年には『野茂とホモの見分け方』（ニッポン放送プロジェクト著）なるお笑いネタ本が扶桑社から出版されました。「野茂はお尻を向けて投げるが、ホモはお尻を向けて誘う」「完投して喜ぶのが野茂、浣腸して喜ぶのがホモ」といった、ニッポン放送の『古田新太・犬山犬子のサンデーおちゃめナイト』というラジオ番組の投稿ネタを集めた本でした。*1

「LGBT」という言葉が日本の新聞やテレビなどの主流メディアで頻繁に登場するようになる二十年ほど前の話です。けれどそういう物言いは、あるいは今もなおなくなっていません。その原因はなんだか、物事を公の地平であまり明確に突き詰めない日本語の習性にもあるのではないかと考えるのです。

「身内の言葉」の美質と欠陥

手元にある集英社の国語辞典第三版の末尾に、早稲田大学の中村明が「日本語の表現」と題する

＊1　発売直後、人権団体「ゲイ・フロント関西」が抗議。扶桑社は九カ月を経て謝罪し回収、絶版処分となった。番組内でも古田新太が一分十五秒にわたって経過と謝罪が伝えられた。

簡潔にまとまった日本語概論を載せています。その中に、日本では口数の多いことは慎みのないことで、寡黙の言語習慣が育った、とあります。「その背景には、ことばのむなしさ、口にした瞬間に真情が漏れてしまう、ことばは本来通じないもの、そういった言語に対する不信感が存在したかもしれない」「本格的な長編小説よりは（中略）身辺雑記風の短編が好まれ、俳句が国民の文学となったのも、そのことと無関係ではない」として、「全部言い尽くすことは避けようとする」日本語の特性を、尾崎一雄や永井龍男、井伏や谷崎や芥川まで例を引きながら活写しているのです。

中村先生が示唆するように、これは日本語の美質です。しかし問題は、この美しさが他者を想定しない、あるいは他者は勝手に憶測しろという美しさであるということです。

徹底した省略と含意とが行き着くところは、「おい、あれ」と言われて即座にお茶とかビールとか風呂とか夕食の支度を始める老妻とその夫との会話のような、他人の入り込めない「身内」「仲間内」の言語であるということです。それは、その中にいる限り心地よく面倒もなく、それに関しては他人がとやかく言えるような筋合いのものではありません。ところがこの「身内・仲間内の言語」が、老夫婦の会話にとどまっていないところが今の日本の言語環境の特質なのです。日本語では、そうした内輪の言葉が重用される代わりに、パブリック（公的）な、誰にでも通じる言説が蔑《ないがし》ろにされている……。

いや、断定は避けましょう。どんな言語にも「仲間内の符丁」なるものは存在し、内向しようとするヴェクトルは人間の心象そのものの一要素なのですから、多かれ少なかれこの種の傾向はどの社会でも見られることです。けれど「日本語環境」の例として挙げた『地球の歩き方』などのテキスト（「出版する」ことを「パブリッシュ（publish）」と言います。このもともとの語源は「パブリック（public）」と同じ「人々」を表す「populus」です。「人々」は「公」という概念につながる。「出版する」とはつまり「公にする」ことなのです）のいずれもが、それぞれの筆者の幻想する「私たち」だけを軸に、（つまり「パブリッシュ」の何たるかを捨て去って、プライヴェート＝私的＝な文体で）書かれたことは確かなことのように思われます。

「ゲイの居住区として有名になってしまった」と記すときの残念そうな素振りが示すものは、この筆者が思う〝私たち〟の中に、すなわちこの『地球の歩き方』の読者たちの中に「ゲイは存在しないのだ」という根拠のない思い込みでした。「異様なまでの明るい目つきが、明るすぎてナンでした」と記すときの「ナンでした」という省略は、「あなたも当然わかるよね」という、（ゲイを想定しない）読者への共感の強制と寄り掛かりです。「男の裸など見たくもないと思う向きもいるだろうが」という〝お断り〟は、さて、何だったのでしょう？　ここではゲイだけでなく、異性愛女性などの欲望をも無視して憚らないヘテロセクシュアルの男性ライターの、異性愛男性主義的な視野狭窄が示されるだけです。

内向する日本語の〝美質〟が、こういうときには見事に他者への排除として機能しています。それは他の世界を拒絶して閉じ籠る、マジョリティたちの逆クローゼットの砦のように映ります。「おい、あれ」の二人だけの閨房《けいぼう》物語です。「他の連中にとやかく言われる筋合いはない」という、「身内」だけの予定調和です。

そう考えるといろんなことが芋づる式にわかってくるような気がします。

政治家の「失言」のメカニズム

例えば、日本の政治家たちはどうして何度も何度も「失言」を繰り返すのか？——政治家たちは、有権者・支持者たちにパブリックな「政治」を語るより「ぶっちゃけた話」をした方がウケるということを知っています。なのでよく「ここだけの話」をします。なぜなら、聴衆の有権者たちを自分の「身内」だと仮想して「ぶっちゃけた話」をするうちに、その論理がひっくり返って「ぶっちゃけた話」をしているのだから「身内」なのだというふうに思い込ませる。だからこそあなたたちは私の身内＝支持者なのだ、というふうに取り込むわけです（その戦術を、自覚しているか否かはすでに関係ないほどに身に付いた政治家商売の自明として）。

かくしてそこでは自動的に「他では話せない」「ぶっちゃけた」際どい本音が語られます——「女性が生殖能力を失っても生きてるってのは、無駄で罪です」[*2]「女性は産む機械」[*3]さらに「生産性のないＬＧＢＴのために税金を投入することは理解が得られない」[*4]、そしてこれらのすべてが「女性が多いと会議が長引く」という軽口で東京五輪組織委員会会長を辞めざるを得なくなった二〇二一年の森喜朗発言につながります。

これらは優れて「身内の言葉」なので、多く「身内の笑い」を伴うことで曖昧な同意形成、漠然とした共犯関係が形成されます。そしてそれらが外に漏れることで批判を呼ぶと、「身内だけの話」を「外の世界」が誤解しているからだと彼らは考えます――「そんなつもりはなかったのに、どう

＊2 《週刊女性》二〇〇一年十一月六日号のインタビューで当時の東京都知事・石原慎太郎が「文明がもたらしたもっとも悪しき有害なものはババアなんだそうだ」「男は八十、九十歳でも生殖能力があるけれど、女は閉経してしまったら子どもを産む力はない。そんな人間が、きんさん、ぎんさんの年まで生きてるってのは、地球にとって非常に悪しき弊害だって」と知人の発言として引用。

＊3 二〇〇七年一月二十七日、第一次安倍内閣の厚生労働相・柳沢伯夫が島根県松江市で開かれた自民党県議員の決起集会で人口減少と少子化問題について「出産年齢の十五～五十歳の女性の数は決まっている。産む機械、装置の数が決まっちゃったから、あとはその役目の人が一人頭で頑張ってもらうしかない」と女性を機械に例えた。

＊4 《新潮45》二〇一八年八月号、衆議院議員・杉田水脈の「『ＬＧＢＴ』支援の度が過ぎる」と題する寄稿で「子育て支援や子どもができないカップルへの不妊治療に税金を使うというのであれば、少子化対策のためにお金を使うという大義名分があります。しかし、ＬＧＢＴのカップルのために税金を使うことに賛同が得られるものでしょうか。彼ら彼女らは子どもを作らない、つまり「生産性」がないのです。そこに税金を投入することが果たしていいのかどうか」。

してそういうふうに受け取るんだろう？」と、納得などまったくしていないないながらもしかし彼らはそこで形だけの謝罪に追い込まれる。そして納得していないからこそ、「失言」はまた性懲りもなく延々と繰り返されるのです。「外の世界」が今はすぐ別の規範を培ってきた「国際社会」とつながることも、彼らの頭は忘れてしまっています。

「外の世界」とは公的な言語空間のことです。「公的な言語空間」とは公的な価値規範が共有されねばならない世界です。共有されないならばそれに関する議論が公的に提起される世界です。にも関わらずそこで敢えて「身内の言葉」を話す方が「ウケる」と奨励されるのが日本の政治家の社会です。「身内の言葉」は議論にはならない。議論になると戸惑う（半強制的な）予定調和の言葉です。そんな空間を保持しながら公的な言語空間に登場すれば、それはつまり、昔からある「本音」と「建前」の二枚舌の話につながります。

「建前」を「本音」にする努力

「本音と建前と、どっちがいい？」と訊かれたら、ほとんどの人はおそらく「それは本音だよ」と無条件に答えるでしょう。十代の頃の私もそうでした。でも、そこには本当は「私的空間」と「公的空間」の前提条件が最初に提示されなくてはならなかったのです。

「私的空間＝身内」ではもちろん「本音」の付き合いが第一です。けれど「公的空間＝世間」では、それぞれがさまざまに方向性の違う勝手な「本音」を求め合っていたらグチャグチャになります。

だからそこでは本来、何らかの最大公約数が必要です。誰もがみな一様に幸せになれるわけはないけれど、少なくとも個人個人の誰もが幸せになれるような最大公約数の何かを志向する、その見果てぬ姿勢のことを「建前」として（身内以外もすべて含んだ）みんなで支える——それが民主制度であり、民主社会の「規範」（共同幻想）のはずなのです。そしてその「建前」のことを、「政治的な正しさ」という意識的な共同幻想として再構築しようとしたのが一九八〇年代からのアメリカ社会でした。その「建前」によって、個々人の「本音」の深層もまたやがて試される、鍛えられる、変容する、という意味での。

実は二〇二〇年にかつてない展開を見せた「ブラック・ライヴズ・マター（BLM）」運動に登場してきている「ジェネレーションZ（Z世代）」と呼ばれる若い世代の中に、八〇年代の「建前」（正義や公正さなど）を今、自分たちの心からの「本音」として語る若者たちが少なからず存在しているように感じるのです。彼らは人種や性的指向の違いにあまり拘泥しない（私は世代論に全面的に与みすることは避けたいのですが、彼らの世代の特異点としてそう感じることが多いのです。そのことは最終章でまた述べます）。

前章で、八〇〜九〇年代のブロードウェイでは俳優も制作陣も軒並みエイズに斃れて「存亡の危機」を迎えていた、という話を書きました。同時にそこからゲイとエイズをテーマにした不朽の名作が生まれていたことも。

「クローゼットのままではエイズと戦えなかった」からだという第一の動機はさらに敷衍して「Be Visible（目に見える存在になろう）」というスローガンに発展し、世間のゲイ（性的少数者）認知度を高めるために使われ始めました。繰り返しになりますが、だからこそ、ブロードウェイの演劇やミュージカルには、いやTVドラマでもハリウッド映画でもニュース報道でも文学でも音楽でも、そしてマーケティングやビジネスや政治でも、いたるところにLGBTQ＋の人物が登場するように〝演出〟が施される社会になっていった──それは、アメリカの人々の「努力」でした。

アメリカ文化のこの、なんでも言葉にして、徹底して正体を見極めよう、突き詰めようという努力はすごいものです。「海外旅行の時には政治や宗教の話は避けましょう」と日本の旅行本などには昔からよく書いてありますが、アメリカ（と言うと広すぎますね）、ことニューヨークや大都市部のそれなりのエリート知識層においては、極端なことを言えば政治や宗教のことでもなんでも、突っ込んだ話のできない人はバカだと思われてそれなりの対応しかしてくれなくなります。ほとんどの人が学位を持つビジネス界はとんでもなくシヴィアです。

一方で、そういう社会だからこそ仕事や対人関係でストレスを感じてどうしようもないときが増えます。そんなとき、日本のサラリーマンなら、コロナ禍以前の社会では馴染みの小料理屋で女将さんや同僚同士で愚痴を言ってそれで慰めてもらえば済みましたが（いや、本当はそんなもんじゃ済まないんでしょうけれど、それでもなんとなくそんな「なあなあ」だからこそ癒されると感じることもあるのですが）、ニューヨークではそんな「なあなあ」では誰も納得せず、とにかく精神科医のところに行って一時間に日本円で七万円とか十万円とか払ってぜんぶ言葉で吐き出すように促されます（あるいはそう自分を促すような規範パターンができています）。

とにかく言葉なのです。それは私が昔学校で教わった「アメリカは多民族多文化国家なので、日本人みたいに阿吽《あうん》の呼吸ではわかり合えないのだ」というそんな単純な（しかも虚偽の）話ではありません。日本人だってテレパシーが使えるわけでもないのですから、他人のことなど黙っていてわかるはずもないのです。

だからなんでしょうね、英語という言語体系はこの文化システムの下では、自動的にその時代の「理」に合わせて「論」を深めるように運んでくれる装置になります。

「アルターボーイ」の変身

多忙を極めた新聞記者業務の傍ら、私は二十代で大手出版社から小説本を出しました。結果、それで新聞社を移ることになったのですが、地方支局から東京の社会部（事件記者です）に移った三十代になってからも、出版社から頼まれるままこっそりエッセイの寄稿や英米文学の翻訳も続けていました。日々終わりのない事件取材から気分転換するにはちょうどいい息抜きでした。もっとも、仕事のあいまに続ける作業は遅々として進まず、編集さんにはかなり迷惑をかけどおしでしたが。

ニューヨークに引っ越してからもそこでまた日本の演劇ビジネスの方とも知り合い、ひょんなきっかけでオフ－ブロードウェイの『ヘドウィグ・アンド・アングリー・インチ（Hedwig and the Angry Inch）』[*5]の日本公演用台本の翻訳をやってほしいという話にもなりました。小説も戯曲も似たようなものですし、それにその頃はすでに新聞社も辞めてフリーランスになっていたものですから、また文学関係の仕事もいいなと思ったのです。

『アルターボーイズ（ALTAR BOYZ）』という、二〇〇五年に「ベスト・オヴ・オフ－ブロードウェイ賞」を受賞したミュージカルの台本も翻訳しました。[*6]「アルター」とは「祭壇」のことです。その「ボーイズ」とはキリスト教（カトリック教会）のミサで「聖体拝領」（キリストの血と肉とをあらわす葡萄酒とパンとを会衆に分かつ儀式）を手伝う少年（侍者）たちのことを指します。このミュージカルはそんな少年たち五人がカトリックのボーイズバンドを作って、迷える魂を救うため世界中をツアーしているという設定です。そして日本版ではもちろん、彼らが日本にやってきて、そのミュージカル会場で実際の観客たちを相手に「魂の浄化コンサート」を行うという仕掛けです。

劇中では例によって（あの『コーラスライン』みたいに）バンドのメンバーたちの自分語りのようなエピソードが披露されます。もっとも、こちらはコメディ仕立てなのでオフ－ブロードウェイのオリジナル版は軽く明るいノリで進行します。

九〇年代にはすでに「いたるところにＬＧＢＴＱ＋の人物が登場するように〝演出〟が施される

社会になっていった」と書きましたが、このミュージカルでもその自分語りをするメンバーの一人「マーク」（これは福音書を書いた「マルコ」を共示します）が、どうもバンドのリーダー「マシュー」（同じく「マタイ」）に恋をしているような、「ゲイ」っぽい設定なのです。やがて、コンサートを続けているのに会場にはまだ「10」人の魂が浄化されないまま残っていると（特殊な計測装置に）掲示される。そのとき「マーク」はその「10」という数字になぜか触発されて、あたかも自分がゲイであるとカミングアウトするかのような語りを始めるのです（アメリカでは当時、全人口に占めるゲイ人口の割合が「10《テン》パーセント」だと喧伝されていたことは第二章で紹介しました。オフ－ブロードウェイの観客たちは当然その数字の「10」が暗示するものをわかっているわけです）。

マークはまだ「10」人残る「迷える観客」に向けて話しかけ始めます。

あのね、大きくなるって……なかなか難しいこともあるんだ。とくに、ぼくみたいな男の子にはそうだった。近所の子どもたちに、自分は変なやつで、気持ち悪いやつなんだって、自分自身でもそう思うように洗脳されてた。別の教会に通ういじめっ子連中がいたんだ。日曜日に

＊5　ジョン・キャメロン・ミッチェルらが原作・主演の一九九七年初演のロック・ミュージカル。性転換シンガーのヘドウィグが主人公。日本では二〇〇四年から三上博史、二〇〇七年から山本耕史主演で上演。

＊6　日本では二〇〇九年二月に新宿FACEにて初演。以後数年置きにキャストを変えながら現在も公演が更新されている。

教会に行くときにいつもいじめられた。ぼくのしゃべり方、ぼくの歩き方、ぼくの、細かなことにも気がつくところとか、そういうのをいつもからかわれた。あいつらに押し倒されて、ぼく、髪の毛とか眉毛とか、体中の毛を剃られちゃったことも何度もある。

いじめられた話は続きます。しかしやがてそのいじめから、あの頃の「マシュー」が救ってくれたと言うのです。そして彼への賞賛と敬意も。一転、希望の輝きを手にした彼は、観客たちに混じるその「10」人の迷える魂に向けて明るい声で語り掛けるのです。

だから、この10人のきみたち、もしきみたちが今も何か自分で認められない真実を抱えているのだとしても、そしてそれがもしぼくのと同じようなものだとしても、心配いらないよ。それは恥じるべきものでもなんでもない。きみは、ぜったいに、ひとりじゃないんだよ。

と。

そこで歌になります。

きみの目の奥の／その悲しみを／そのウソをいつまで／隠せるの（でも嫌われたらどうしよう）／（親にも捨てられるかも）／でもこれを言えなきゃ自分じゃない……。

そしてそのカミングアウトの実体は、

ぼくは……カトリック／周りはみなプロテスタントなのに。

と明かされるのです。

このドンデン返しがありはしますが、この部分は劇も終盤に入っての、ちょっと感動的で重要なところです。というのも、このバンドのメンバーはみんな世間の主流に属する人間たちではなく、メキシコからの捨て子だったり元不良少年だったりはたまた（カトリックのバンドなのに）ユダヤ人だったりする、つまりはアメリカ社会の宗教的マイノリティの中の、さらに社会的マイノリティでもあるという、アメリカ社会の二重構造を（コメディ仕立てながらも）提示し始めるからです。

で、二〇〇九年の日本版初演の時、この「マーク」役の日本の若い男性俳優が、上演後の観客向けアフタートークの舞台で、「オレ、こういうオカマっぽい役、ほんとはイヤなんだよね」と口にしたのでした。

彼は（男たちがオトコらしいとされる）広島県の出身で、自分でもその事実を誇りに思っている青年でした。観客には彼のファンも多く、おそらくそのコメントは彼のいつものごく普通の態度として、ほぼ笑いの中で受け流されました。その当時の日本は、すでに書いてきたように世間で普通に「オカマ」という揶揄語がまだ流通し、それが差別語であるという認識も多く共有されてはいなかった時代です。「オカマ」はそうやってからかうべき第二級の生き物でした。

しかし、彼らのステージを観るためにアメリカから帰国していた私にとって、それは違いました。エイズ禍における性的少数者たちの命がけの言葉の戦いは、ここにはまったく届いていない。そう思うとなんだかすごく悲しくなりました。届いていないという事実だけでなく、その事実を知らないままでいるこの若き役者たちのことも。彼らは世界で何が起きているのかをほとんど知らない。日本で流通している日本語だけの情報で満ち足りて、そこから出ることも、その外に世界が存在することも考えていない。日本の世間は日本語によって護られているつもりで、その実、その日本語によって世界から見事に疎外されているのだと思いました。それは不憫でした。

その夜、私は彼に手紙を書きました——『アルターボーイズ』の観客の中に、きみを好きなファンの中に、「オカマっぽい」人がいるかもしれない。その人たちがきみのあの言葉を聞いたらとても傷つくと思う。ちょうど、きみが演じたマークのように、傷つく。きみはマークを演じたいのか、それともマークをいじめる連中の方を演じたいのか、と——。

『グッド・ウィル・ハンティング／旅立ち』（一九九七）という映画でアカデミー脚本賞を受賞した俳優のマット・デイモンは、そこでも共演していた幼馴染みの俳優ベン・アフレックといつもツルんでいることを揶揄され、記者会見で「あなたたちはゲイではないかという噂がありますが、実際、どうなんですか？」と冗談交じりに訊かれたことがあります。そのときマット・デイモンは「もしぼくが今それを否定したら、ゲイであるということが何か悪いことのように受け取られるかもしれません。だからその質問にはお答えしませんし、ゲイだと噂されてもぼくにはまったく問題はありません」と応じました。シェイクスピア俳優としても名高い名優パトリック・スチュワートは、映画『ジェフリー』（一九九五）でゲイの役を演じることが発表になって、周囲の人たちに名声に傷がつくのではないかと心配されます。そのとき彼は「不思議なことに私が殺人犯の役をやった時には誰もそんな心配はしてくれなかった。私にはゲイの友人がたくさんいる。いま私が心配すべきことは、このゲイの役をそんな友人たちに恥ずかしくないよう立派に演じきることだ」とコメントしました。せっかく「マーク」の役をやるのだから、私はきみに、こういうことを言える役者になってもらいたいと思っています、と。

——彼の名誉のために書き添えれば、マネジャーを通してその手紙を受け取った翌日、彼の演技はまるで別人のように変わりました。セリフだけでなく、その全身を通した変身自体が感動的なほどに。

そのとき思ったのは、彼らには単にそうした思考回路が与えられていなかっただけなのだ、ということでした。日本語の思考回路に、ほんのちょっと別のところへと通じる回路を添えてやれば、彼らだってすぐにいろんなところに行けるのです。なのにそんな新たな何かへと通じるチャンスを、

「外界」の影響を受けない日本語（だけの）環境は与えることがない、いつまでも他の可能性に気づかないで過ごしてしまう。いや、過ごせてしまう。そしてそのことを、不埒《ふらち》だとは考えない……。

「本音」と「建前」の使い分け、公的空間と私的空間の使い分け――そう思えば『アルターボーイズ』のこの若手俳優も、自分の「ぶっちゃけた話＝本音」を上演後の「アフタートーク」という擬似的私的空間（と装いながらも本当は公的な空間）で披瀝《ひれき》することで「ファンへのサーヴィス精神」を発揮したのでした。観客の彼のファンたちはもちろんそのギャップにいたく感応する――（中には私と同じように「その言い方はまずいよ」と思ったファンたちも少なからずいたことが後でわかりました。演劇ファンはかなり海外ものを観ているので、「私もあの発言はどうかと思った」という、その辺りの事情にかなり敏感で先進的な観客も実は多かったのです）。

そういえば初演時に（ルカの英語名である）「ルーク」役を演じた田中ロウマはその後仕事をロサンゼルスに移し、ゲイであることをカム・アウトしてアメリカのTVドラマで活躍しました。あの当時、作品の背景としてゲイのことを説明する私に、彼は何度か稽古場や楽屋で何か言いたげな顔をしていたのを思い出します。二〇〇九年の日本では、しかし「それ」は「言えないこと」だったのでしょう。

初演から十年以上経って、今でも数年置きに上演される『アルターボーイズ』の「マーク」役は今や「オカマっぽくてイヤな」役ではなく、「ゲイっぽくてオイシイ」役に変わっています。同じように日本のTVドラマや映画でもゲイ役を得てブレイクする俳優も多く生まれるようになりました。そうしたこともあって今の若い役者たちはこの「マーク」をじつに楽しそうに、生き生きと、そしてとても共感的に思いを込めて演じています。

彼らは日本でも肯定的に捉えられ始めたLGBTQ+という言葉を、さらにはその実体を、かつての世代よりはよく知っている若者たちです。「LGBTQ+だって人間だ」という今さらながらの、けれど「建前」として流通させなければならなかった「政治的正しさ」が、個人の「本音」の部分までをも変えてきた、これは日本で最初の世代の誕生の兆しかもしれません。日本語は、こうしてクローゼットから出て新鮮な空気を吸うことができるのだと思います。

第五章　カム・アウトする言葉

話し続けるアメリカ人

ロックフェラー・センターのビル群の中にあったニューヨーク支局では二十四時間ニュース局であるCNNがつけっ放しになっていました。他のニュース専門局はFOXニュースもMSNBCも開局は一九九六年なので、選択はCNNしかなかったのです。ただ、九三年にはもう一つ、料理や食べ物の専門局である「FOODネットワーク」という新顔が私の赴任直後の四月に始まって、大したニュースがない時や仕事に疲れた時はそちらにチャンネルを合わせていました。

美味しいものはもちろん好きでしたし、話される英語の単語がみんな平和で易しいものばかりで、意味がわからなくても実物の野菜や道具や料理の仕方が目の前に示されているのですから、これは英語の聞き取り訓練にちょうどよかったのです。それに三十分ごとの番組構成だったので飽きたり疲れたりしても結論はだいたい見届けられる。

九〇年代、ニューヨークはちょうど伝説のレストラン〈ブーレイ（Bouley）〉の全盛期で、グルメ・ブームがまさに始まった時でした。生まれたばかりのそのフードTVにはボビー・フレイだとかマリオ・バターリだとか、のちにスター・シェフになったり日本の「料理の鉄人」を真似た「アイアン・シェフ・アメリカ」に出演することになる若かりし料理人が、緊張でガチガチの初々しい姿でレシピを披露したりしていました。

面白かったのは、日本の料理番組とは趣がまったく違ったことです。とにかくしゃべるのです。相方にアナウンサーがいるわけでもなく、とにかく一人でずっとしゃべりながら食材を説明し火の具合を示して料理をしてゆく。おまけに分量なんか計らない。一応オンスだとかパウンドだとかテーブルスプーンだとかは言うのですが、計らない。英語では「アイボール（目玉）」と言うのですが、いわゆる「目分量」でどんどん入れていく。そして出来上がったものを「どうだ！」とばかりに差し出すのですが、それがどうもあまり美味しそうじゃないんですね。ただし草創期ならではの手作り感と勢いに任せて、なんだかすごく楽しかった。

私の英語はCNNとこのFOODネットワークで鍛えられたせいで、おそらく普通の英語学習者と違って、料理英語なら同時通訳ができちゃうくらい、やたら詳しくなってしまいました。

いやしかし、しゃべるしゃべる。CNNのリポーターたちもその他ABCなど三大ネットワークのニュース番組でもトーク番組でも現場リポートでも、メモなど見ずに立て板に水のごとく淀みなくしゃべる、質問する、討論する。

テレビだけじゃありません。レストランやバーに入ると超高級だろうとなんだろうと、何をそんなに話すことがあるんだろうと思うくらい会話が飛び交っていて店内BGMなどほとんど聞こえません。サーヴィス・スタッフは延々と料理の詳細を説明するし、客もワインはこんなのがいい、デザートは何だと訊くだけじゃなく、食べ終わった後で感想まで伝えているし、向こうだって望みどおりのものだったか、味は大丈夫かと途中しばしば尋ねてきます。

月に一度の割で「音のないバー」になるという店を取材したことがあります。その日だけ聾者《ろうしゃ》の客に楽しんでもらおうという趣向でした。声はまったくしないし音楽もかかっていませんでしたが、店中あちらこちらで客やバーテンたちの手話の両手と笑顔とが目まぐるしくひらひらと舞う、それはとても饒舌な静寂でした。

バスでも地下鉄でも人々の態度は変わりません。見知らぬ人同士でさえ「その服、最高、どこで買ったの？」とか朗々と会話をしています。降車時にはバスの運転手に「サンキュー」と声をかけるし、運転手も「ハヴ・ア・グッド・ワン（良い一日を）！」と返します。高齢者に席を譲ったら譲ったで、譲ったあとでもけっこう長々と会話が続いたりします。

映画館でも同じ。数年前、久しぶりに帰国した日本で母親といっしょに映画を観に行ったとき、おかしな場面で私がつい声を出して笑うものだから、見終わったあとで母親に「あんた、アメリカ人みたいね」と言われて軽くショックを受けたことがありました。そういえば日本じゃ他人に囲まれている映画館で、一人で大声で笑ったりはしません。すっかりニューヨーク生活に馴染んでしまっていた私は、まるで抵抗なく笑ったり拍手したりため息をついたり、気づかぬうちになんともまあ〝アメリカかぶれ〟してしまっていたのです。

話さない日本人

レストラン、バー、地下鉄、バス、映画館――東京ではパブリックな空間で、出歩いている人たちはほとんど誰もあまり声を出さないんですね。携帯電話が普及し始めた頃、静かな電車やバスや地下鉄で「車内での携帯電話は周りの人の迷惑になるのでご遠慮下さい」と何度もアナウンスされていました。なるほど電話での通話は勢い声が大きくなりがちですし、それをうるさいと感じる人もいるのだろうと思いましたが、ただそれは、単なる物理的な音量の問題ではないのかもしれないと思い始めました。それは、公的な空間に、見も知らぬ誰かの「個」がズカズカと入り込んできたことへの不快感なのではないか？

東京の満員電車でギューギュー詰めになっているときに、それを不快だと思わずにいられるのは、その人たちが互いに息を押し殺し、ひたむきに「自我」を消しているからかもしれません。子どもの頃に読んだ忍者マンガの、忍法「隠れ蓑」の術です。「個」を消していれば、物理的にギューギューでもそこには誰もいないことになれます。

よく「芋洗い状態」と言いますが、そう、ジャガイモかなんかだと思えば耐えられる――日本ではそれが公的な空間における身の処し方なのかもしれません。

そんな「ジャガイモ」がしかし、不意に携帯電話を取り出して話し出したらびっくりします。ジャガイモが突然人間になってしまう。そのとき、私たちはその見ず知らずの他人とどうやって接して良いかよくわからない——（極端ですが）。

前章で、「徹底した省略と含意とが行き着くところは、他人の入り込めない『身内』『仲間内』の言語だ」と書きましたが、そんな日本語環境の私たちはどうも他者に対して「身内」か「赤の他人」かの、どちらかの分類でしか付き合えないのではないかと思うことがあります。そして公的空間では、他者は圧倒的に「赤の他人」になる。「芋」になる。（あとはその中間部分に仕事相手とかお客様とか、英語で言うところの「ゲスト」「カスタマー」「クライアント」という概念がいっしょくたに合体した「客」領域がありますが）。

日本語はどうも、公的な空間にいる、見知らぬながらも一個の人格としての他者へ語る言葉が苦手なのではないか？

なので私はパーティーが苦手でした。仕事の関係で国連大使公邸とか日系人会とかジャパン・ソサエティとかあるいは友だちになったアメリカ人宅に、例えば天皇誕生日や独立記念日や新年会や講演会やクリスマスなどの機会にパーティーに招待されるのですが、まったく見ず知らずの人たちに何を話してよいものか、いやそもそも話し掛けて失礼に当たらないか、わざとらしい会話も芝居がかって嫌だし……なんてことを考えて時間が経ってしまっていました。

それがアメリカ人たちはじつに自然にというか懸命にというかアレコレと話題を振って、なんでこんなに話すことがあるんだろうと思うくらい会話を続けるのです。「公的空間」と「私的空間」が地続きなんだという印象が強い。

逆に、アメリカ人ではあまり口にしないことを、日本人同士ではよく言葉にすることがあります。いろんなおしゃべりをしながらも、ニューヨークの人はその相手のプライヴェートな部分に立ち入ることを微妙に回避しているのです。

プロローグのところでも触れた、「ご結婚は?」「お付き合いは?」「お子さんは?」などの身元調査みたいな質問はよほど親しくならなければ、というか、それが自分に関わっていることでもない限り訊いてはきません。ここでは「公的空間」と「私的空間」が遮断されるのです。

日本人ならそういうのはよく話のきっかけのつもりで、何の他意もなく普通に訊きますよね。「ご家族は?」「カノジョ、いるの?」「おいくつ?」――べつにその質問の答えが本当に聞きたいというわけでもないのに。

そう、そういう私生活、プライヴェートな部分に立ち入ることで、その相手と「身内」のような関係性を擬似的に創り上げる。そこだったら私たちにも「言葉」がある。公的な空間を私的な空間に作り変えることでやっと話ができるのです。それが私たちにとっての、仲良しになるための普通の道すじなのかもしれません。公的な空間における、一個の人格としての他者のままでは「仲良く」なれないのかもしれません。

ところがこれは例えば「大阪では違う」と言われました。「大阪の人は知らん人にも普通に話しかけるでー」。きっと日本各地の田舎でもそういうところは多いでしょう。ただそれは「公」の空間がそこに在るというより、「私」的空間の領域が、「私」同士の人情の行き来が、「東京」に象徴されるような都市空間よりも広く滲み出している、という結果のような気がします。そういう自然な「私」は東京ではもう失われてしまって不可能かもしれません。だから、自然にではなく、人情に頼れるわけでもなく、敢えて意識してそう努める、敢えてわざとそういう行為を築き上げる、そういう努力によってでしか私たちはもう「公的空間」に行き渡る言語を持ち得ないかもしれません。

名乗りを上げるということ

アメリカでは通りの名前や地下鉄の駅名は、数字の丁目の名称以外は多くが人の名前です。公の場でも「個人」がどんどん登場します。マンハッタンの東端をなぞるように走る高速道路「FDR」はフランクリン・D・ルーズベルトにちなんで名付けられました。マンハッタンとクイーンズとブロンクスの三区を橋渡しするトライボロー・ブリッジは正式名称をRFKブリッジと言って、これは空港名にもなっているJFK（ジョン・F・ケネディ）の弟のロバート・F・ケネディのこと。マンハッタンのダウンタウンを東西に横切るハウストン（Houston）・ストリートは独立戦争時の大陸会議代議員だったウィリアム・ハウストンの名前を冠したもの。ヴィレッジやトライベッカ地区などニューヨークのダウンタウンの通りの名前はほとんどが歴史上の人物名ですし、有名なマディソン・アヴェニューも第四代大統領のジェイムズ・マディソンの名前です。

日本では、通りや橋に人の名前が付いていることはまれですよね。武士は戦場で名乗ってから戦いましたが、それ以外は周囲との調和のためか、「個」はほとんど前面には出てこない。出る杭は打たれる、というか「我も我も」は、はしたない生き方とされてきました。そのうちに個人を顕彰して善行を讃え奨励することもなんとなくなくなってきた。

それはもともとは自己顕示欲を諫めたものであって、だから自分は隠れていて何もしないでよい、というのとは違いました。「私」を押し殺すのは「公」に尽くすためであり、私心や恥ずかしさなどを捨ててもとにかく善行を為すことこそが「無私の精神」の顕われでした。小林秀雄も「実行するとは意識を殺す事である事を、はっきり知った実行家」こそが、数少なく貴重な「無私」の人物であると言っています（『無私の精神』一九六七）。未来に向けての善行は、文化の東西を問わず重要不可欠なことでしょう。

いささかモデル化しすぎのきらいはありますが、まるで取り憑かれたかのように懸命に話すアメリカ型社会だって、これは自然にそうなったわけではありません。日本のように「お上」が存在せず、すべて自分たちで決めて作り上げていかなければならなかった建国の時代（「小さな政府」への志向はここが起源です）からの長きにわたって、アメリカ社会がプライヴェートとパブリックの並立に向かったのは偶然でも必然でもなく、そこになんらかのコミュニティ構築の意志が介入していたからでした。

「私」と「公」の間を個人が行き来し、だからこそ公的な空間でも簡単に他者に声も掛けるし発言もするし、コミュニティに対する不正にはすぐ抗議できもする。自分は、個人でありながら同時にコミュニティの一員でもあらねばならなかったわけです（もっともその長い過程にあっては、「自分」とはやはり多く「白人」の「男性」に限られていましたが）。

そう考えると、民主制度が過渡期の時代、社会的不均衡が遍在する時代に、ここから各種の公的な運動＝社会運動の言葉（言説）が生まれるのは必然だったと思います——公の空間での言葉を育てる。声を掛け合う。公の空間でも人間同士でいる。声を上げる。

「公民権」という言葉があります。英語の Civil Rights に当たる翻訳語です。「公民」とは civilian＝citizen（市民）であり、「公」の場に参加できる国民のことです。そしてこの「公」とは政治のことです。つまり参政権を持つ者＝有権者のことです。なので「公民権運動」とは、第一義的には参政権運動のことです。

「参政権」とは投票権だけではありません。投票される権利つまり被選挙権、公職に就く権利もそうですし、国民投票や国民罷免などの権利も含まれます。つまり、自分が主体となって政治・社会にコミットする権利です。社会の構成員であり主人公である権利であり、民主制度の基盤にある概念です。それらは歴史的にいって（現在の形の民主主義が比較的新しい発明であるように）国民一人ひとりに自然に与えられたものではもちろんなかった。公民権運動とはまさに「私」が「公」へとカム・アウトする努力の運動でした。

「立ちません」と名乗った女性

一九五五年十二月一日、木曜日の夕刻、米南部のアラバマ州モンゴメリーで、四十二歳の小柄な黒人女性ローザ・パークスはモンゴメリー・フェア百貨店での長い裁縫仕事の一日を終えて帰宅のために市営バスに乗りました。

当時の米南部州では「ジム・クロウ（Jim Crow）[*1]法」と呼ばれる人種隔離法が施行され、さまざまな公共空間で非白人（黒人）は白人と分離された場所取りを強制されていました。黒人は黒人専用の（劣悪な）学校にしか通えませんでしたし、水飲み場でも「colored（色付きの＝有色人種の）」と指定された蛇口からしか水を飲めませんでした。図書館も黒人用が指定されていました。

モンゴメリーの市営バスは利用者の七割が黒人でしたが、「黒人は後部座席（Negroes-in-Back）」という条例がありました。バスの運転士には黒人客に対して白人客に席を譲るように言う権威は与えられていましたが、もともとの一九〇〇年の市条例では「人種隔離は執行されねばならない」とす

＊1　一八三〇年代に白人男性トーマス・D・ライスが顔を黒く塗って「Jim Crow」と名乗り、ニューヨークの舞台で黒人を戯画化した歌や踊り（ミンストレル・ショー／minstrel show）を披露したことにちなむ黒人への蔑称。Crow は黒いカラスとの意味。人種隔離や人種差別のシステムを俗にこの名で呼ぶ。

る一方で、（ほとんど知られていませんでしたが）「ほかに席が空いていない場合は、誰も（白人でも黒人でも）今の自分の席を譲るよう要請されない」とも書かれていたのです。

とはいえ、経路の途中でローザ・パークスの乗ったバスは混み始め前部の白人席は埋まってしまいます。そこでバスの運転士は、彼女など後部黒人席の一列目に座っていた黒人四人に対して、立って白人客に席を譲るよう命じたのでした。つまり黒人席を一列削って白人席を増やすという措置でした。三人はその指示に従いましたが、ローザ・パークスは席を立ちませんでした。

「みんな私が疲れていたから席を譲らなかったと言っていたけれど、それは間違い」とパークスはのちの自伝『Rosa Parks: My Story』（一九九二）（『黒人の誇り・人間の誇り――ローザ・パークス自伝』訳・高橋朋子／サイマル出版会／一九九四）に書いています。

I was not tired physically, or no more tired than I usually was at the end of a working day. I was not old, although some people have an image of me as being old then. I was forty-two. No, the only tired I was, was tired of giving in.

体が疲れていたというのではなかった。一日の仕事が終わって疲れているという以上の疲れではなかった。私が年寄りだったから（だから席を譲らなかった）と思った人たちもいたけれど、私は年寄りではなく、四十二歳だった。違う、私が疲れていたのはただ、屈服することに疲れていただけなのだ。

結局、「立て」「立ちません」のすったもんだで発車しないバスに警官二人がやってきて事情を聴き、パークスは市条例違反で逮捕されました。これが黒人たちの公民権運動のきっかけになります。モンゴメリーには当時、バプティスト教会に着任したばかりの二十六歳の若き牧師、あのマーティン・ルーサー・キング・ジュニアがいました。彼を中心にした呼びかけで、パークスの逮捕は黒人によるモンゴメリー市営バス乗車ボイコット運動に発展しました。七〇％以上の乗客が黒人だったことで、市バス経営は大打撃を受けます。最高裁まで争われた彼女の裁判で、五六年十一月、モンゴメリー市のバス内人種隔離条例は違憲判断を受け、三百八十一日にわたって続いたバスのボイコット運動は終結を迎えます。

キングはこの運動の勝利を契機として公民権運動を全米各地に広めます。一九六三年八月二十八日には二十五万人を集めたあの歴史的な抗議集会「ワシントン大行進」を組織します。人種平等を求めるこの大きなうねりに、アメリカのジョンソン政権は一九六四年、非白人市民への差別を禁じる公民権法を成立させます。奇しくもこれは米史上初めて、非白人として副大統領に就任したバイデン政権のカマラ・ハリスが生まれた年でもありました。

もっとも、法律ができたといって人種差別がなくなるわけではありません。一九六五年三月七日、せっかく獲得した公民権にも関わらず、選挙の有権者登録を妨害された（またまたアラバマ州の）セルマという町の黒人たちが州都モンゴメリーまでを行進することで抗議の示威行動を起こそうとします。そこに、なんとしてでもデモを阻止せよと知事に命じられた州兵や保安官たちが待ち構えました。そして、全米から集まった報道陣の目の前、黒人たちがたった六ブロック歩き始めたところで重装備の州兵部隊が丸腰の彼らに向けて棍棒や鞭、催涙ガスなどの暴力を浴びせたのです。ガスの立ち込める中を血だらけで倒れ逃げ惑う黒人たちと棍棒を振り下ろす州兵や保安官たちの残忍な姿がテレビで報道されます。世界中のニュースメディアがその写真を新聞や雑誌で報道しました。これが「セルマの血の日曜日事件」です。世論がそこからどう動いたかは誰でも想像がつくでしょう。もっとも、真の人種平等は現在のアメリカで、世界で、永遠に続く「運動」の形でしか在り得ないのかもしれませんが。

立ち上がる「ディセンター」たち

同じ頃、もう一つの巨大な社会構成層で、かつマイノリティでもある「女性」たちの社会運動も再び蠢き始めます。彼女たちは十九世紀後半から始まる女性の参政権運動を経て、「人は女に生まれるのではない、女になるのだ」と言ったシモーヌ・ド・ボーヴォワールの『第二の性』（一九四九）に触発された人たちでした。

二〇一五年に公開された英映画『Suffragette（サフラジェット）』は、今から百年以上前、一九一〇年代のイギリスで女性参政権を求めて激しく闘った女性たちの姿を描いています。「サフラジェット」とは、参政権を示す英語「Suffrage」から派生して、参政権を求める女性団体のメンバーを指す呼び名です。ところでこの映画の邦題は『未来を花束にして』です。なんとも珍妙な〝ポエム〟に変えられてしまいました。そういう前時代的ジェンダー規範を思わせる〝少女〟趣味のタイトルこそ、この映画が最も排除したかったものだと思うのですが……。

冒頭、女性たちに参政権が与えられない理由を、男性政治家たちがとうとうと演説している声が流れます。曰く、

気分屋で、冷静さに欠ける女性たちの頭脳は政治行動には向かない。

女性たちに参政権を与えることは現在の社会構造の崩壊を招く。

女性たちの権利は父親や夫たちが代表してくれている。

ひとたび参政権を認めれば、次は議員だ、大臣だと要求は拡大するだろう。

いずれも今もよく聞く男性主義社会の〝論理〟です。同じことは黒人たちの公民権運動にも向け

られていました。黒人たちは白人より知能に劣るから政治行動には向かない。奴隷制度の廃止は現在の社会構造、経済構造に壊滅的な打撃を与える。黒人奴隷の権利は農園主が代表している。ひとたび公民権を認めれば次は……云々かんぬん。

こうやって勝手に言われるがままであることに、パークスの謂《い》いを借りれば「tired of giving in」、疲れていた。だから「ノー」と言い始めた。

この「ノー」を身をもって示した一人が、二〇二〇年九月十八日、転移性膵臓癌の合併症のため八十七歳で亡くなったアメリカ最高裁判事のルース・ベイダー・ギンズバーグでした。彼女の映画『RBG』（邦題は『RBG 最強の85才』）も二〇一九年五月に日本で公開されました。アメリカ版のオリジナルの宣伝コピーは「HERO. ICON. DISSENTER」つまり「英雄。聖像。反対意見者」です。ところでこちらも日本版の宣伝コピーでは「妻として、母として、そして働く女性として」と改変されました。この人はむしろ女性たちが「妻でも、母でも、働く女性でもなく、むしろ一人の人間として」扱われるために闘ってきたフェミニストです。それが彼女を「Notorious RBG」つまり、敵陣営をして非常に「悪名高いRBG」だと呼ばしめた所以《ゆえん》です。

それが日本に来るとどうしてかくも「妻」とか「母」とか「女性」とかを強調する「オトコたちから目線」で語られねばならなくなるのでしょう？　『サフラジェット』の『未来を花束にして』と同様、ここまでくると日本の映画配給界の何かが根本的に勘違いしているとしか思えません。

ちなみにこの「DISSENTER」とは、最高裁の判決で「反対意見を記述する者」という意味です。事実、ギンズバーグ判事は保守的意見が多数を占める判決文において、しばしばそれへの反対意見を書いてきたリベラル派の象徴的人物でした。雇用、妊娠中絶、性的虐待など、アメリカ社会のおびただしい数の性差別、人種差別、LGBTQ＋差別と司法の場で真正面から闘ってきた彼女が、生涯を通して勝ち取ってきた「平等」は、べつにアメリカの男性たちがやさしくそれを譲ってくれた結果ではありません。歴史が自動的にそういうふうに流れたからでもありません。差別を差別とすら気づいていなかった男性主義の社会に、それは差別だと明示するための「闘う言葉」を彼女が持っていたからです。その言葉で、彼女が歴史の流れを変えてきたからです。それはまさに、自分が何者かを表に出す、カム・アウトのための言葉でした。

ギンズバーグの死は、二〇二〇年の大統領選および上下院議員選挙の直前一カ月半という時期の出来事でした。アメリカには大統領選挙の年には新たな民意を尊重するため、選挙が終わるまでは次の判事を指名しないという長年の慣習がありました。実際、彼女の前に亡くなった保守派アントニン・スカリア判事の場合、それは同じく選挙の年の二〇一六年、しかも二月十二日と選挙まで八カ月以上もあった時期の死去でしたが、上院多数派の共和党はリベラル民主党の大統領バラク・オバマの指名した新判事の承認審議を拒否。結局トランプの大統領就任までずらして、自分たちの意に沿う保守派ゴーサッチの最高裁判事就任を勝ち取った前例があります。

にもかかわらず、同じ上院共和党はその四年半後という舌の根も乾かぬうちに自らの前言を翻し、

RBGの後任にトランプがエイミー・コニー・バレットという四十八歳の保守派判事を指名するのを許し、それを承認しました。それも普通なら二カ月以上かかる承認審議を二週間という異例のスピードで終え、LGBTQ＋の権利や人工妊娠中絶権に否定的な、まさにRBGと真逆の信条を持つ彼女を承認したのです。

バレットの就任をあるアメリカ人女性はツイッターで「ルース・ベイダー・ギンズバーグに取って代わろうというのは、彼女の開けてきたドアの一つ一つを通ってたどり着いたその地位を即座に利用して、他の人がそのドアを通れないようぜんぶ後ろ手で閉めようとする女性だ」と表現しています。[*2]

＊2　https://twitter.com/weezwrites/status/1309632458745315329

第六章　アイデンティティの気づき

吹雪の中での決心

一九九六年春、私のニューヨーク勤務の任期が終わり、帰国して社会部に復帰する人事異動が告げられました。社会部長は私のために特別に紙面の一ページを与え、好きに編集してよいという破格の待遇まで示してくれました。

三年間、全米五十州すべてはさすがに回れませんでしたが、二十州ほどは取材で飛び回りました。前述したとおり大きな事件、事故、災害、政変の多い三年でした。国連の関係で、カナダやメキシコやペルー、コロンビア、キューバ、ハイチにも取材に出かけました。ボスニア・ヘルツェゴビナの内戦取材にも出かけたことはすでに書きました。つかの間の平和が訪れていたクロアチアの首都ザグレブで街を歩いていたら、地元の劇団が四年ぶりに仲間を招集し、オスカー・ワイルドの『真面目が肝心（The Importance of Being Earnest）』を上演する稽古現場に行き当たりました。

飛び込みで話を聞かせてもらいました。主宰は三十代後半くらいの物腰の柔らかな男性で、内戦状態の間にどう生きていたかをたどたどしい英語で懸命に教えてくれました。五つの民族、四つの言語、三つの宗教と二つの文字を持つ一つの国家だった旧ユーゴスラビアが解体して、クロアチアにも戦火が及びました。友人同士が殺し合ったのです。そして今やっとまた芝居ができるまでになった——なぜオスカー・ワイルドなのかは訊きませんでした。クロアチアはローマ・カトリックの国です。質問することは憚られました。

考えすぎだったのかもしれませんが、この『真面目が肝心』は、同性愛の隠喩が多く含まれているとして欧米ではクィア・リーディング[*1]の格好の対象となっています。ワイルドがこれを発表する三年前にジョン・ガンブリル・ニコルソン（John Gambril Nicholson）が出版した詩集『Love in Earnest（真面目な恋）』（一八九二）は同性愛的な情熱を詠ったもので、「Is he earnest?（彼はマジメ？）」という質問は当時の英国では同性愛者を暗示していたのです。また、この戯曲の主人公アルジャーノンの親友は「Earnest（アーネスト）」という名前だと信じられている「二重生活を送る青年」で、病弱な架空の友人「Bunbury（バンベリー）」を持っています。この名前、さらに彼を訪れるとの名目で現世を逃れる習慣を指すBunburyingという造語の動詞は、Bun＝尻、Bury＝埋める、という言葉の組み合わせで出来ています。そこからこれは同性間の性行為を示していると指摘されているのです。

＊1　芸術作品などの中に隠されているクィアな意味・要素を読み出そうという分析方法。

やるべきことはやった三年間ではありました。ただ、ニューヨークは常に「やり残したこと」が無尽蔵に用意されている街でした。正直なところ、このままた日本に帰って、殺人や汚職や詐欺や災害や復興等々を追う社会部で自分がこの先何をしたいのか、わかりませんでした。まあ、はっきり言えば帰りたくなかったんですね。おまけに、前述した〈ブーレイ〉という、当時世界一美味しいと思われたトライベッカのフレンチ・レストランにも出遭ってしまっていたんで……。

東京から後輩の若いカメラマンが遅い正月休みを取ってうちに遊びに来ていました。九六年の二月でした。ニューヨークに到着した三年前のあの日と同じようにまたすごい大雪が降っていました。東十四丁目にあった日本人のカラオケバーに遊びに行きました。十歳以上も年若い彼に「日本に帰って何がやれるかな」などと話しながら、日本で流行っている歌を教えてもらっていました。その中にスピッツの「ロビンソン」がありました。二人で大声でそれを何度か歌い、大雪の中を三ブロック離れた家まで帰る道でもまた歩きながらそれを繰り返していました。

「るーららー、うーちゅーうのぉ、かぜになるぅー」とがなりながら、すっかり酔っ払った私は「よーし、おれは宇宙の風になるぞぉ」と吹雪の中で叫んでいました。会社を辞めてニューヨークで執筆生活を続けようと決心した瞬間でした。四十歳でした。「どうにかなるわな」と言うと「ええ、大丈夫ですよ！」と彼も保証してくれたんですが、フリーランスで何をするのか、その当てはまったくありませんでした。

あの歌詞が「風になる」ではなくて「風に乗る」だったことは後で気づきました。ちょっと違うけど、ま、そこはいいことにしました。彼は日本に帰国後、やがて新聞協会賞や東京写真記者協会賞などを次々と受賞する立派なカメラマンになりました。

もっと「ゲイのこと」を

九六年夏、退社に伴う煩雑な手続きやお世話になった人たちへの挨拶回りを終えて私は再びニューヨークに帰ってきました。さまざまな友人たちが私の独立生活を助けてくれました。エイズ取材で知り合ったセント・ルークス病院の稲田頼太郎先生は、コロンビア大学近くの二ベッドルームの安くて広いアパートを私に紹介してくれました。出版社の編集さんたちは時事問題の原稿のほかにもエッセーや評論や翻訳の仕事を割り振ってくれました。そうやって私は仕事で心配する苦労もなく、好きなことをやることができました。

まずはゲイの友だちを作ることでした。日本でも自分でゲイバーに行ったことがなく、ニューヨークに来ても忙しくてあまり行く機会もなく興味もなく、私はほとんど「ゲイのこと」に関して無知でした。ところが会社を辞めてニューヨークの日本人コミュニティと付き合うようになると、その中に結構な数のゲイの人たちがいることがわかりました。そして話を聞いてみると、その多くの人たちがゲイを隠さなくてはならない日本社会に嫌気がさして、あるいはイジメられて、逃げるようにニューヨークにやってきたと言う――。

そのころ、私はちょうど同じ時期に赴任していた産経新聞ニューヨーク支局長の宮田一雄さんと親しくしてもらっていました。彼は日本のエイズ報道の最初期からの第一人者で、英語では難しいエイズの医学情報や政治・法律情報をアメリカに住む日本人コミュニティのために日本語で提供しようと、支局業務の傍ら「JAWS（Japanese AIDS WorkShop）」という日本人ヴォランティア団体を立ち上げエイズの電話相談を開設していました。私もそれに協力し、その過程で前述の稲田先生とも知り合ったのです。

そうするうちにわかってきたことは、九〇年代当時の日本人コミュニティには（ビジネスで赴任しては帰国する駐ニューヨークの会社員コミュニティ内ではなく）エイズに苦しんでいる人が少なからずいたという事実でした。若い人もいましたが、中には一九六〇年代からニューヨークに来ていて、当時のジャパニーズ・レストランやヘア・サロンなどの開業の一翼を担ってきた人たちもいました。すでに亡くなった方も多くいて、ゲイを取り巻く日本の情況が彼らを結局異国の地に追いやったのだと思うようになりました。

日本にいた頃も同僚記者たちに、ニューヨークに来てからは特派員仲間にも、エイズとゲイを取り巻く状況はこれから絶対にジャーナリズムの主要テーマの一つになる、性的少数者の人権問題は、誰も着手していない絶対に「旬」のテーマだと勧めてきたのですが、数少ない女性記者たちがわずかにそれに反応しただけで、男の記者たちはどの社の記者も私の話をまともに取り合いませんでした。「ゲイの記事を書いたらゲイだと思われる」とはっきり敬遠する理由を明かす記者もいました。

フリーになってからは日本のすべての新聞社、通信社、テレビ局にゲイの記者や社員がいることを知りました。当時、アメリカ国内では「全米レズビアン＆ゲイ・ジャーナリスト協会（nlgja）」という団体が組織されていました（第十三章で詳述）。そこに触発され、私も一度、メディア関係の日本の仲間たちをすべてつなぐネットワークを作り、いわば日本版の「ＮＬＧＪＡ」を作って報道における差別・偏見などのバイアスを取り除く提言などを行っていこうと画策したことがあります。日本では新聞協会も性的少数者に関する報道指針を持っていなかったからです。そこでは「性的指向」が「性的嗜好」と校閲され、「ホモ」「レズ」の表記が横行していました。

ネットワークづくりは、けれど失敗でした。

日本では一人も公的にカム・アウトしているジャーナリストが（少なくとも当時の私の知る範囲では）いなかったのです。みんな、社内で自分がゲイだとわかることを（ある人は死ぬほど）怖がっていました。実際、社内でゲイだと知られて自殺した者もいたことを知っています。

フリーランスになって翌九七年、初めてボーイフレンドができました。当時のコンピュータ通信なるもので知り合ったタカヒロくんという二十三歳の若者が、大阪から語学留学にやってきて私のアパートに転がり込んだのです。よく訊けば、彼は大阪でコンピュータの専門学校に通っていたそうですが、ある日教室に入ってみると、自分のデスクトップPCのスクリーンに大きく「オカマ」とマジックで書かれていたそうです。そんな日本が嫌でニューヨークに来る決心をしたのだと。

日本のゲイ事情だけでなく、ゲイであることの実際のさまざまなことを私はほとんど彼に教わりました。さらにマンハッタンの外国人向け語学学校では、若い先生たちが（中にはブロードウェイの役者をやっている人も多く身過ぎで英語を教えていたそうです）必ずゲイ文化について授業を行うということも聞きました。文化圏の違うアジアや中南米、イスラム圏の生徒たちに、ニューヨークではゲイの人権がいま何より大切な問題で、それを尊重しなければここに住むことはできない……なんていう話をするのだそうでした（現在も「ゲイ」という言葉を「LGBTQ＋」に替えて、それは変わっていないようです）。タカヒロくんは水を得た魚のようにとても嬉しそうでした。彼は三年後にビザの関係で職を求めてサンフランシスコに移ることになりましたが、今ではソフトウエア開発会社UX統括部門のエラいさんとして活躍しています。

タカヒロくんと付き合い、もっと「ゲイのこと」をやらなければならないと思いました。ニューヨークにいれば、半自動的に日々のニュースやテレビからだけでも膨大な素材を得ることができました。毎日毎日、「ゲイのこと」は数多くのジャーナリストから発信されていました。ドラマの制作者や、トーク番組の制作者や、作家や脚本家や学者たちから数限りない情報が横溢《おういつ》していました。カミングアウトしている人が多いということは、世界がこんなにも違って描かれるということなのだと知りました。数は確実に力でした。そして手を伸ばしさえすれば、彼ら彼女らは一様に私を助けてくれました。

第三章の「エイズ禍への反撃」で紹介したラリー・クレイマーの『ノーマル・ハート』に、主人公のネッドが訴える次の一節があります。

オレが生きているこのオレたちの文化には、プルーストもいた、ヘンリー・ジェイムズもチャイコフスキーもコール・ポーターもいた。プラトンもソクラテスもアリストテレスもアレキサンダー大王も。ミケランジェロ、レオナルド・ダ・ヴィンチ、クリストファー・マーロウ、ウォルト・ホイットマン、ハーマン・メルビル、テネシー・ウィリアムズ、バイロン、E・M・フォースター、ロルカにオーデンにフランシス・ベーコン、ジェイムズ・ボールドウィン、ハリー・スタック・サリバン、ジョン・メイナード・ケインズにダグ・ハマーショルドも……彼らは透明人間じゃなかったんだよ。かわいそうなブルース、怯えてばかりのブルース。昔々、きみは兵士になりたいと思っていた。知ってるかい？　第二次世界大戦で、アメリカの勝利に最も貢献した男の一人は、ゲイを公言してた英国人だった。彼の名前はアラン・チューリング。彼はドイツの暗号を解読して、彼のおかげで連合国はナチスがどう動くのか前もって知ることができた——そうして戦争が終わり、彼は自殺した。自分がゲイであることに悩んだ果てに。どうしてこういうことを学校で教えないんだ？　教えてたら彼は自殺しないで済んでたかもしれない。きみだって自分のことで、そんなに怯えないで済んでるはずだ。本物のプライドを手にする唯一の方法は、オレたちのこの文化がセックスだけじゃないと世間に認めさせることなんだ。すべてがここにある——歴史のすべてにわたってオレたちは存在した。でもそれを言わなきゃダメなんだ。誰がそこにいたか言わなきゃ、誰も知らないままなんだ。オレたちが何を考え、何を感じ、この世界にどんな創造的な貢献をしてきたかをはっきりぜんぶ言葉にしなきゃすべて存在しなかったことになってしまうんだ。そしてそうしない限り、オレたちがこの街でこの市でこの州で一つにまとまって、透明人間じゃない、目に見えるコミュニティを作って反撃しない限り、オレたちは終わってるんだ。オレはそういう人間になりたい。充分に戦った男の一人として生きたい。オレたちの象徴はチンポだと思ってる限り、それはオレたちを文字どおり殺し続ける。オレたちみんな、自分たちの殺人犯に成り果てたいってのか？　どうしておまえもオレも、ブルース・ナイルズもネッド・ウィークスも、ゲイはそうじゃない、おまえらの思ってるゲイはオレたちのことじゃないって、新しいゲイの姿を示せなかったんだろう？おまえだけを責めてるわけじゃない。オレも同じだけ責任がある。ブルース、オレはものすごくイヤなヤツだ。でもお願いだ、お願いだからオレを追放しないでくれ。[*2]

ラリー・クレイマーが列挙したこれらすべての先人たちが、私を助けてくれているように思いました。それは、私たちのアイデンティティの気づきでした。

「主語」を取り戻すということ

性的少数者のアイデンティティの確立と獲得の歴史は、私が目の当たりにしたアメリカを例にとれば、「白人」「男性」「異性愛者」と、「黒人」「女性」「ゲイ（性的少数者）」という対立軸で考えることができると思います。ある時はそこに「ＨＩＶ陰性者」と「ＨＩＶ陽性者」の対峙、あるいは時を経て「シスジェンダー」と「トランスジェンダー」の対も加えながら。

それは「あらかじめそこに存在していた主権者たち」対「前者に対抗するために敢えて自らを再構築し再獲得し確立させた者たち」との対立の構図でした。

「歴史」も「世界」も、常に誰かを主語にして語られてきました。その主語は長らく「白人」の「男性」の「異性愛者」たちであり、彼らによって語られる歴史観であり世界観でした。それが前者です。

そこに「黒人」「女性」「ゲイ（性的少数者）」が台頭します。それが対立構図の後者です。彼らは自分たちを主語として歴史と世界とを語り始めました——大雑把に言うなら、五〇年代からの黒人解放運動、六〇年代からの女性解放運動、七〇年代からのゲイ解放運動を経て、歴史を語る「主語」の書き換えが行われたのです。「白人」の部分に黒人の公民権運動が言挙げをしました。「男性」の部分に女性解放運動がかぶさってきます。さらに続ければ、その次に白人の男性の「異性愛者」の部分に非異性愛者（LGBTQ＋）の人権運動が襲い掛かります。

「白人」の「男性」の「異性愛者」はアメリカ社会で常に歴史の主人公の立場にいました。彼らはすべての文章の中で常に「主語」の位置にいたのです。そうして彼ら「主語」が駆使する「動詞」

＊2　『ノーマル・ハート』第十三場／百四十〜百四十二頁（拙訳／大都社／二〇一九）。

の先の「目的語（object＝対象物）」の位置には、「黒人」と「女性」と「ゲイ」がいた。彼らは常に「主語」によって語られる存在であり、使われる存在であり、どうとでもされる存在でした。ところが急に「黒人」たちが語り始めるのです。ちょうどアラバマ州モンゴメリーの市営バスでローザ・パークスが拒絶の言葉を語り出したように。「黒人席に移れ」と語られる一方の「目的語＝対象物」でしかなかった「黒人」たちが、急に「主語」となって「ＮＯ！」と発語し、それはやがて「I Have a Dream!（私には夢がある！）」という演説にまで拡声されたのです。続いて「女性」たちが「The Personal is Political（個人的なことは政治的なこと）」と訴え始め、「ゲイ」たちが「Enough is Enough!（もう十分なんだよ！）」と叫び出したのです。

「目的語」「対象物」からの解放、それが人権運動でした。それは同時に、それまで「主語」であった「白人」の「男性」の「異性愛者」たちの地位（主格）を揺るがします。「黒人」たちが「白人」たちを語り始めます。「女性」たちが「男性」を語り、「ゲイ」が「異性愛者」たちを自分たちの「動詞」のオブジェクト（目的語＝対象物）にします。逆を言えば、「主語（主格）」だった者たちが「目的語（目的格）」に下るのです。

実際、それらは暗にじつに性的でもありました。白人の男性異性愛者は暗に黒人男性よりも性的に劣っているのではないかと（つまりは性器が小さいのではないかと）不安であったし、女性には自分の性行為が拙いと（女子会で品定めされて）言われることに怯えていたし、ゲイには「尻の穴を狙われる」ことを（ほとんど妄想の域で）恐れていました。それらの強迫観念が逆に彼らを「主語（主格）」の位置に雁字《がんじ》搦《がら》めに固執させ、自らの権威（主語性、主格性）が白人男性異性愛者性という虚勢（相対性）でしかないことに気づかせる回路を遮断していたのです。

その象徴的で画期的な出来事が一九八二年にニューヨーク・マンハッタンの街に登場した「カルバン・クライン」の巨大ビルボードでした。

ニューヨーカーたちの度肝を抜いたカルバン・クラインの巨大ビルボード＝タイムズ・スクエア。
Photo/getty Images

純白のブリーフだけの巨大な男性の裸体が白昼のタイムズ・スクエアに出現したのです。今でこそ公的な空間での男性ヌード広告は珍しくありませんが、この時はさすがのニューヨーカーたちも度肝を抜かれたものです。これこそが「白人・男性・異性愛者」の肉体が、高度資本主義社会史上初めて、コマーシャリズムのネタ、女性やゲイたちの視線の対象（目的格＝

objective）となった〝事件〟でした。つまり、白人の異性愛男性の肉体がここで初めて商品化＝相対化＝客体化されたのです。[*3] ちなみに、この写真を撮影したのはゲイ男性であるブルース・ウェーバー（Bruce Weber）。でした。ゲイ男性の視線が男性性の位置取りを逆転させたのです。

正直に言うと、先に記した主語と目的語の話を私が着想したのもこのビルボードのもたらしたセンセーションを思い出したせいです。

その〝下克上〟がもたらした気づきが、彼ら白人・男性・異性愛者の「私たちは黒人・女性・ゲイという弱者をも庇護し尊重することで多様な社会を作っている」という〝自慢〟でなかったことは自明でしょう。なぜならそのテキストにおいては彼らはまだ「主語」の位置に安住しているから。「◯◯という可哀想な人たちがいる。私たちはそういう弱者をも庇護し尊重することで多様な社会を作っている」というのはまさに黒人奴隷を庇護した（のは彼らには自立する頭脳も機会もないからだと演説する）プランテーションの白人農場主たちの謂いであり、妻たちにクレジットカードを認めなかった（のは彼女たちを負債から守るためだと言い張った）夫たちの弁明であり、ゲイたちを病理の枠内で収めていた（のは彼らに治ってもらいたかったからだと釈明する）異性愛規範性の欺瞞だからです。

そうではなく、二十世紀末までにアメリカで起きた彼らの気づきは、「私たちは黒人・女性・同性愛者という〝弱者〟たちと入れ替え可能だったのだ」というものでした。

「マジョリティの解放」という逆説

「入れ替え可能」とはどういうことか？　それは自分が時に主語になり時に目的語になるという対等性のことです。それは位置付けの相対性、流動性のことであり、それがひいては「平等」ということであり、さらには主格と目的格、時にはそのどちらでもないがそれらの格を補う補語の位置にも移動可能な「自由」を獲得するということであり、すべての「格」からの「解放」だったということです。

つまり、黒人と女性とゲイたちの解放運動は、とどのつまりは白人の男性の異性愛者たちのその白人性、男性性、異性愛規範性からの「解放運動」につながるのだということなのです。もうそこに固執して虚勢を張る必要はないのだ、という。楽になろうよ、という。権力は絶対ではなく、絶対の権力は絶対に無理があるという。もっと余裕のある「白人」、もっといい「男」、もっと穏やか

＊3　同じようなことを一九九〇年のMTVアワーズでマドンナが行ったVogueライヴ（youtu.be/ITaXtWWR16A）演出を元に富岡すばる（@Lily_to_Rose）氏がツイッターで指摘している。「このパフォーマンスでは、男性ダンサーの一部が、マドンナを含めた女性陣よりも肌の露出が多い」「そんな男性ダンサーたちがセクシーに踊る姿をマドンナが見ている、という構図」「脱がない男と脱ぐ女、脱がせる男と脱がされる女、そうした従来のエンターテイメントで見る構図を、このライブでは男女で逆転させている」「男性の方が性的な存在として描かれ、女性はそれを楽しむ側に立っているのだ」。

な「異性愛者」になりなよ、という運動。

これはすべての少数者解放運動に関係しています。黒人、女性、ＬＧＢＴＱ＋に限らず、被差別部落民、在日韓国・朝鮮人、もっと敷衍して老人、病者、子ども・赤ん坊、そして障害者も、いずれも主語として自分を語り得る権利を持つ。それは特権ではありません。それは「あなた」が持っているのと同じものでしかありません。生産性がないからと言われて「家」から追い出されそうになっても、逆に「なんだてめえは！」「何様のつもりだ！」と言い返すことができる権利です（たとえ身体的な制約からそれが物理的な声にならないとしても）。すっかり評判が悪くなっている「政治的正しさ」とは、実はそうして積み上げられてきた真っ当さの論理（定理）のことのはずなのです。

すべてのマイノリティたちの人権運動は、回り回って最終的にはマジョリティたちこその解放運動なのだという逆説――マイノリティの「問題」は、実はマジョリティ側の「問題」だったという覚醒――。

ところで言わずもがなですが、「入れ替え可能」性というのはもちろん、下克上や革命があってその位置の逆転がそのまま固定される、ということではありません。いったん入れ替われば、そこからはもう自由なのです。時には「わたし」が、時には「あなた」が、時には「彼／彼女／あるいは性分類不可能な三人称」が主語として行動する、そんな相互関係が生まれるということです。それを多様性と呼ぶのです。その多様性こそが、それぞれの弱さ強さ得意不得意好き嫌いを補い合える強さであり、他者の弱虫泣き虫怖気虫を知ってやさしくなれる良さであるはずです。

――ところが事はそう簡単に運ぶものでもありませんでした。

もちろん「黒人・女性・同性愛者という〝弱者〟たちと入れ替え可能だったのだ」と気づいた白人・男性・異性愛者たちは少なくはありませんでした。それはきちんと社会運動にもなったし、文化として根づきもしました。

けれどそこにドナルド・トランプが登場してきました。

開き直る「トランプ」的なもの

いや、トランプは前から存在していたのですが、二〇一六年までは、彼は私の思い描く世界からはいずれ駆逐される存在としてそこにいたのです。

しかしそうはならなかった。

世界の大部分において、「黒人と女性とゲイたちの解放運動は、とどのつまりは白人の男性の異性愛者たちのその白人性、男性性、異性愛規範性からの『解放運動』につながる」「もっと余裕のある『白人』、もっといい『男』、もっと穏やかな『異性愛者』になる」「時には『わたし』が、時には『あなた』が、時には『彼／彼女／あるいは性分類不可能な三人称』が主語として行動する、そんな相互関係が生まれる」「それを多様性と呼ぶ」――そういう「理想的で政治的に正しい社会」像への反動が始まりました。

なぜか？

「黒人」「女性」「ゲイ」という懸命に模索し獲得した（構築主義的な）「アイデンティティ」を基盤にした「政治的正しさ」の政治が、トランプ的なるものの出現に伴って、人為的なアイデンティティの発動すら必要のなかった（はずの）白人・男性・異性愛者たちの不動の既得権（の幻想）の覚醒を促したのです。そこからの反撃を誘発したのです。

彼らの彼らたる所以《ゆえん》（アイデンティティ）はあらかじめそこに存在する初期設定《デフォルト》としての揺るぎなさ（の幻想）でした。本質主義的過ぎて「考える必要もない」という無敵の防御ネットに纏《まと》われていました。彼らにとっては前者のアイデンティティなど、（今となっても）「うるせえんだよ」の一言で排撃できるものでしかありませんでした。そのことに今さらながらのように気づき直すのです。なぜなら、彼らもまた本質主義的「男」という（優位だとさえ気づきもしなかった）立ち位置の中で、それでも経済的に、政治的に、傷つき苦しんでいたからです。そこには実は「白人・男性・異性愛者」という集団概念としての優位性と、個別的な幸・不幸のせいでそれとは必ずしも一致するわけではない個人としての劣位とがねじれ合わさっています。それは二重、三重の失意にも膨れ上がります。特権的な「主語」であったはずの（それはアメリカ開拓史においてまさに主人公だった者たちの「主語性」です）彼らが、気づけば「黒人」「女性」「ゲイ」というマイノリティの政治に（謂れもなく）攻撃されている（と感じる）。彼らの享受するアイデンティティの政治から疎外されている（と感じる）。それはまさに現代社会における「非マイノリティ」の悲哀です。

マイノリティのためのアイデンティティの政治は、（今のところ？）マジョリティたちのアイデンティティを脱構築するには至らず、逆にマジョリティたちに「非マイノリティ」という、新たな別のアイデンティティで対抗させる道を与えました。マジョリティによる「非マイノリティの政治」の前では、マイノリティを守るためのアイデンティティの政治は、その圧倒的な権力の（本質的かつ構築的な）差によって、あらかじめ敗北します。それは当初目指されたマジョリティの脱構築ではなく、返す刀で、むしろマイノリティのアイデンティティを固定化させる方向に進んでいます。そう、彼らにとっては、「最強の85歳」だった故ルース・ベイダー・ギンズバーグの闘いすら「妻」で「母」で「女」としての闘いであり、そこから抜け出すことを許さないのです。

あるトランスジェンダーの死

二〇一九年五月二十四日午後七時、ポーランドの首都ワルシャワ中心部のワジェンコフスキ橋で、二週間前に自殺したトランスジェンダーの友人ミロ・マズルキエヴィチ（Milo Mazurkiewicz）を追悼しようと「誇りと怒り」という名の人権活動家グループが集まっていました。

ミロは五月二日のフェイスブックに「もうウンザリ（I'm fed up）」と書き込んでいました。[*4]

I'm fed up being treated like a piece of shit.

取るに足らないクソみたいな扱いを受けるのはもうウンザリ。

I'm fed up with people (psychologists, doctors, therapists) telling me I can't be who I am because I don't look like that.

みんな（精神科医や医者やセラピストたち）が私に、自分自身になろうとしてもあなたはそうは見えないから無理って言ってくるのにもうウンザリ。

Treating me as if it was all in my head and telling me I need papers proving it.

ぜんぶ考えすぎだっていうみたいに、そうじゃないならそれを証明する書類が必要だって言われるのにもウンザリ。

Caring more about how I dress than how I feel.

あの人たちは私の感じていることよりも私の服装の方が問題だって思ってて。

Telling me that it's good that my chosen name is neutral-sounding, that it's good my body is not extremely feminine, that's it's good I haven't come out at work (yet).

私が自分で選んだ名前が男にも女にもどっちにも聞こえるのがいいと言ったり、私の体がそんなに女性的でないことがいいと言ったり、私が職場で（まだ）カム・アウトしていないことがいいと言ったり。

＊4　https://www.facebook.com/milomd/posts/2413727938659473

Telling me that maybe I should stop being (trying to be) myself and wait until other doctors and therapists decide I can.

きっともう自分自身でいようなんてするべきじゃないとか、他の医者やセラピストがなんと言うか待ちましょうとか言ってくる。

I'm fed up of all of that.

そういうのぜんぶ、もうウンザリ。

Sometimes it makes me fight even more, sometimes it makes me want to end it all and stop my life right here.

そういうことがあると時にはもっと闘ってやろうと思うけれど、時にはもうぜんぶ終わらせて、ここで生きるのをやめようと思ったりもする。

Sometimes it's just makes me want to cry.

そして時々、ただ、私は泣きたくなる。

ミロは五月六日に「ごめんなさい」とだけ投稿してワジェンコフスキ橋から身を投げたのでした。追悼の友人たちが大きなレインボー・フラッグをその橋から垂らし渡したとき、一人の男が走って近づいてきてその旗を鷲掴みにしました。同時に別のグループが、橋の上部の歩道部分での追悼会をも攻撃してきたそうです。その顚末は、ドローン・カメラで撮影されています。[*5]

男は「ポーランドから出て行け!」と叫んでいました。世界中で、同じことが叫ばれています──「日本から出て行け」「アメリカから出て行け」。

そういう人たちは必ず自分のことを「普通の日本人」「普通のアメリカ人です」と自己紹介しています。「普通」とは、「マイノリティではない」ということでしょう。彼ら「非マイノリティの政治」の反撃が始まっている──そしてそれは、無数の「ミロ」たちへの個人攻撃と同時に、実際の

＊5 「Homophobic attack caught by drone in Warsaw Poland - Milo Mazurkiewicz tribute」https://www.youtube.com/watch?v=4D0LicrEBhg

政治運動としての「非マイノリティの政治」の、より高次の（集団的）政治キャンペーンに利用され始めています。

トランプという災難、トランスという受難

トランプ政権が発足した二〇一七年一月二十日当日、ホワイトハウスのウェブサイトからエイズ関連やLGBTQ+関連のページが見事に消えてなくなっているのを見つけた時の唖然さを今も憶えています。キリスト教保守派の福音派の支持を受け、宗教原理主義者の副大統領マイク・ペンスを据えた新政権のことですから予想はついていました。しかしまさか就任から間髪入れずに消してしまうとは、そのあからさまさに、来る四年間の逆風のえげつなさを覚悟したものです。

とは言え、さすがに「ストーンウォールの反乱」以来半世紀を経たアメリカ社会で、ゲイやレズビアンたちの獲得してきた人権は易々と否定できるものではありませんでした。そこでトランプ政権が狙ったのがまだ理解と共感とが成熟しきっていなかった「トランスジェンダー」という存在への集中攻撃でした。

おさらいします。

トランプ前のオバマ政権は教育や社会保障といった分野で「性別」の定義を個人の選択とする考えを打ち出し、トランスジェンダーの生徒に自らが選んだ「性」のトイレの利用を認めもしました。

米軍へのトランスジェンダーの入隊も二〇一六年に受け入れることを決めたのです。

　ところがトランプ政権は発足一ヵ月後の二月二十二日、生徒が自分の決める性別に応じてトイレを使用できるとしたオバマのトランスジェンダー生徒保護ガイドラインを撤回。さらに七月には「米軍は圧倒的な勝利のために集中しなければならず、トランスジェンダーの受け入れに伴う医学的コストや混乱の負担は受け入れられない」などとして米軍へのトランスジェンダー新規入隊の停止措置を執ったのです。当時すでに米軍全体の一％に当たる九千人のトランスジェンダーが軍務に就いているとされていたのに。

　これはさすがに連邦裁判所によって阻止され、入隊手続きは再開されましたが、トランプ政権は諦めません。発足二年目、中間選挙を控えて保守派の票固めをしたいトランプはさらなる攻撃に出ます。

　選挙直前の十八年十月、トランプ政権は「性別」の定義を「男性か女性かのいずれか一方」であり「生まれた時または生まれる前に確認された不変の生物学的特徴に基づく」と規定し、また「出生証明書の原本に記載された性別は、信頼できる遺伝的証拠による反証がない限り変更できない」とする方向で統一することを検討している、と《ニューヨーク・タイムズ》が報じました。それまでの小手先のトランス排除措置ではなく、性別に違和感を持つトランスジェンダーの概念そのものから否定しようとしたのです。全米で推定百四十万人と言われたトランスジェンダーの人々の存在を「無」にする動きでした。

　こうした一連の反トランスの気運は、社会全体の空気を変質させました。アメリカの大統領が率先してトランスフォビアを煽《あお》っているのです。それはLGBTQ＋コミュニティ全体へのフォビアを明示化し加速させました。

二〇二〇年十月に出た《サイエンス・アドヴァンセズ（Science Advances）》誌のアンドルー・フローレス（Andrew R. Flores／アメリカン大学准教授）らの論文[*6]によれば、セクシュアルおよびジェンダー・マイノリティ（SGMs）の千人に七十一・一人が暴力被害に遭っていて、これはマイノリティ以外の同十九・二人という数字に比べて四倍近く高いということがわかったのです。これらは二〇一六年以降に連邦司法統計局が収集した国内犯罪調査のデータを基に計算されています。しかもSGMsはレイプや性的暴行、強盗などのより凶悪・暴力的な犯罪の犠牲になることが多かった。

それ以前は性自認や性指向の質問がなかったので比較する数字がないのですが、一方、独自にデータを収集している人権団体「ヒューマン・ライツ・キャンペーン（Human Rights Campaign）（HRC）」によると、米国でのトランスジェンダーに対する暴力事犯は増加傾向にあり、殺害された数もわかっているだけで毎年三十人近くを数えるようになっています。しかもその大半は非白人のトランス女性。もっとも、そもそも警察は多く犯罪報告に際してトランスジェンダーが犠牲者であった旨を報告する規則はなく、しかも報告された情報も一元化するシステムがなく、さらには警察官が被害者の性別を誤って判断することも少なくないため、実際の暴力被害は報告件数よりもはるかに多いはずだとされています。

一方、トランプ政権下で再び台頭したのが「信条・信教の自由」問題でした。結婚の平等（同性婚合法化）が達成されたオバマ政権下でリベラルな気運が高まると当然その反動も目立ち始めます。

有名な事案が二〇一二年のコロラド州のケーキ店〈マスターピース・ケーキショップ〉でのゲイ・カップル用ウエディングケーキ注文拒否事件でした。

店主は自身のキリスト教への信仰を理由にゲイ・カップルへのケーキ作りを断ったのです。これは下級審では「差別」と認定されましたが、トランプ政権下の二〇一八年の連邦最高裁は、この事案を最初に「差別」と認定した「公民権委員会」の審理過程で、委員が信教の自由への反感を示していた（偏見を持っていた）のを看過したという審理の公正さに問題があったとして、そもそもの「差別」認定を破棄しました。そして最高裁自身は、「ゲイの人々の尊厳は守られるべき」と明言しながらもこれが差別か否かという判断には踏み込まなかったのです。

この結果、同性婚をめぐっては宗教的立場から全米各地で花やヴィデオ撮影などのサービスを提供し（たく）ないという業者が顕在化し、新たな裁判で争われることになりました。

衝突する二つのマイノリティ

そこでバイデン政権の対応です。二〇二一年一月二十日、新大統領は前大統領の路線を払拭しようと就任初日の一日で十七本もの大統領令（行政命令）を発布しました。パリ協定やWHOへの復帰、「国境の壁」建設の中止、イスラム圏からの入国禁止の解除などいずれも重要な政策転換に混じって、

＊6　https://advances.sciencemag.org/content/6/40/eaba6910

「ジェンダー・アイデンティティや性的指向を基にした差別の予防と防止」[*7]が含まれていました。トランプ政権下でのバックラッシュが目に余るものだったので、早急に対処しなければならないとの判断でした。

下院民主党がこれに呼応して二年前に可決して以来上院でたなざらしのままだった「平等法」案を改めて採択しました。二月二十五日、共和党からも三人の賛成を得てこれを二百二十四対二百六で可決。これは既存の公民権法（黒人などの人種的少数派への差別撤廃を謳った法律）を性的マイノリティにも拡大し、ビジネスやその他施設・団体などでのSGMs差別を防止するものです。トランプ共和党が反対してきた理由は前述の、宗教上の理由でLGBTQ+コミュニティへのサーヴィスを拒否したいビジネスや組織の権利を侵害するというものです。平たく言えばつまり、キリスト教（などの宗教）がLGBTQ+を認めていないのだから、認めていないものを「差別する自由（権利）を認めよ」ということです。

この平等法は再び上院に回され、定員百のうちの六十人からの賛成を得なければ成立できません。新しい上院は民主、共和とも五十議席ずつで拮抗していますが、果たして共和党から十人が賛成に回るのか（あるいは多数派民主党が成立要件を五十一票の過半数獲得に改めるか）わからないところです。成立すれば連邦政府が管轄し予算をつけるプログラムや雇用、住宅、融資、教育、公共施設などでの差別があまねく禁止される、コミュニティ悲願の包括的な平等法となります。

もう一つ、この平等法でも議論の片付かない大きな問題が実は残っています。これはリベラルと保守で線引きされるような簡単な問題ではありません。それは「トランス女性」と「女性スポーツ競技」の問題です。

バイデン政権は発足一ヵ月の二月二十四日、トランプ政権が支援していたコネチカット州での連邦訴訟から手を引きました。これは女子の高校スポーツ競技にトランスジェンダー女子の選手が参加することを禁止しようという訴訟でした。

コネチカット州は高校生選手が自分のジェンダー・アイデンティティに基づいてスポーツに参加することを認めています。ところが昨年初め、数人の女子ランナーたちが、現役のトランスジェンダー女子の短距離選手と競走しなくてはならなくなれば「自分たちが州の選手権で勝つ機会や選手としての可能性を奪われてしまう」として訴訟を起こしたのでした。トランプ政権は前述したように「性別は男か女」「生まれた時の生物学的性別しか認めない」という立場でしたので、当然、司法省と教育省はこの訴訟の原告側の女子選手たちをバックアップしていました。ところがバイデン政権になって立場は変わり、訴訟の却下を申し立てる側に回ったのです。

とは言え、この提訴をきっかけにすでに全米でハワイやテキサス、テネシー、ニューハンプシャーなどほか三十州以上が同様のトランス女子の女子競技参加禁止法案を検討に入り、ノースダコタとモンタナ州では州下院を通過、ミシシッピでは圧倒的多数の賛成で州上院を通過、そしてアイダ

＊7　https://www.whitehouse.gov/briefing-room/presidential-actions/2021/01/20/executive-order-preventing-and-combating-discrimination-on-basis-of-gender-identity-or-sexual-orientation/

ホでは州上下院とも賛成多数で禁止法が成立してしまいました。もっとも、それは連邦裁判所が介入して発効の一時差し止めが行われたのですが。

この問題が複雑なのは、「女性」と「トランスジェンダー」という、二つのマイノリティ・グループの権利獲得運動が衝突していることが原因です。

フェミニズムの立場としてはやっと獲得した女性のスポーツ権の保持の問題です。女性たちが平等な条件の下で勝つ権利を、今度はトランスジェンダーによって脅かされる、というのがその論理です。ちなみにモンタナ州で審議されている法案は「女性スポーツを救え（Save Women's Sports）法」という名前です。

このトランス排除の理由づけの根底には、トランス女性はもともとは肉体的に男性であり、筋肉量も生来的に有利だという「物理的」な要素が関係してきます。そしてさらに「トランス女性は男性だ」という「思い」から派生する、ともすれば男性優位社会の中での被虐トラウマや根深い男性嫌悪《ミサンドリー》も入り込んだりするので、より複雑になります。

バイデンの大統領令はジェンダーや性的指向に基づいた差別を禁止していますし、それは「トイレやロッカールームや学校スポーツで拒否されることなく教育を受ける権利」にまで踏み込んで明文化されています。ところがお題目はあるものの教育省がそのためにどのような部分を改革してどう実現すべきかの細部は明確ではありません。

先行するＮＣＡＡの現場指針

しかし、現場はそれを待っているわけにはいきません。全米大学体育協会（ＮＣＡＡ）は二〇一一年時点ですでに「ＮＣＡＡによるトランスジェンダー学生アスリートたちの包有（NCAA Inclusion of Transgender Student-Athletes）」という指針を発表しています。[*8] そこには前年に採択された「年齢、人種、性別、国籍、階級、信仰、教育的背景、障害、ジェンダー表現、地理的位置、収入、婚姻経験、親の肩書き、性的指向、職業経験等々、多様性の諸側面を横断する包摂文化の土台を維持する」という包有事務局（Office of Inclusion）の宣言とともに、三十二ページ、一万四千語を超える（日本語にすれば単純計算で四百字詰原稿用紙で百枚分ほどの）包有の実現のための細則が記載されています。

そこには「トランスジェンダーとは何か？」の定義から始まって、「なぜトランスジェンダーの問題に踏み込まなければならないのか？」「トランス学生アスリートの参加は競争の平等への懸念をもたらすか？」「トランス学生アスリートの参加の恩恵は何か？」などが事細かく議論されており、さらには実際のトランス学生アスリートたちが写真入りで自らのエピソードを披露するコラムまで掲載しながら、そもそもの「この資料の目的」を「現在の医学的および法的知識を基に、トランスジェンダーの学生アスリートたちが、いかにして大学スポーツチームにフェアで、敬意に満ち、か

＊8　https://www.ncaa.org/sites/default/files/Transgender_Handbook_2011_Final.pdf

つ合法的にアクセスできるようにするかの指針を提供することである」と明言しているのです。いつも思うのですが、アメリカ人たちのこの、どんなことでも記録する、明文化するという文化的努力は、本当に畏れ入ります。

その上でトランス学生アスリートの参加が、既存のNCAAの内部規約の二分野に影響することが明らかになります。一つはトランス学生たちの使用するホルモンや医薬物と、使用禁止薬物の関係です。テストステロンの使用は禁止されていますが、トランス男性のアスリートには事前にその例外規定を適用する申請書の提出が必要となります。同様にトランス女性の場合はテストステロン抑圧剤の使用に関して一年間の治療記録やモニタリング記録の提出が求められます。もう一つは男女混合チームの構成者の定義ですが、これもトランス女子／男子の参加に前述の申請書の提出が求められるのです。

このNCAAガイドラインは日本の学生スポーツ界でも参考にすべきものでしょう。

ちなみにNCAAはトランスジェンダー学生をスポーツ競技参加から排除する州では大会を開催しないことにしています。二〇一六年、ノースカロライナ州がトランスジェンダーのトイレ使用に関して出生時の生物学上の性別以外のトイレを使わせないという法律を通過させた際、NCAAは同州で行われる七つの選手権大会をすべてキャンセルしました。この中には同州で特に人気のNCAA男子バスケットボール・トーナメントの試合も含まれていました。それだけではなく、アメリカの四大プロスポーツの一つであるNBA（全米バスケットボール協会）も翌二〇一七年のオールスター試合を同州から移してしまった。反トランス法を成立させてしまった前述のアイダホ州でも現在、同じような動きが見られるのです。

これは実は単に政治的な問題ではなく、経済的な問題にもつながります。例えばNBAのオールスター試合はざっと五十億円ほどの経済効果をもたらします。試合のキャンセルはすべてのスポーツ分野に及びつつあるばかりか、差別反対の世論に押されて企業や興行・ビジネスのボイコットも相次ぎます。それらはやがてオリンピックの開催機会の喪失にもつながります。五輪憲章があらゆる差別を禁止しているからです。森喜朗発言で女性排除・蔑視の現状が暴露された日本も他人事ではありません。

妄想としての「脅威」、自明としての「差異」

そしてもう一つ、見逃してはいけないことがあります。全米で起きている反トランスジェンダー訴訟の大半は、実は「実害」を基に提訴されたものというよりは、かつて石原慎太郎に「尖閣購入」を演説させたアメリカの保守シンクタンク「ヘリテージ財団」や前述のコロラド州のケーキ店訴訟の後ろ盾だったキリスト教右派組織「自由防衛同盟（Alliance Defending Freedom）」の政治キャンペーンであるという点です。つまり問題は、彼らにとっては「女性の権利を守るという大義名分」ではなく、「トランスジェンダーの脅威」という妄想を煽り、「リベラルの台頭を阻止する」というのが第一の、かつ唯一の、狙いだということなのです。

スポーツが一義的には物理的な肉体の、体力の問題であることは明らかです。そもそもそこから男女の競技が分かれています。「性別」にとどまらず、その考え方を進めることで柔道やレスリングなどではオリンピックでも体重別になりました。肉体的競技としては「柔よく剛を制す」はすでに虚構になりました。

しかしそれならば相撲はなぜ体重で分けないのか？　陸上で脚が長い選手と短い選手で分けないのは不平等ではないか？　年齢の差異はどうか？　親の年収差、出身国の環境差はどうするのか？——そんな究極の分類分けの問題にまで進みます。それは最も現実的には、人種的な肉体の優劣の議論、人種別競技の愚にまで及ぶかもしれません。ちょうどベルリン五輪でアーリア人種の優秀さを見せつけようとしたヒトラーが、陸上の米国黒人選手ジェシー・オウェンス（Jesse Owens）に四冠を達成されたのを見た時に感じた屈辱感を肥大させるように。

ここまでの議論でわかることはただ、私たち人間はとても多様なものなのだ、という自明のことだけです。いろんな人がいる。どこでどんな区分けをするのか、それは時代によって変わるでしょう。そして同時に、スポーツでの優劣は遺伝子的な差異や優劣だけで決まるものでもないという自明もまた。

ならば心がけることは、差異を基に安易に排除の方向に流れるのではなく、差異を前提としていかにみんなで楽しむかを考える、その努力を続けるしかないということだと思っています。

第七章 アイデンティティの誕生と「政治」

背景にあった「第二次世界大戦」

人が他者からの返照によって自己を意識するように、マイノリティのマイノリティとしての自覚もまた、自分とは違うマジョリティ側からの返照によって発明されます。LGBTQ+それぞれのアイデンティティもそうやって誕生してきたのですが、歴史的にはまずアメリカにおける黒人たちのアイデンティティ獲得の過程に多くを学んでいます。しかもそのアメリカの黒人解放運動に（同時にゲイやレズビアンたちの人権意識にも）、第二次世界大戦が深く影響しています。

大戦当時、当然のことながらアメリカ軍は本土を離れ、戦場であるヨーロッパ戦線に出向いて戦いました。奴隷制度こそ廃止されて久しかったけれど、[*1] それは次に「人種隔離」政策という公の差別制度としてアメリカに残っていました。当然のことに米軍もまた白人部隊と黒人部隊に分かれています。しかも黒人部隊は主要部隊として戦闘に関わる以上にここでも塹壕の設営などの下働きを担わされていました。

ところが派遣された欧州戦線のイギリスなどでは黒人兵は白人兵とともに部隊を構成しています。人種隔離政策はなく、白人と黒人がともに対等に戦闘に加わる姿をアメリカの黒人たちは初めて目の当たりにするわけです。

それればかりか彼らはイギリスで、単なるレンガ運びの工兵ではなく共にファシズムと戦う仲間として歓迎された——本土アメリカで直面する現実とは別の現実がそこにはありました。いやそれ以上に、あの問題作『1984』の英作家ジョージ・オーウェルは第二次大戦欧州戦線に関するエッセーの中で、「oversexed, overpaid and over here（頭はセックスのことばかりで、給料ももらいすぎで、そしてここにやってきた）」と疎《うと》んじられた傲慢なアメリカ兵の中で、「the only American soldiers with decent manners are Negroes.（唯一行儀よく振る舞うのは黒人兵だけ）」とさえ書いています。[*2]

米軍が駐屯した英国イングランドのバンバー・ブリッジ（Bamber Bridge）という町で、ある黒人兵は次のような思い出も語っています。[*3]

＊1　アメリカにおける奴隷制度は、最初のアフリカ人奴隷の記録がある一六一九年からリンカーンの奴隷解放宣言の一八六三年を経てアメリカ合衆国憲法修正第十三条が批准された一八六五年十二月まで続く。ほぼ日本の江戸時代（一六〇三〜一八六七）に重なる。

＊2　https://www.americanheritage.com/george-orwells-america

At that time the Jitterbug was in and the blacks would get a buggin' and the English just loved that. We would go into a dance hall and just take over the place because everybody wanted to learn how to do that American dance, the Jitterbug. They went wild over that.

あの頃はジルバが流行っていて、黒人兵たちがジルバを踊るとイギリス人が熱狂してね。俺たちがダンスホールに行くとたちまち我らが独壇場だ。誰もがアメリカのダンス、ジルバの踊り方を知りたがったから。みんな大喜びだったよ。

あるパブでは女性バーテンダーが、当然のように自分たちが優遇されるべきだと信じている白人米兵たちをまるで犬のように「待て」と諭して、これ見よがしに先に黒人兵たちに酒を振る舞いました。

『時計じかけのオレンジ』などで知られるもう一人の有名な英作家アンソニー・バージェスもたまたまこの町に滞在していました。そんなバンバー・ブリッジのパブでもアメリカ軍当局はやがて人種隔離をするよう求めたと記しています。そうじゃなきゃ「アメリカ」軍としての示しがつかない。パブの店主たちはそれに応じます。「黒人部隊以外入店お断り（Black Troops Only）」という、逆の「人種隔離」ルールで。

欧州戦線はナチス・ドイツのファシズムと戦う場所でした。それは民主主義を守るための戦争でした。その民主主義の戦士たちが、人種隔離部隊の存在をどうしたら擁護できるのか。それはナチス・ドイツと同じ優生思想でした。ヨーロッパはそんな差別主義と戦うために戦争していたのです。詳細はもっと複雑で米軍憲兵と黒人兵の間で発砲を伴う数多くの衝突も起きたようです。しかしとにかくアメリカの黒人兵たちはここで初めて、自分たちが「同じ人間である」ことに気づく。それが彼らにとってどんなに覚醒的な経験だったかは、日本で今を生きる私たちにはそう容易に想像できるものではありません。

そんな大戦は民主主義勢力の勝利で終わり、やがて黒人兵たちが大量にアメリカ本土に帰還してきます。そこにはまだ人種隔離政策に裏打ちされた公認の人種差別が蔓延していました。南部ではクー・クラックス・クラン（KKK）[*4]が跋扈《ばっこ》していました。

ヨーロッパで曲がりなりにも「平等」を経験してしまった黒人たちに、もう後戻りはできませんでした。人種差別に対抗する者たちが頻出し始めます。中にはそのせいで軍服姿のままでリンチで殺される黒人犠牲者も出ました。

＊3　「Black troops were welcome in Britain but Jim Crow wasnt: the race riot of one night in June 1943（黒人兵は歓迎、しかしジム・クロウはノー：一九四三年六月ある夜の人種暴動）」https://theconversation.com/black-troops-were-welcome-in-britain-but-jim-crow-wasnt-the-race-riot-of-one-night-in-june-1943-98120

＊4　白人至上主義を唱える秘密結社。米国南部州で奴隷制廃止直後の一八六五年十二月に結成され七一年に非合法テロ集団と認定されてやがて消滅したが、一九一五年にジョージア州で再結成。

二〇一三年に製作されたドキュメンタリー映画『Choc'late Soldiers from the USA』（チョコレート色の米兵たち）で、退役兵の一人が次のように語っています。

I think the impact these soldiers had by volunteering was the initiation of the Civil Rights movement, 'cos these soldiers were never going back to be discriminated against again. None of us were.

そうした志願兵たちが受けた衝撃が公民権運動の始まりだったと思う。そうした兵士たちはもう二度と再び差別される対象に立ち戻ることはなかったから。私たちの誰一人として、だ。

そしてそれは散発的な個人の抗議から、「黒人」としてのアイデンティティを共有する者たちの集団的かつ体系的な抗議へと発展してゆくのです。ローザ・パークスのモンゴメリー・バス・ボイコット事件（一九五五）、「私には夢がある（I Have a dream）」という言葉で知られるマーティン・ルーサー・キング・ジュニア牧師の演説（一九六三）、そして選挙権の否定に抗議したセルマの「血の日曜日事件」と大行進（一九六五）――黒人公民権運動は、ヨーロッパ戦線における黒人たちのアイデンティティの覚醒（本当のところはそういう社会的アイデンティティの創造）が発端だったのでした。

帰還兵としてのゲイとレズビアン

じつに興味深いことに、LGBTQ+解放運動の契機の一つもまた、黒人公民権運動と同様に第二次世界大戦でした。

こちらも少々長くなりますが、『LGBTヒストリーブック～絶対に諦めなかった人々の100年の闘い』（拙訳／ジェローム・ポーレン／サウザンブックス社／二〇一九）から引用します。

他のどんな出来事と比べても、第二次世界大戦がアメリカにおける現代ゲイ人権運動のきっかけになったことは否めません。この戦争の間に男性は千六百万人が、女性は三十五万人が米軍に従事しました。ほとんどの兵士たちにとってそれは故郷を離れる初めての体験でした。これが多くのゲイやレズビアンの兵士たちに自分と同じ他者と出会う機会と、彼ら同士が共有する感情に向き合う自由とを与えたのです。

開戦前、「アメリカ心理学会（American Psychological Association）」（APA）は軍部に新兵の同性愛テストを行うよう進言していました。ところが当時の陸軍省はゲイであろうがなかろうがとにかく兵士を求めていた。なので入隊者は単に「女子は好きか？ Do you like girls?」と質問されるだけでした。これにはゲイであろうがストレートであろうがだいたいは「イエス」と答えても嘘ではなかったわけです（女性兵に関しては同様のふるい分けは行われませんでした）。

戦争の五年間で入隊を阻まれたゲイ男性は五千人に満ちませんでした。「とんでもない数のゲイたちを知っていたが、誰も、例外が一人いたけど、ゲイは兵士になるな、なんて考えてるやつはいなかった」と思い返すのは陸軍にいたチャック・ロウランドです。「国家が重大な危機にあるっていうのに、ゲイだからどうだとかそんなバカみたいな規則のせいで、おれたちが国に尽くす特権を奪おうとかいうの、そういうのはまるでなかったよ」。ヒトラーによるゲイ弾圧を知ったゲイたちは、逆に自分もゲイだからこそという理由で入隊を志願しもしたのです。

アメリカ国内では一方で、二百万人の女性たちが産業労働力に参入しました。航空機を作ったり船舶や爆弾やジープも組み立てていました。そうした工場労働では髪の毛が長いのは危険なので、女性たちが髪を短くしたりスラックスを履いたりしても誰も問題にはしなくなりました。一九三〇年代だったら異端視されて嫌がらせされてもおかしくなかったことです。こうして港湾都市や工業都市ではレズビアン・バーが隆盛を迎えたのです。

やがて戦争が終わってゲイやレズビアンの軍人たちが、新しいモノの見方とともにアメリカに帰ってきました。多くの者たちにとって帰還して軍務を離れた港はサンフランシスコやニューヨーク、ロサンゼルス、サンディエゴなどです。彼らはそこにそのまま住み着こうと決めます。ある者にとっては、悲しいことに、それ以外に選択肢はなかったのでした。[*5]

どうですか、まるで同じでしょう?

さらにもう一つの共通点は、帰還したゲイやレズビアンの兵士たちが、黒人帰還兵と同じようにアメリカ本土での「差別」に直面したことでした。戦時こそ兵員が必要だったペンタゴン（国防総省）でしたが、平時には兵士の過剰供給が生じます。そこに同性愛者であることが都合良い除隊理由として用いられたのです。彼／彼女らは不要になります。一万人近い兵士たちがゲイやレズビアンであるという「不適格除隊」で追放されました。

「不適格除隊」になると、復員兵援護法の恩恵が受けられません。住宅融資や復学のための学生ローンも受けられません。それればかりか戦時負傷も退役軍人病院での無料治療対象にはならなくなるのです。たとえ五体満足で帰還しても、「不適格除隊」だと知れると就職先で門前払いされるのがオチでした。しかもペンタゴンはその情報を企業や商店などの雇用主向けに公表していたのでした。

「アイデンティティの政治」の登場

そこで「作用と反作用」の物理法則が顕現します。黒人兵たちは「黒人」であることに、しかも民主主義のために戦った「兵士」であることの矜持（プライド）とともに自らをカテゴライズします。同性愛者たちもまた自分が同性愛者であることを引き受け始めます。なぜなら、そうしない限りペンタゴンに「差別をやめろ」「平等に扱え」と主張できないからです。カミングアウトは闘うため

＊5　第三章「暗闇の中で」四十一～四十二頁。

には必然だったのです。それはちょうどエイズ危機に際して、多くの患者/陽性者がカミングアウトしなければならなかったのと同じ論理です。「沈黙は死」でした。[*6]

アイデンティティの話をすればユダヤ人のことも忘れてはなりませんね。ニューヨーク・マンハッタンのユダヤ人コミュニティ・センターに次のような言葉が掲げられています。

WE MUST ALWAYS TAKE SIDES.
NEUTRALITY HELPS THE OPPRESSOR.
NEVER THE VICTIM.

いつもどちらに付くか決めねばならない。
中立は弾圧者たちを助ける。
犠牲者たちを助けることは決してない。

ナチス・ドイツのホロコースト体験を基に暴力、圧政、差別について書き続け、一九八六年にノーベル平和賞を受けたユダヤ人作家エリ・ヴィーゼル(Elie Wiesel)の言葉です。これは次のように続きます。

SILENCE ENCOURAGES THE TORMENTOR.
NEVER THE TORMENTED.

沈黙は虐待する者たちを力づける。
虐待される者たちを力づけることは決してない。

そうやって、歴史の中に「アイデンティティの政治」が登場してきます。登場当時、「アイデンティティの政治」の弊害を唱えるものは一人もいませんでした。それからの黒人や性的少数者の公民権運動の進み具合を見れば、「アイデンティティの政治」はそこのその時点ではとても必要だったということは否めません。エイズ危機でもまた患者／陽性者のアイデンティティ、当事者であるという引き受けが必要でした。それ以外にエイズ禍と闘う術はなかったのです。

「アイデンティティの政治」が問題視されるのは、「アイデンティティの政治」がまるで普遍的で本質的なものであるかのように力を持ってきたからです。そしてそれはまた、前述したように、個人のある「アイデンティティ」が不変の、自分に固有で本質的、かつ全体的なものであるという思い込みによって生じる問題でもあります。そこから、自分のそのアイデンティティが絶対のものと

＊6　エイズ禍でのキャンペーンで、有名な「Silence = Death」プロジェクトは一九八七年に始まった。

して、対置するアイデンティティ同士の「マウンティングの取り合い」に陥ってしまうからだと思っています。

ゲイで、かつエイズで亡くなった哲学者ミシェル・フーコーが言っています。


主体性、アイデンティティ、個性といったものは、六〇年代以降、ある重要な政治的問題を構成していると思われます。アイデンティティと主体性を、政治的、社会的要因によって左右されることのないような本質的で自然な要素とみなすのは、私の考えでは危険なものです。[*7]

でも一方で私としては、順番を考えたいと思っています。

「私」というアイデンティティが、何かそれだけで成立できるような、本質的な何かを存在の基盤にしていると考えることは本質主義的な考え方（essentialism）と言います。一方で、「私」というアイデンティティもまた、時代背景とともにいろいろなものが重なり合いかぶさり合い、さまざまに作用し合って作り上げられたものだという考え方を構成主義、または構築主義（constructionism）と呼びます。

「ゲイ」あるいは「レズビアン」が本質的なものか、それとも構築的なものか。それは第二次大戦時の「黒人」がアメリカ本土とヨーロッパ戦線で（その中でもイギリスとドイツではまた）同じ存在ではなかったことを考えれば、「ゲイ」という概念も同じくまた江戸時代の日本や古代ギリシャなどで、それぞれに異なる概念であったと気づくはずです。つまりそれもまた構築されるものなのだと。

ただ、今の日本の思考のパラダイムの中では「自分がゲイであることは、なんとなく本質的な何か、変わりようのない、自分の内側にあるとても重要な何かとどうしたってつながっているような気がする。それは拭い去れない宿命的なものにさえ感じる」――「自分」に気づくときには多く、まずそういうふうに感じ、考えがちです。それが普通の順番です。そこから「自分」というもののアイデンティティが本質論的に確立されてゆきます。ただし、そのうちこの「どうしたって」ということ自体も構築された感覚なのかもしれないと思い始めるようになります。

そうやって人々は本質主義を考え尽くしてから構築主義へと移行してゆきました。本質主義をハナからすっ飛ばしてすぐに構築主義に軸を置けた人は、そうはいなかった（はずです）。

順番と言いましたが、それは私たちはまず、アイデンティティを確立しない限り、アイデンティティの政治を批評的に止揚《しよう》できない、ということではないかということです。そして私は、前章で示したように、アイデンティティを考え尽くした上に構築主義にたどり着けば、それは「主語」にも「目的語」にもなれる「入れ替え可能」なものとして、自由に遊べるのではないかと思っているのです。そしてその時には、アイデンティティ同士の衝突で「マウンティングを取る」のが目的で

＊7　「フーコー、国家理性を問う」訳・坂本佳子：『ミシェル・フーコー思考集成 VIII 1979-81 政治／友愛』所収（監修・蓮實重彦・渡辺守章／編・小林康夫・石田英敬・松浦寿輝／筑摩書房／二〇〇一）。

はない、互いのアイデンティティが同等のものとして作用し合える真の「平等」が達成できるはずだ、と。

ただ、前章での指摘をもう一度繰り返せば、「マイノリティのためのアイデンティティの政治は、今のところマジョリティたちのアイデンティティを脱構築するには至らず、逆にマジョリティたちに「非マイノリティ」という、新たな（マウンティング用の）別のアイデンティティで対抗させる道を与えた。マジョリティによる「非マイノリティの政治」の前では、マイノリティを守るためのアイデンティティの政治は、その圧倒的な権力の（本質的と構築的の二つながらの）差によって、あらかじめ敗北する。それは当初目指されたマジョリティの脱構築ではなく、返す刀で、むしろマイノリティのアイデンティティを固定化させる方向に進んでいる」のが現状なのですが……。

「非マイノリティの政治」という反動

具体的な事例を紹介しましょう。

「ゲイ」に対抗して「ストレート（異性愛者）」の存在を再確認しようという考え方自体は新しいものではありません。そもそも「異性愛（hetero-sexuality）」というのは、「同性愛（homo-sexuality）」の発見によって発明された概念です。「同性愛」という言葉がなかった時代には、「異性愛」というものは初期設定として意識すらされなかった。言葉にする必要がなかった。

それが、エイズと闘うゲイたちの可視化が進んで「ゲイ・プライド」が叫ばれた八〇年代後半になると、当然のようにそれに対抗するだけのための「ストレート・プライド」なる言説運動が生まれました。ちょうど、「ブラック・ライヴズ・マター（黒人の命だって大切だ）」に対抗するだけのために「オール・ライヴズ・マター」というマウンティングが行われたように。これは「（白人の命だって大切だから）命はみんな大切だ」とぶつけることで、「BLM」を相対化し、無化しようという運動でした。

一九八八年にはヴァーモント州の共和党州議員が「ストレート・プライド・デイ」を制定せよと求めています。九一年三月にはマサチューセッツ大学アムハースト校で保守派学生による「ストレート・プライド」集会が五十人ほどの学生の参加で開催されました。《ニューヨーク・タイムズ》によれば、集会を取り囲んだ抗議学生たちの数はその十倍だったそうです。

そういうことが今もずっと繰り返されています。草の根保守の「ティー・パーティー」運動からトランプ主義の台頭に伴って、それは現在「ホワイト・プライド」という、KKKなどの白人至上主義とも結びついています。二〇二一年一月六日の米連邦議事堂襲撃事件の中心を担った「プラウド・ボーイズ」の一団もその一派です。

さて、LGBTQ＋人権運動の中で獲得されてきた「プライド（誇り）」というキーワードはもちろん「アイデンティティの確立」に関わっています。

一九九八年、大統領だったビル・クリントンは「ストーンウォールの反乱」が起きた六月を「プライド・マンス（Pride Month）」とする大統領令を発しました。二〇〇九年にはバラク・オバマが六月を「LGBTプライド・マンス」とする大統領宣言を行いました。[*8]

なぜ「プライド月間」、つまり「（LやGやBやTやQなどであることに）誇りを持とうと謳う月間」が必要なのか？ それは長らくLGBTQ＋の人たち（それ以前には黒人や女性などの社会的マイノリティの人たち）は「自分が自分であること」を、つまりは自分が拠って立つ「アイデンティティ」を、取るに足らないもの、大したことのないものとして蔑ろにされてきたからです。蔑ろにされてきた、もっといえば（根拠なく、まるであらかじめの属性であるかのように）軽蔑されてきた自分の「アイデンティティ」を、取り戻す、いや、元からなかったものとして扱われてきたのですから、作り上げる、それも「誇り」をもって築き直すという必要があったわけです。

ストーンウォール五十周年の二〇一九年、「It's Great to be Straight（異性愛者であるということは素晴らしい）」というスローガンを掲げた「Super Happy Fun America（チョー幸せで楽しいアメリカ）」なる団体が、ボストン市に対し、性的少数者のシンボルである「レインボー・フラッグ」と同等の扱いを求め、市庁舎での「ストレート・プライド」旗の掲揚を申請して拒絶されました。拒絶されはしましたが、後日、八月三十一日の「ストレート・コミュニティの多様な歴史と文化と貢献を祝福するため」の「ボストン・ストレート・プライド・パレード」の方は開催にこぎつけたのでした。[*9]「多様な歴史と文化と貢献を祝福する」というのは「ゲイ・プライド」の目的の定型句のようなものですから、彼らの謳い文句がいかにそれを逆手にとって茶化し揶揄しているものかがわかります。参加者はざっと二百人ほどでしたが、これに抗議する性的少数者およびアライ[10]の対抗者《カウンター》の数は千人を超えていました。「ストレート・プライド」の先導役だったカトリックでゲイでオルタナ右翼のアイドル的人物マイロ・イヤノポウロス（Milo Yiannopoulos）は「LGBTQに『S（ストレート＝異性愛者）』を加えよ！」と気勢を上げていたそうです。これも「オール・ライヴズ・マター」と同じ論法です。

ボストンは二〇〇四年にアメリカで最初に同性婚を合法化したマサチューセッツ州の州都です。郊外にはハーヴァードやマサチューセッツ工科大学（MIT）などの有名大学が並び、リベラルな風土です。そこでの「ストレート・プライド・パレード」はもちろん政治的リベラルたちの「アイデンティティの政治」をからかうものでした。組織団体の主宰者マーク・サハディ（Mark Sahady）はフェイスブックでこう書いています——「彼らにとっては全部がアイデンティティを基にしている。そこでは人は犠牲者として分類されるか、弾圧者として分類されるかのどちらかだ」「もし犠

＊8　Proclamation 8387—Lesbian, Gay, Bisexual, and Transgender Pride Month, 2009 https://www.govinfo.gov/content/pkg/FR-2009-06-04/pdf/E9-13281.pdf

＊9　https://www.theguardian.com/world/2019/sep/01/boston-straight-pride-parade-arrests

＊10　英語の ally で、運動や活動の同盟者、盟友、味方のこと。

牲者のステータスが得られればあなたは自分を祝福する資格を持ち、弾圧者のステータスにいる者たちが自分の意のままに振る舞うことを期待するのだ」

《ワシントン・ポスト》によると、もう一人の主宰者ジョン・ヒューゴ（John Hugo）も次のように言っています――「マサチューセッツ州によるゲイ・コミュニティへのサポート努力を批判すると、それはヘイト（憎悪）だと不当にもレッテル張りされる。そのせいで我々は弾圧する多数派であるかのように感じさせられる」「我々は寛容を求める。単にLGBTQコミュニティだけでなく、すべての者に対する寛容だ」。それしか言えないのかと思うくらい、これも同じ論理パターンの繰り返しです。

「入れ替え可能なアイデンティティ」の自信

彼らの「アイデンティティの政治」の転覆の試みは、いったいどこまで本気なのかよくわかりませんが、一方で彼らに対する反論が、ゲイ・コミュニティからではなく、ストレート・コミュニティから発せられました。

ジェイムズ・フェル（James Fell）という健康や生活問題のトレイナー兼作家が、フェイスブックやツイッターで次のような投稿をしたのです。

私はストレートだ。私はストレートであることが気に入っている。気に入っている大きな理由は一度も自分のセクシュアリティのことで偏見に晒されたことがないからだ。自分が選んだ人と結婚する権利を求めて闘う必要がなかったからだ。自分が寝たいと思う相手が気に食わないからといって誰かに殴られたり殺されたりする心配がなかったからだ。家族や友だちや同僚たちの反応に怯えたり心配したりして、ストレートだとカミングアウトできずにクローゼットに閉じ籠りきりになる必要がなかったからだ。

ストレートであることで罵声を浴びたことがなかったからだ。ストレートであることでおまえは地獄で焼かれると脅されたことがなかったからだ。ストレートであることをやめさせようと送り込まれ拷問されるような施設が一つもないからだ。ただストレートであるという理由で死刑になるような国がないからだ。

ストレートであるという理由で、何かを求めて闘ったり何かに反対してもがかねばならないようなその何かが、一度もなかったからだ。だからしたがって、プライドを持たねばならない理由が私には何一つない。自分の持っているこの特権に感謝しているか？　もちろん。けれど、プライド？　何のことかわからない。

私にわかるのは、このパレードの名前は間違いだということだ。「ストレート・プライド・パレード」ではない。「私はホモフォビックなクソだ」パレード、そう呼ばれるべきだ。

この投稿を読んだとき、私はこれこそが入れ替え可能なアイデンティティの柔軟さだと思いました。この人は自分のアイデンティティに自信を持っている。だから、自分が主語になることを知っているし、同時に、目的語になることにも自由に対応している。そう、アイデンティティの政治の弊害は、こうして超克《ちょうこく》できるじゃないか、と。

「ゲイな思い」の「ホモフォビア」

これは瞬く間に拡散し、『アヴェンジャーズ』や『キャプテン・アメリカ』の俳優クリス・エヴァンスが「ゲイ・プライドとストレート・プライドが同じようなもんだという間違った意見にはがっかりする。違いがわからない人はこれを読むといい」と自分のツイッターで取り上げて、またまたCNNなどでニュースになりました。弟の俳優スコット・エヴァンスがゲイであることもあってかねてからLGBTQ+コミュニティへのサポートを続けてきている彼は、この「ストレート・プライド・パレード」の主催団体に次のような辛辣なツイートを投げかけています。

ワオ！　クールな取り組みだな、あんたら!!　ちょっと思いついたんだが「ストレート・プライド・パレード」の代わりにこんなのはどうだ……「子どもの頃に自分の感情にどう接するか誰も教えてくれなかったために自分自身のゲイな思いを逆にホモフォビックになることで必死に隠そうとしている」パレード、ってのは?。[*11]

——もっともこれだと、勢い余ってマウントを取りに行っているようにも聞こえますが。

余談ですが、「自分自身のゲイな思いが逆にその人間をホモフォビックにさせる」というこのクリス・エヴァンスの指摘はある実験で証明されていて、アメリカではすでにほぼ常識になっています。

米国の学会誌《異常心理ジャーナル》で紹介された一九九六年のジョージア大学による「同性愛嫌悪（ホモフォビア）」に関する実験です。[*12]

その研究結果をかいつまむと、実験は異性愛者を自称する男子学生六十四人を対象として実施されました。その彼らを同性愛を著しく嫌悪する（ホモフォビックな）グループと、同性愛のことはべつに気にならないというグループに分離して調べたのです。何をどう調べたのかというと、その彼らのペニスにそれぞれ計測器を装着して、双方のグループに共に男同士の性交を描いた同じゲイ・ポルノのヴィデオを見せたわけです（すごい実験ですよね）。

すると二グループの勃起率に明らかな差異が認められました。ホモフォビックな男子グループの

＊11　https://twitter.com/ChrisEvans/status/1136264161539833856

＊12　「Is Homophobia Associated With Homosexual Arousal?（ホモフォビアはホモセクシュアルな興奮に伴う現象か?）」Journal of Abnormal Psychology 1996, Vol. 105, No. 3,440-445, by Henry E. Adams, Lester W. Wright, Jr., and Bethany A. Lohr, University of Georgia：https://www.psychologytoday.com/files/u47/Henry_et_al.pdf

八〇％の学生に明らかな勃起が生じ、その平均はヴィデオ開始後わずか一分でペニスの周囲長が一センチ増大。四分経過時点では平均して一・二五センチ増になったというものでした。

対してホモフォビアを持たない学生では勃起を見たのは三〇％。しかもその膨張平均は四分経過時点でも五ミリ増にとどまったのでした。

つまり、ホモフォビックな人ほど、実はホモセクシュアルな欲望を隠し持っている、ということでした。

いずれにしてもこのマウンティング式「アイデンティティの政治」に対する反動はあらゆる分野で冗談のような形で噴出してきています。アメリカの黒人の苦難の歴史から学び続けようと一九七〇年代に拡大した「黒人歴史月間（Black History Month）」に対抗して、白人であることに拘る右派からは「白人歴史月間（White History Month）」を定める法律を作れという要望が議会に出されています。三月八日の「国際女性デイ（International Women's Day）」に対抗して「国際男性デイ（International Men's Day）」をネット検索する人は三月に集中し、ここ十年近くその数も年々増加傾向なのです。

第八章　「ミレニアル世代」から「Z世代」へ

十七歳の「プライド・パレード」

一九九八年生まれの一人娘のアリッサが十七歳になって、二〇一六年六月最終日曜日のニューヨークのプライド・パレードを歩きたいと言ってきた、と友人のジュンコが話します。彼女は私より先にニューヨークに移り住んだ元ジャーナリスト。その娘アリッサは、生まれた時から大きくなるのを私もつぶさに見てきた女の子です。「へえ、それはすごい。でもどうしてまた？」と訊くと「私の周りにゲイのお友だちが多いからじゃない？」とジュンコが言います。「それにあの子、リベラルだから」――そのころ話題になっていた種々の申請書類で性別記入欄を無くそうという動きに際しても、アメリカ人の父親が「そんなことのために（書類の仕様変更で）おれたちの税金がまた余計に使われる」と呟いたのを聞き逃さず、すかさず「でもそうしてほしいと思ってる人の中には、パパより税金多く払ってる人たちだっているかもしれないよ」と指摘していたとか。

なかなか頭の良い子で、それでどのグループに入って歩こうか探したそう。結局、「銃に反対するゲイたち（Gays Against Guns）」というグループに決めたようです。パレード直前の六月十二日にフロリダ州オーランドーのゲイのナイトクラブ〈PULSE（パルス）〉で乱射事件があり、犯人を含む五十人が死亡、五十三人が重軽傷を負う事件があったばかりでした。

私もアジア系のエイズ患者／HIV陽性者支援団体「APICHA（アピチャ）」とともにパレードには毎年参加していました。六月末のマンハッタンは晴れの日が多く、その日も快晴だったことを憶えています。

しばらくして、母親が「アリッサがこんなのを書いたの」と言って彼女のエッセーを送ってくれました。許可をもらってそれをここに転載しますね（翻訳は私です）。

I lie down flat on the sweltering, sticky, tar-covered New York City street, right in the middle of Fifth Avenue between 27th and 28th Streets. My eyes squint as I look up into the beaming sun, past the soaring buildings; the sun makes a halo around them. In my seventeen years as a New Yorker, I never thought I would observe the city from this angle: New Yorkers tend to look up as far as their ambitions will take them, but my participation in today' s Pride Parade demands I lie down for a cause.

五番街の二十七丁目と二十八丁目のあいだで、じっとりと粘つくタールに覆われたニューヨークの街の通りに私は横たわる。林立するビル群の向こう、放射する太陽を見上げて目が細まる。ビルの周りに光輪ができる。ニューヨーカーとしての十七年間で、この角度からこの街を観るだろうとは思ってもいなかった。ニューヨーカーはだいたい、自分の野心の向かうものと同じくらい遥かな距離を見上げようとする。けれど今日のプライド・パレードに参加した私は、大義のためにこうして横たわる。

I used to dislike parades. They bring back unpleasant memories from my childhood: the dull sweaty ache in my palms after long hours of my parents clenching them with fear of losing me, the feeling of sinking behind the barricade of people – what were we even here to look at? The exhaustion after sobbing when my parents refused to buy me the gleaming firetruck red candy apple because of “cavities and germs”, resulting in tears smearing my facepaint. My clothes would collect grime from getting knocked around by strangers. When I got older, parades just meant that it would take twenty minutes longer to go anywhere.

昔はパレードが嫌いだった。子どもの頃の楽しくない思い出に引き戻されるから。私を迷子にしないよう何時間も両親が握り締めたせいで鈍く痛む私の汗ばむ手、人間のバリケードの背後で沈み込んでいく感覚——私たち、何を見ようとこんなところにいるの？「虫歯やバイ菌」がダメだからと買ってもらえなかったピカピカの消防車みたいに真っ赤なキャンディ・アップルに泣き疲れて、顔に描いたペイント模様も涙でぐちゃぐちゃになっていた。あちこちで知らない人にぶつかるものだから服はなんだかすっかり汚れていた。もう少し大きくなってからも、パレードというのはどこかに行くのに二十分余計に時間がかかるものでしかなかった。

But here I am at New York City's Pride Parade, marching with my mother in the "Gays Against Guns" group. It is June 26th, barely two weeks after the tragic Orlando nightclub shooting. Every few minutes, we stop and lie down in the middle of the road for a moment of silence; this brings awareness to the violence a gun can bring about within seconds. I get back up on my feet with my fellow protesters. We collect our signs and keep marching. "The NRA has got to go!" we chant. The crowd cheers as we continue.

でも今はニューヨーク・シティのプライド・パレードにいる。母といっしょに「銃に反対するゲイたち」のグループで。今日は六月二十六日、オーランドーのナイトクラブの乱射事件からまだたったの二週間。数分ごとに私たちは道路の真ん中で立ち止まり体を横たえて黙祷する。たった数秒で銃がどれだけの暴力をもたらすか、それを示し知ってもらうための行動。いっしょに歩く抗議の人たちとともに私は起き上がり、プラカードを手に取ってまた行進を続けるのだ。「The NRA has got to go!（NRAは消えてなくなれ！）」と私たちが連呼すると、沿道の群衆から歓声があがる。[*1]

What prompted me to march, despite disliking parades as a child? I have been on a quest to take advantage of my city before I leave for college and explore the vast opportunities available. I had already experienced Central Park's Japan Day Festival, eaten at Brooklyn's Smorgasburg Festival, visited Chelsea's art galleries, attended the Natural History Museum's science conventions, and toured the Lower East Side's tenements.

何が私をマーチに促したのか、子どもの頃はパレードが嫌いだったのに。大学進学でこの街を出てゆく前に、私は今この街にいるメリットを利用して、手に入れられる莫大な機会を試そうとしている。セントラル・パークのジャパン・デイのお祭りにも出かけたし、ブルックリンでの「スモーガスバーグ[2]」でも食べ歩いたし、チェルシーのギャラリーも巡り、自然史博物館での科学会議にも出席し、ロウワー・イースト・サイドの歴史的安アパート・ツアー[3]も行った。

However, there was one thing remaining on my list: be a part of history and make an impact on my city. When my mother told me of her participation in the parade, I begged her to let me walk with her. Her eyebrows shot up and her eyes widened with surprise and delight. I knew that participating for a cause I hold dear would both help me make a difference and fulfill this goal. While marching in the parade couldn't resurrect all of the shootings' victims, at least I could stand up for them and fight for what is right. This parade did both—it celebrated gay rights and fought for gun control.

ただ、私のリストでまだ残っていることが一つあった。歴史の一部になって私の街にインパクトを残すこと。今年のパレードに参加すると母が話したとき、私は自分もいっしょに歩かせてほしいと母に頼み込んでいた。母の眉が上がって目が丸くなった。驚いて喜んでくれた。大切だと思っている大義のために参加することは、私が現状になんらかの違いをもたらしその目

＊1　NRAはNational Rifle Association（全米ライフル協会）の頭文字。「Guns don't kill people, people kill people.（銃が人を殺すのではない、人が人を殺すのだ）」をモットーに銃所持権を死守する銃愛好家組織。会員数は二〇一八年に五百五十万人と最大になっている。銃規制反対に関する全米最大の圧力団体で、伝統的に保守派の共和党を支持する人が多い。

＊2　ビュッフェ形式のスウェーデン料理「スモーガスボード」と、開催場所のウィリアムズバーグの地名とを合成した毎週土曜日開催のフード・マーケットの名称。

＊3　テネメント（Tenements）と呼ばれる、一八六〇年代の貧しいアイルランド系移民用アパートの街並みを巡る。テネメント博物館もある。レオナルド・ディカプリオの主演映画『ギャング・オブ・ニューヨーク』（二〇〇二）にも登場。

的を達成することを助けてくれるはずだ。このパレードで歩いても銃撃事件の犠牲者たちみんなを生き返らせることはできない。けれど少なくとも彼らのために立ち上がり、正しいことのために闘うことはできる。このパレードはその二つともを叶えるものだった――ゲイ・ライツを祝福し、かつ、銃規制のために闘うことだった。

As my mother and I march down Fifth Avenue, I am struck by the quintessence of New York. People of various ages, races, and other identifying factors coming together to march for one cause, recognizing all identities. Fifth Avenue becomes more like a literal melting pot than a figurative one in the scorching June heat. It is a refreshing change to see the usually aloof, black-clad New Yorkers dressed up in rainbows to show community spirit. I smile immediately when I see someone wave Japanese and American flags—reminders of the personal identity that gives me pride. A feeling of empowerment comes over me as I realize the positive change I am capable of bringing.

母と私で五番街を下って行きながら、私はニューヨークのニューヨークたる所以に感動する。いろんな年齢の人たち、いろんな人種、その他いろんなアイデンティティのそれぞれがいっしょになって、すべてのアイデンティティを認め合いながら一つの大義のために行進するのだ。

五番街は焼け付くような六月の熱の中で比喩ではなくて文字どおりの坩堝《るつぼ》になる。普段はよそよそしく黒づくめのニューヨーカーたちが、レインボー色の服を纏ってコミュニティの心意気を見せているのを目にするのは心洗われる変化だ。誰かが日本とアメリカの国旗を振っている。私はたちまち笑顔になる——私自身のアイデンティティを思い出させてくれるもの、プライドをくれるもの。自分でもたらせたポジティヴな変化に気づいて、体にパワーがみなぎる感じがした。

Not realizing that lying down was part of the march, I foolishly wore my favorite white shorts. By the end I have tar smears all over. When I was younger, this would have bothered me—but today, this serves as a reminder for when I stood up—or rather, lay down—for what is right.

このマーチで体を横たえる場面があるとは知らず、バカなことに大好きな白いシャツを着てきてしまった。歩き終わる頃にはいたるところタールで汚れていた。もっと若いときならこれで機嫌を悪くしていたと思う——でも今日は、これは私が正しいことのために立ち上がった——いやむしろ横たわった——時の記念のしるしだ。

ニューヨークのLGBTQ+プライドのパレードにはもう何年も前から多くのストレート（異性愛者）たちも参加しています。それはLGBTQ+に対してマウントを取るための「ストレート・プライド」を示す場としてではなく、性的指向の差、ジェンダー・アイデンティティの差はそのままに、しかしその地平だけは段差のない行き来自由な「平等」の場として。

「ストーンウォールの反乱」を記念して始まったこのパレードの原型は、かつては「ゲイ」だけが（つまりトランスジェンダーやドラァグクイーンやレズビアンやゲイ男性たちだけが）参加するものでした。それは確かにアイデンティティの対抗でした。ところがストーンウォールの二十五周年（一九九四）あたりを境にして次第に変容してきました。まずはLGBTQ+に対して共感的な親や友人たち、さらに同僚たちの参加へと広がり、やがて彼らは「アライ（同盟者、盟友、味方、仲間）」と呼ばれるようになりました。沿道で応援する数十万人を含めれば、それは人口比と同様に圧倒的にストレートを自認する人たちが多いでしょう。ただそのストレートとLGBTQ+との混在は、敢えて「平等な地平」で喩えれば、北海道人と九州人のように違う人たちが、北海道人と九州人のように同じ人たちとしていっしょに、ある「大義」のためにそこにいる、ような「普通のこと」になりつつあります。

アリッサはこの後アイヴィー・リーグの名門大学で学び、コロナ禍の二〇二〇年に一流企業への就職を決めたのですが、その就職に際しても雇用前研修の半年間の出向先を非営利のボランティア団体にするような女性に成長しました。彼女にとってLGBTQ+とストレート（だろうと思われる）の自分との関係性は、アイデンティティの違いを保持したまま違いを超克して平等なのです。入れ替わったって平気なのです。

「エレン」のカミングアウト

アリッサはいわゆる「Z世代」に分類される年齢です。[*4]「世代」と言っても、その世代論で語られるような人たちは特徴的ではあるけれどそんなにたくさんはいません。なのでその種の特異な世代論を具体的に個人に当てはめようとすると、あまりぴったりとは通用しなかったりします。でも、その特異的な「違い」の兆しは、確かにそこに存在する。

「Z世代」の前に「ミレニアル世代」がいます。「Z世代」の芽は実はそんな九〇年代にあります。

九〇年代は欧米のLGBTQ＋周りでさまざまな地殻変動が起きた時でもありました。第二章の「エイズ禍からの反撃」や、第四章内の「『アルターボーイ』の変身」の項などでも書きましたが、街なかだけでなく演劇や映画やテレビなどいたるところで意図的な「ゲイ」たちの露出が広がった時代でした。アメリカのメディアの制作陣、編成陣、企画陣が、時代の「旬」として、熟した「機」として、つまりは同時に、人々の関心を呼び「カネにもなるもの」として、こぞって「ゲイ」を取

＊4　Generation Z。一九九〇年代後半から二〇一〇年前後までに生まれた世代。

り上げました。

政治も同時進行しています。ビル・クリントンが大統領になった九三年（私がニューヨークに赴任した年です）、ゲイやレズビアンら性的少数者の人権改善が、事実上、米政治史上初めて政治課題として本格化していきます。オープンリー・ゲイの大使を任命したり、[*5] 連邦政府の文民職員を対象に性的指向に基づく雇用差別を禁止する大統領令を発布したり[*6]——もっとも、選挙公約だった同性愛者の従軍容認は、議会と世論の抵抗で「性的指向や性自認を黙っていれば軍務に就ける」という「訊くな、言うな（DADT＝Don't Ask, Don't Tell）」規則に後退して（一九九三）、逆にさらなる除隊を招きました。[*7] また、同時期に盛り上がった同性婚合法化に向けての最初の波は、結婚を異性間カップルに限るという「結婚防衛法（DOMA＝Defense of Marriage Act）」を署名成立させる（一九九六）というバックラッシュを惹き起こしましたが。

アメリカ政界での保守派（共和党）、リベラル派（民主党）のそんな一進一退の攻防を目の当たりにしながら、私はすごい時代にアメリカに来たんだと内心、かなり興奮していました。

一九九七年（アリッサが生まれる前年です）に、アメリカ社会でまた一つ「ゲイ」をめぐる〝事件〟がありました——自分と同じ「エレン（Ellen）」という主人公名をタイトルにした人気TVコメディの主役エレン・デジェネレス（Ellen DeGeneres）が《タイム》誌（四月十四日号）でレズビアンとしてカム・アウトし、四月三十日の番組回それ自体でも、主人公「エレン・モーガン」が同じく役上のカミングアウトをしたのです。

当時の新聞や雑誌で予告されていたこの回のために、全米でゲイやレズビアンらが友だち同士で集まってTV観賞会のパーティーを開くという一大現象がニュースにもなりました。

そのエピソード回「the Puppy Episode（子犬の巻）」（パピー＝子犬に喩えられる若く可愛いエピソード、「青春物語の回」といった感じでしょうか）で、「エレン」が相手役のローラ・ダーン（Laura Dern）に向けて「私はゲイ！（I'm gay!）」と明るく声を発した時、ドラマ史上最多の全米四千二百万人もの視聴者が一斉に「オオオオウゥッ！」と快哉《かいさい》を叫んだようでした。私の周りのゲイやレズビアンの友人たちはワインやビール片手に飛び上がったり拍手をしたり、中には抱き合って泣き出す人もいたほどです。米国TV史上初めて、主人公が自分から堂々と、けれど大げさにではなく「ゲイだよ」とカミングアウトした瞬間でした。アメリカのメディアが、何かの憑き物を落とした瞬間のようにも思えました。

「ええ、私はゲイ」と《タイム》でカム・アウトしたエレン・デジェネレス。「ゲイ」は広義にレズビアンも含む単語（TIME / April 14, 1997 / Vol. 149 No. 15）

ちなみに同じ頃日本では、かつて「松竹ヌーヴェルヴァーグの旗手」と呼ばれたリベラルな大島渚が、同性愛ものの時代劇映画を撮るという話題が盛り上がっていました。ところが大島は途中で脳溢血を発症し撮影は中断します。大島の体調回復を待って一九九九年末にやっと完成、公開となったのが司馬遼太郎の短編小説を原作とした、衆道を巡る、幕末新撰組内部の色恋沙汰と統制の乱れを描いた『御法度《ごはっと》』でした。

『戦場のメリークリスマス』(一九八三)以来の大島(監督)、北野武(土方歳三役)、坂本龍一(音楽)のトリオ復活、しかも「昨今海外で流行」の「同性愛」が主題とあって、大島本人や「松竹」「角川」「BS朝日」などの製作・配給周辺は、同作が必ずや欧米で高く評価されるだろうと見込んでいました。しかし『御法度』は国内ではブルーリボン賞、毎日芸術賞、文化庁優秀映画賞、日本アカデミー賞新人賞、さらに淀川長治賞などを次々と受賞しながらも、海外ではカンヌ映画祭をはじめほとんどで無視されました。日本の評論家らは新撰組の時代背景が外国人にはよくわからなかったせいだと解説していましたが、それは違います。『御法度』は、主人公である同性愛者の「加納惣三郎」(松田龍平)を社会(新撰組)を乱す「美貌のバケモノ」として描き、そんな「憑き物」を別種の「美貌」を持つ(それは異性愛者としての「正しい美」です)「沖田総司」(武田真治)に斬らせることで元の「正しさ(異性愛男性社会)」に戻すという物語を紡いだのです。

最後に土方が呟きます。「惣三郎め、男たちに嬲《なぶ》られている間にバケモノが棲みついたのだろう」――この映画の指向性が、当時の欧米ゲイ・ムーヴメントのそれと真逆にあったことに気づかなかったのは、大島や製作陣の責任というより、当時の日本社会全体の情報鎖国のせいでした。日本的にはそれでも問題なかったのでしょうが、「昨今海外で流行」の「同性愛」は「それ」じゃなかった。憑き物の落とし方が違ったのです。「もうそんな時代じゃない」のに、日本社会がそれを言い始めるのは以後二十年近くを経ねばなりませんでした。

欧米の映画界が本作に対して非難ではなくほとんど「無視」を貫いたのは、異文化社会（あるいは東洋の先進国の不可解さ）への大人の礼儀だったのだと私は思っています。大島は公開からほぼ十三年後の二〇一三年一月に亡くなります。遺作『御法度』の失意の原因を、おそらく、知らぬまま。

さてアメリカでは、『エレン』でのカミングアウトという〝大事件〟からゲイ・ムーヴメントの方向性はそのまま維持されます。あのころ二十歳前後だった世代が社会の中心的な構成員となる四十歳近くになった二〇一三年には、「自分の周囲の親しい友人や家族、親戚にＬＧＢＴの人がいる」と答える人が初めて過半数の五七％に達します。あの広大なアメリカで、これは画期的な数字でした。しかも同性婚を支持する人も五五％という状況になって（ともにＣＮＮ調べ）、その二年後の二〇一五年にアメリカは同性婚を合法化するのです。

＊5　ジェイムズ・ホーメル（James C. Hormel）をルクセンブルク大使に任命（一九九九〜二〇〇一）。
＊6　それまでは性的指向を理由に脅迫されて外国のスパイになる恐れがあるとして性的少数者の雇用は否定されていた。
＊7　第十三章「We Are Everywhere!」内の「白人、男性、同性愛者の視点」（三百十四頁）でも詳述。

クイアな女性たちが始めた「ＢＬＭ」

Ｚ世代が生まれる前、『エレン』を初めとするそれら九〇年代の出来事を目撃していたミレニアル世代たちが二十一世紀の初めに台頭してきます。彼ら彼女らが「ブラック・ライヴズ・マター（ＢＬＭ）」運動と「プライド・パレード」の間に生まれる親和性の土台を醸成しました。

二〇一二年二月、トレイヴォン・マーティン（Trayvon Martin）の射殺事件[*8]が起きます。無防備な黒人少年が殺されたというのに、裁判ではその加害者に無罪の評決が出た翌二〇一三年、「ＢＬＭ」運動が吹き上がります。この運動は、一九八三年生まれのパトリース・カラーズ（Patrisse Cullors）、八一年生まれのアリシア・ガルザ（Alicia Garza）、八四年生まれのオパール・トメティ（Opal Tometi）といった、「ブラック・フェミニスト」と自認するアフリカ系女性三人の呼びかけによって始まりました。彼女たちは「ミレニアル世代」の若者たちです。

なおかつ、カラーズとガルザの二人は自分を「クイア」であると表明していて、クイア活動家でもあります。パトリースは二〇一六年にジェンダー・ノンコンフォーミング（既成のジェンダー規範とは違う）[*9]でクイアと自認するジャネイヤ・カーン（Janaya Khan）と結婚しています。アリシアは二〇〇八年にトランス男性のマラカイ・ガルザ（Malachi Garza）と結婚してガルザ姓を名乗っています。

それまで、黒人差別への抗議運動はジェンダーの不平等や性的不自由には目を向けず、むしろそれらに敵対するかのように人種的不平等にのみ焦点を当てていました。そこには家族の絆を重んじ、敬虔なキリスト教会を中核とするアフリカ系アメリカ人コミュニティの文化背景があったのでしょう。伝統的な黒人運動は歴史的に、疑問の余地なく「同性愛」を忌避し、オープンリー・ゲイの活動家、トランスジェンダーの活動家たちを沈黙させてきました。一方のＬＧＢＴＱ＋解放運動ですら、当初から（プエルトリカン・アメリカンの）シルヴィア・リヴェラ（Sylvia Livera）や（アフリカン・アメリカンの）マーシャ・Ｐ・ジョンソン（Marsha P. Johnson）といったトランス女性たちに多くを負っていたにもかかわらず、彼女たちを正当に評価・顕彰したのは二十世紀も終わるという、前述のストーンウォール二十五周年、一九九四年あたりになってからでした。

黒人でレズビアンでフェミニストだったオードリー・ロード（Audre Lorde）は一九六〇年代の政治状況を次のように語っています——

＊8　二〇一二年二月二十六日夜、フロリダ州サンフォードで、十七歳の高校生トレイヴォンが二十八歳の自警団員ジョージ・ジマーマンによって不審者と見なされ射殺された事件。翌一三年七月、第二級殺人罪などのジマーマンに無罪評決が出て全米で抗議行動が広がった。

＊9　「ＬＧＢＴＱ＋」で表記するその「＋」の部分には、この「ジェンダー・ノンコンフォーミング」や「ノンバイナリー（男女二元論に収まらない）」「Ｘジェンダー（性自認が既成のジェンダー概念では理解できない）」などがある。

The existence of Black lesbian and gay people were not even allowed to cross the public consciousness of Black America.

黒人のレズビアンやゲイの人間たちの存在は、アメリカの黒人コミュニティの人々の意識をよぎることさえ許されていなかった[10]。

カミングアウトをして自由で公的な政治参加を求める黒人のゲイやレズビアンにとって、一九六〇年代は「生きる指針を与えてくれる時代ではなく、新たな手枷足枷の時代だった」と言うのです。

BLM運動は違いました。黒人フェミニストを名乗るミレニアル世代のアフリカ系女性三人が始めた運動は、恥じるところなきウーマニズム（womanism）[11]とクイアネスによって下支えされた運動でした。

レインボー・フラッグ舞う協働

そういえば二〇〇九年から二〇一七年のオバマ政権時代を経て、オキュパイ運動[12]などのさまざまなアメリカの政治運動でしばしばレインボー・フラッグを見かけるようになりました。マンハッタンでの「オキュパイ・ウォール・ストリート」運動の取材では、二カ月にわたって〝占拠〟されたダウンタウンのズコッティ公園に、週末になると市内アップタウンから通ってくる高校生の男女グループにも出会いました。その中の一人は髪の毛をレインボーに染めて「これはぼくたちの時代の問題だから、学校がないときにはここに来て勉強するんだ」と晴れ晴れと笑っていました。トレイヴォン・マーティンを追悼するフロリダの高校生たちも現地で授業ボイコットのデモを始め、なおも続いていたオキュパイ運動とも連動する抗議活動を行っていました。政治参加、社会参加はアメリカの多くの都市部の若者には日常生活の一部でした。二〇一七年のトランプ政権発足後にはトランプが何か問題を起こすたびにマンハッタン五番街のトランプタワーの前に若者たちの抗議デモが繰り出されるようになりましたが、そこにも必ずレインボー・フラッグが振られていました。集ま

＊10　Hearing the Queer Roots of Black Lives Matter ; David B. Green, Jr ; Feb 6, 2019 ; https://medium.com/national-center-for-institutional-diversity/hearing-the-queer-roots-of-black-lives-matter-2e69834a65cd

＊11　フェミニズム運動が主に白人の女性によって担われ、性差別だけを問題としたのに対し、黒人の女性が中心になって性差別、階級差別、人種差別を併せ持った問題としてフェミニズムを捉え直そうという考え。

＊12　二〇〇八年九月のリーマン・ショックで二十代前半までの若者の四割が無職になった状況、さらに世界人口の一％の富裕層が残る九九％の人口の資産を合わせた額と同程度になるという経済格差を背景に、二〇一一年九月から「ウォール街を占拠せよ（Occupy Wall Street）」で始まった社会・経済的平等を求める運動。

ったその抗議者たちの人種構成、年齢構成は多種多様で、従来はあまり社会運動に登場してこなかった日本人を含むアジア系や、中学生の子たちも少なくない——ミレニアル世代の仕掛ける運動に、Z世代が続々と呼応し始めていたのです。そしてそのZ世代が二〇二〇年、「ジョージ・フロイド殺害」を目撃したとき、彼らはそれを我が事として憤ったのです。

ジョージ・フロイド（George Floyd）は五月二十五日、米中西部ミネソタ州ミネアポリスでニセ札を使用としたという嫌疑をかけられ[*13]、白人警官デレク・ショーヴィンによって頸部を膝で押さえつけられて最後には死に至らしめられた四十八歳の黒人男性です。死に至るまでの八分四十三秒を通行人が撮影した動画はＹｏｕＴｕｂｅにアップされ世界を揺るがせました。それは人間が実際に死んでゆく、しかもその本人が繰り返す「息ができない（I can't breathe）」というナレーション付きの、リアルタイムのドキュメンタリーでした。

この時です。ＢＬＭ運動は「#BlackLivesMatter」のハッシュタグとともに「黒人」たちの運動から一気に全人種的運動になりました。全米に拡大した抗議活動に合流した彼ら彼女らは、白人でありアフリカ系でありラテン系でありアジア系であり、そしてゲイでもレズビアンでもバイセクシュアルでもトランスでもクイアでもストレートでもあった——キリスト教会を中核とする敬虔なブラック・コミュニティの文化的呪縛を超克し、みんながいっしょに「主語」となって協働する。

アリッサの思いと同じような、それが本来の「アライ」の意味です。時をやや違えて、プライド・パレードとブラック・ライヴズ・マター運動はそうして次第に重なってきています。

＊13　アメリカ社会では結構ニセ札が見つかる。私も何度か気づかずにつかまされ、スーパーの支払いでレジ係に指摘され引っ込めた経験がある。

史上最多の五百万人がＮＹに集結

マンハッタンのダウンタウンであるグリニッチ・ヴィレッジのゲイバー「ストーンウォール・イン」への警察の摘発をきっかけに、現代ゲイ人権運動（すでに書いていますが、当時の「ゲイ」とは多くの性的少数者を代表するような呼び名でした）の嚆矢《こうし》とされる「ストーンウォール・インの反乱」が勃発したのは一九六九年六月二十八日未明でした。翌年から早速、これを記念した人権解放のための抗議の政治集会と示威行進が行われるようになりました。それから五十年、ＬＧＢＴＱ＋の人権を寿《ことほ》ぐ「プライド・イヴェント」を開催する国・地域は世界で五十以上に広がっています。多くは同じ六月に開催されますが、都市単位では数百を数えます。日本では梅雨があるために六月は避けていますが、東京、札幌、名古屋、大阪、福岡などで行われるようになりました。

民主主義先進国では政治行進はかなり様変わりして、この間に獲得した結婚や雇用などでの平等や人権の回復を寿ぐ「祭典」の要素が強まっています。他方、ロシアやアフリカ諸国などでは現在でもＬＧＢＴＱ＋の運動表

附録Ⅰ　ストーンウォール50周年記念
『ワールド・プライド／NYCプライド・マーチ』2019リポート

POURING
WALL INN
PA
THE BROOKLYN BREWERY
EWALLDAY
KSR
KASSIM SABBAGH REALTY

❷

「反乱」50周年の2019年を寿いで、2018年12月31日、マドンナはここ〈ストーンウォール・イン〉でサプライズの大晦日ライヴを行った。マーチから1年半後にトランプを破って大統領になるジョーとジルのバイデン夫妻も50周年を祝ってここに立ち寄った。世界中のLGBTQ+にとっての聖地は、ヴィレッジの中心部に位置している。

明は直接の暴力や時に死を招く危険を孕み、しばしば政府当局もしくは右翼自警団などの妨害に遭います。たとえ民主主義国でも、特にトランスジェンダーの人々への暴力事犯や差別事例は依然として頻発し、あるいは昨今の反動的な政治潮流の中では激化する傾向すらあり、トランプ時代のアメリカでは「祭典」どころではないトランスジェンダーの人たちの政治マーチが、独立して別の形で行われることにもなりました（第六章「トランプという災難、トランスという受難」百五十四頁参照）。

そんな中、ストーンウォール五十周年（Stonewall 50）となる二〇一九年のニューヨークには六月最終日曜日の『NYCプライド・マーチ』兼「ワールド・プライド」のためにアメリカ内外から予想の三百万人を上回る五百万人もの人たちが訪れることになりました。

全部が全部「プライド」目当ての観光客というわけでもないでしょうが、六月のマンハッタンは例年になくとんでもなくゲイゲイしていたのは事実です。いつもの年ならだいたいダウンタウンに集中するLGBTQ＋フレンドリーのシンボル「レインボー」カラーも、今回はミッドタウンやアップタウンにまで溢れ出していました。今や全米でのLGBTQ＋コミュニティの潜在購買力（ピンクマネー）は年間九千百七十億ドル（百兆円）とさえ言われます。これは日本の国家予算（一般会計）に相当します。

街なかだけではありません。あのマウスウォッシュの「リステリン」のボトルがレインボーに変わり、日本にも進出したグルメ・ハンバーガーの「シェイクシャック」は虹色に輝くスプリンクルを振り掛けた「プライド・シェイク」を売り出しました。レストランのメニューには「ラヴ・サラダ」だとか「レインボー・サンドイッチ」とかの名前が並びました。ラルフ・ローレンやマイケル・コーはレインボーがテーマのアウターやインナーをデザインして並べていました。これらを見た英紙《ザ・ガーディアン》は「レインボー印の資本主義に魂を売ったプライド」（「Pride has sold its soul to rainbow-branded capitalism」）という論評を掲載しました。

もっとも、LGBTQ＋コミュニティもその辺りは歴史を経てすでに浮かれるばかりではなくなっています。付け焼き刃的にピンクマネーを狙うだけのブランドにはしっぺ返しを食らわせられるほどのリサーチ力を蓄え、例えば世界最大のLGBTQ＋人権団体「ヒューマン・ライツ・キャンペーン（HRC）」はそれらの企業がどれほどＬＧＢＴＱ＋を平等に扱っているかの「企業平等指数」評価を、雇用の多様性や福利厚生などのデータを調べ上げて毎年「Corporate Equality Index（企業の平等指標）」を発表しているのです。

「プライド商法」に関しても、企業評価の高い米国「ＩＫＥＡ」はいつものブルーのショッピングバッグをレインボーに変えて三ドル九十九セントで売り、その収益のすべてを教育プログラム用に「ＨＲＣ」基金に寄付していました。

全米量販店チェーンの「ターゲット」は九十品目を特別にプライド・ヴァージョンにして十万ドル（一千万円強）を教育現場でのＬＧＢＴＱ＋差別解消に尽力する「ＧＬＳＥＮ」（三百三十頁参照）に寄付しました。「ＡＴ＆Ｔ」は長年パートナーシップを築いているＬＧＢＴＱ＋青少年の自殺防止プログラム団体「トレヴァー・プロジェクト」にテキストやチャットでのカウンセリング・サーヴィスを提供し、さらに百万ドル（一億円強）以上を寄付しました。

「IKEA」のショッピングバッグもレインボーに。
売り上げはHRC基金に寄付された。

このような人権と反差別の闘いは各分野で今もずっと地道に続けられています。私は渡米の一九九三年以降、ほぼ毎年、ニューヨークのこの「プライド・イヴェント」を取材し、参加してもきました。九四年も「ストーンウォール二十五周年（Stonewall 25）」の大掛かりなものでしたが、五十年目の「ＮＹプライド」は「ワールド・プライド」との名前も添えて、その規模は二十五周年をもはるかに上回る社会イヴェントになりました。それもこれも、差別の時代、エイズとの二重苦の時代、可視化の時代……等々を経ての理解と受容の拡大でした。忘れてほしくないのは、「敢えてカミングアウトをしなくてもいい社会」は、敢えてカミングアウトをしてきた人たちによって作られてきたという歴史です。時代は勝手に進んできたのではありません。それを進めてきた人たちがいました。世界はそんな彼／彼女らによって、遅々としてではありますが、しかし確実に変わってきました。その結果（あるいは途中報告）の一端を、「ストーンウォール50」の各種イヴェント写真で振り返ってみます。

トランプ時代の「トランスジェンダーたちの受難」を背景に、6月最終日曜にマンハッタン五番街を舞台に行われる本家「プライド・マーチ」のお祭り気分とは別に、2019年は前々日の金曜にブルックリンで大規模な政治集会とクイア・リベレーション・マーチ（Queer Liberation March）が行われた。目立ったスローガンは「Black Trans Women's Lives Matter」。2020年5月のジョージ・フロイド殺害事件で全米全人種的運動に拡大した「BLM」運動だが、人種かつジェンダー・マイノリティの黒人トランス女性への差別・虐待・暴力はずっと以前から中心的問題。これはコロナ禍で集会自粛ムードの翌2020年にあっても15,000人を集めて継続実施されている。

「プライド月間」の6月のニューヨークは公共施設でも関連イヴェントが盛りだくさん。メトロポリタン美術館ではゲイやトランスジェンダーの特徴的文化様式である「CAMP（キャンプ）」の展示（写真上）。パブリック・ライブラリーでも「Love & Resistance（愛と抵抗）」のストーンウォール50年史やゲイ詩人ウォルト・ホイットマンの展示（写真下）が。

⑩

⑨

⑪

「ワールド・プライド」のオープニング・セレモニーはウーピー・ゴールドバーグの司会で、NBAチーム「ブルックリン・ネッツ」の本拠地であるバークレイズ・センターで開催された。

⑫

シアラも、ほぼフンドシ姿？でパワフルなステージを披露。

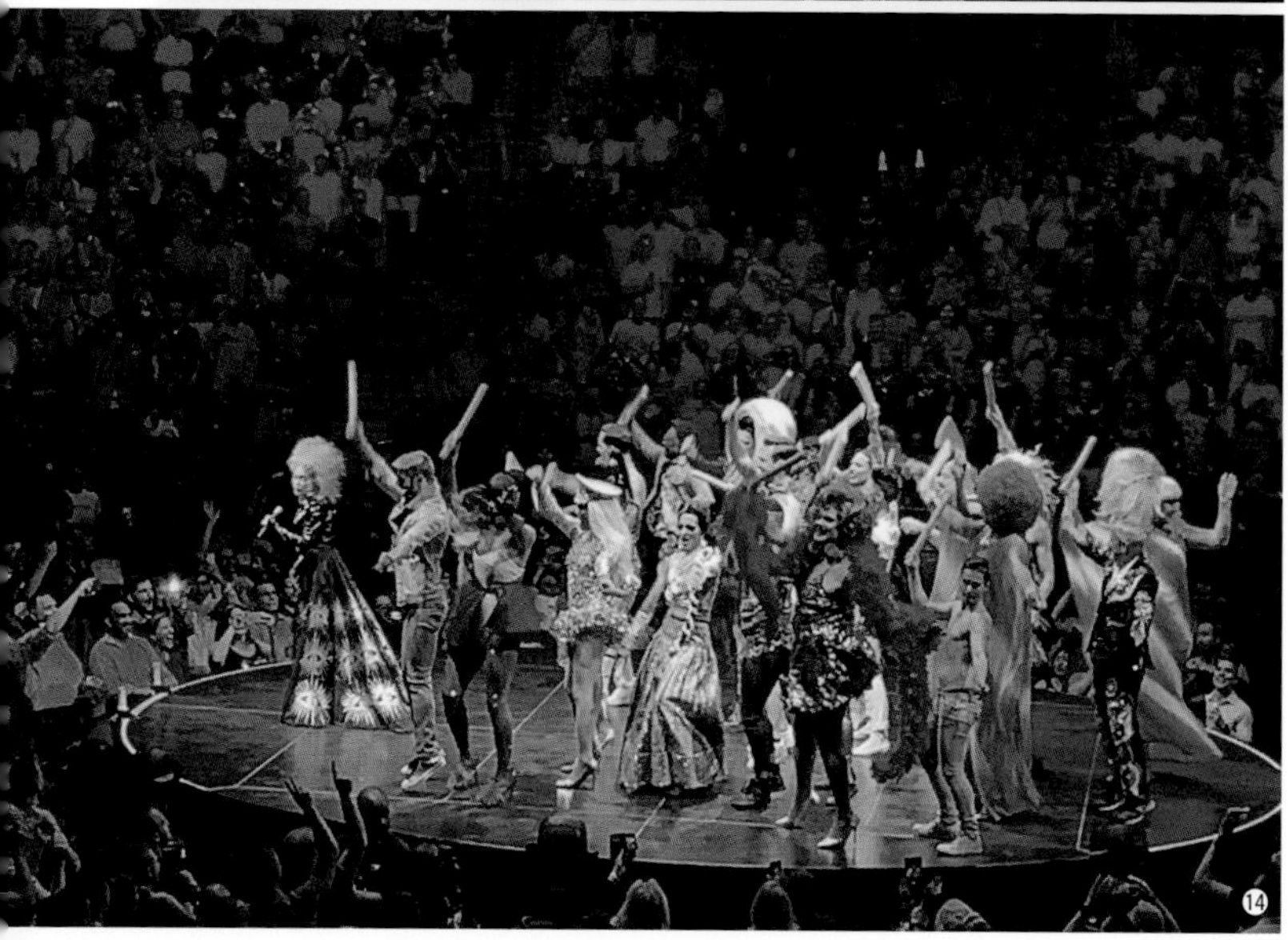

セレモニーのオープニングは「トゥルー・カラーズ」のシンディ・ローパー！

地下鉄で出会ったポラロイドに勤めるレズビアン・カップル。オープニング・セレモニーに行った帰り。

ニューヨークの地下鉄もレインボーカラーのハートマークを車体に。メトロポリタン交通局「MTA」はパスに相当するメトロカードにもレインボーカラーのものを用意していた。

プライド・マーチ前夜のゲイバー「ストーンウォール・イン（Stonewall Inn）」は店内に入りきらない客が通りにまで溢れていた。というか、マーチ当日もその後も、前後1週間ほどずっとこの状態。6月28日未明から7月3日まで続いた50年前の暴動（Stonewall Riot）は、今や 反乱（Rebellion）あるいは蜂起（Uprising）とも呼ばれるようになった。マフィアが営業していた当のゲイバーは実は事件後まもなく閉店となり、その後2つの店舗に分かれてさまざまな形で使用されていた。1987年にその1つを使って再度「Stonewall」という名前でゲイバー営業を始めたが89年に再度閉店。この時点で69年当時のオリジナルの内装などは全く残っていなかった。1990年にはまた別のオーナーで隣の店（現在の住所）で営業が始まり、90年代にはレストランを併設したり2階をディスコにしたりしたが、現在のオーナーになって今の形のバーになったのは2006年から。その時に名称もまた「Stonewall Inn」に戻された。店内に入ると、当時の新聞記事の切り抜きや写真が額に入れられて飾られている。

タイムズスクエアもレインボー一色。LGBTQ＋フレンドリー企業として有名な「LEVI'S」は「PROUD TOGETHER（みんなで誇ろう）」（写真左）。ロンドンに本拠を置く国際金融グループ「バークレイズ」もレインボーカラーの電光ビルボードで「Barclays celebrates Pride（プライドを祝福します）」（写真右）。

「ストーンウォール・イン」の前の三角形の小さな公園は現在は「ストーンウォール国立記念碑」のある「クリストファー・パーク」と呼ばれている。そこに、著名彫刻家ジョージ・シーガルの作った「ゲイ・リベレーション」という名の男性2人、女性2人の石膏像がある。

「ストーンウォール・イン」のあるクリストファー・ストリートを東に1ブロック行くと、短い「ゲイ・ストリート（Gay Street）」と交差する。この道路標識の一番上にあるのがその名前。「プライド月間」に合わせてその標識の下に様々なSOGIの名称が通りの名前のようにして掲げられた。ちなみにこの「Gay St.」をかつてある日本の大学教授がニューヨーク紹介の自著で「ゲイの通りまである」と揶揄的に紹介したことがある。この「Gay」は実はLGBTQ＋とは何の関係もない、18世紀にここに住んでいた土地所有者「Gay」さん一家に因むと考えられている。

「ストーンウォール・イン」の前で観光客にインタビューしているのはフィンランドのTV局。「プライド月間」を取り上げるために世界各国からさまざまなメディアがニューヨークを訪れていた。今や世界30カ国近くに拡大した「結婚の平等」（同性婚の合法化・法制化）も、そもそもはここの「蜂起」から始まったのだから。

正午から始まる「プライド・マーチ」当日の午前10時半、スタート地点近くでは例によって反LGBTQ＋で悪名高いウエストボロ・バプティスト教会の面々が「罪の報いは死」「神はゲイを憎む」「地獄が待っている」などのヘイトスピーチのプラカードを掲げて通行人から「いい加減にしろ！」「帰れ、ここはNYだ！」などと罵声を浴びていた。

行進者が695団体に膨れ上がり、例年の5倍の総勢15万人にも膨れ上がった2019年のプライド・マーチだが、その先頭を切るのは恒例のレズビアンのオートバイ・クラブ「ダイクス・オン・バイクス（Dykes on Bikes）」。こちらも例年の2倍の200台のバイクで参加。最初にパレードを先導したのは1976年のサンフランシスコ・プライド。以降、この流れは全米各地のプライドだけでなく世界にも広がり、メルボルン、パリ、ロンドン、トロント・ヴァンクーヴァー、シドニー、チューリッヒ、テルアヴィヴ、ギリシャでも彼女たちが爆音響かせ先陣を切る。

スタートの合図は、先頭の五番街の21丁目で破裂する紙バズーカ砲の虹色の紙吹雪。

奥で一斉に手を挙げているのはシカゴからこのためにやってきた高校生のグループ——ニューヨークの「プライド・マーチ」の醍醐味の1つは沿道からの大声援。総勢100万人は下らないといわれるテンコ盛りの沿道声援者は、歩いている人たちを「まるでヤンキーズの優勝パレードの選手みたいな気分にさせてくれるね」という名言を吐いたのは、2001年の国連エイズ特別総会の開催と重なった際に一緒に歩いた、元産経新聞NY支局長の宮田一雄さんでした。

㉘

犬も何も
全部レインボー。

㉗

バイクに乗って虹の傘。

㉙

レズビアンの参加者には子ども
たちを連れて参加する人も多い。

㉚

この人は92歳。もう全行程を歩
けないので、近年はずっと沿道
から旗を振っているそうだ。

㉛

はるかかなたまで延々と続くマーチ。
正午に始まって、これが12時間以上
続くとはこの時点では誰も予想してい
なかった（けれど、なんとなくそうな
るかもと不安を感じていた者はいた）。

㉜ 恒例のレインボーの風船の連なりは、「50」という数字を先頭に練り歩いた。

㉝ 毎年、マーチの名誉総帥「グランドマーシャル」としてさまざまな人たちが指名される。今年はその中に、ストーンウォールの暴動のきっかけを作ったとされる2人のトランス女性活動家マーシャ・P・ジョンソンとシルヴィア・リヴェラ（共に故人）の名前もあった。

「ストーンウォール」の直後に結成された初の本格的政治団体「ゲイ解放戦線（Gay Liberation Front）」のベテランたち。1970年に3,000人以上が参加して五番街からセントラル・パークに向かった最初のストーンウォール記念政治集会およびマーチは、この人たちが中心になって実施された。

名誉総帥にはLGBTQの自殺予防プログラムを提供する団体「トレヴァー・プロジェクト」も。

マーチの先頭集団は、その年の最大の政治的課題を象徴するような団体が並ぶ。今年はやはり「トランスジェンダーの平等」を訴えることが最大のテーマの1つだった。横断幕には「我々は消されない」。

世界各国のLGBTQ＋のプライド組織を連携させる「インタープライド（Interpride）」も2019年の「ワールド・プライド」を成功させた立役者だった。

沿道で、「フリー・ハグ」を提供する「ママ」。パレード参加者が何人も何人も彼女に駆け寄って「ハグ」してもらっていた。

ストーンウォール50周年はトランプ政権の下で開催された。嵐のような大声援の沿道には「トランプ（大統領）とペンス（副大統領）は辞めろ」という政治メッセージも。アメリカ人は政治を語ることを躊躇しないし、政治を離れて人権運動は語れない。特にニューヨークは、8割以上のニューヨーカーたちがトランプを毛嫌いしている。彼が不動産業者としてどうやってインチキをして成り上がったかをつぶさに知っているから。

パレード名物はやはりさまざまなドラァグクイーンの方々。

㊹

沿道で警備の女性警察官の胸にもレインボーのバッジ。NYPD（ニューヨーク市警）にも実はLGBTQ＋の警察官団体の組織「Gay Officers Action League（GOAL）」NY支部がある（第十三章「組織化する当事者たち」P325参照）。彼らが制服姿でプライドに参加するようになったのもここ20年のことだ。NYPDが2019年になってやっとストーンウォールの暴動の原因でもあった当時の警察による日常的なLGBTQ＋コミュニティへの差別と暴力とを公式に謝罪したのも、彼ら当事者の警官たちの働きかけがあったから。もっとも、「GOAL」の目の届かぬところで今も根深いトランスジェンダー・コミュニティへの警官による陰の暴力は続いている。

㊺

6月末のニューヨークはかなり暑い。この日は湿度が低くて比較的過ごしやすかったが、ダウンタウンの14丁目を過ぎたあたりで近くの教会コミュニティの人々が毎年必ずここでみんなに水を配ってくれる。生き返ります。

㊻

ヨーロッパのLGBTQ＋の聖都の1つ、アムステルダムからも大挙して参加。アムステルダムは4年に1度の世界最大のLGBTQ＋のスポーツ大会「ゲイ・ゲームズ」を1998年に開催した。ちなみに2022年には香港が開催地に決まっているが、中国共産党は2020年になって民主派勢力の一斉摘発など民主主義と自由を守ろうと抵抗を続ける香港市民への弾圧を強めている。人権運動の象徴でもあるゲイ・ゲームズの未来は、香港市民の表現の自由と平等の未来でもある。

レザー愛好者グループの団体も歩く。レザーというと強《こわ》面《もて》っぽいが、彼らは自分を「犬」だと主張している。

㊼

ニューヨーク州知事アンドルー・クオモも手を振っていた。この時は誰も翌年の新型コロナ禍の猛威を予測していなかったし、そこでクオモがどう手腕を発揮し、さらに老人施設での死者数削減スキャンダルやセクハラ疑惑に囚われるかも知らなかった——ちなみに常にメディアに大々的に取り上げられるこのパレードには毎年、著名な政治家たちが参加して有権者たちにLGBTQ+フレンドリーであることをアピールする。毎回、NY市長や市会議員も歩く。史上初のゲイの大統領候補として注目された当時37歳のピート・ブーティジェッジ（現バイデン政権で運輸長官に就任）も歩くと見られていたが、彼は地元インディアナ州サウスベントで起きた白人警官による黒人男性射殺事件の後始末で、前々日までNYに滞在していたものの取って返した。今はすっかりトランプの法律顧問として晩節を汚した感の元NY市長ルディ・ジュリアーニも、かつてはやはり笑顔を振りまきながらこのパレードを歩いた。共和党の政治家も、ニューヨークではLGBTQ+有権者を蔑ろにしては政治生命を保てない。

㊽

日本からも東京レインボープライド（TRP）の面々として200人がやってきた。パレードは例年、だいたい日暮れ始める夜8時過ぎ（夏時間なので実際は7時）には終了するが、TRPの集合時間は予定では午後6時。ところが待てど暮らせど出発の気配すらない。さてそろそろ、ということでメディア用に写真撮影するが、このあと、3時間以上も同じ場所にとどまっていた。

さあ、やっとか、と動き始めたのは午後10時。周囲はもうすっかり暗い。ニューヨークに住む日本人たちもTRP参加を聞きつけて昼下がりから集まってくれていたが、待ちくたびれて帰宅した人も多数。

夜10時に動いたものの、実際にスタートしたのは夜11時。
エンパイア・ステート・ビルディングの虹色照明が綺麗。

こんなに遅くなっても
若者たちはやっぱり元気。

スタートして数ブロックでTRPが莫大なお金をかけてチャーターした２階建てバスのフロートが合流。こちらのバスで待っていたスタッフたちは孤独で大変だったろうと大いに同情されていた。

54

屋根のない２階部分からは大量のシャボン玉が発生する装置まで用意していた。昼の陽光の中だったらどんなにか虹色に輝いて綺麗だったろうことか。残念至極。

55

日本での同性婚訴訟支援グループ「Marriage for All Japan」も参加。この浴衣姿を、数時間前までは沿道に溢れていたニューヨーカーたちにも見せてやりたかった。

56

次の参加時には、ぜひとも明るいうちのマーチになるといいね。結局、TRPの後ろには数グループしか残っていず、夜11時から歩いたマーチは五番街からクリストファーへ右折して、7番街をさらに右折して22丁目の終着点まで午前1時前に終了。私たちはこのあと、十数人を募って24時間営業のコリアンタウンでビールと焼肉を食べて帰りました。そういえば夕食時も待っていたせいでほとんど何も食べていなかったのです。ああ、初参加者たちに「ヤンキーズ優勝パレードの恍惚」を味わわせてあげたかったと思う私でした。

Photo ©Yuji Kitamaru (1, 3, 8, 11, 12, 14-17, 19-48, 50, 52, 53, 55, 56, 57) ©Shinya Yamagata (2, 7, 9, 10, 13, 18) ©Fumino Sugiyama (4, 5, 6) ©TRP/Photo by AkaneKiyohara (49, 51, 54)

2.

友情とＬＧＢＴＱ＋

内在する私たちの正体

第九章 「男と女」と「公と私」と

男同士の接吻、女同士のキス

社会主義国で初の開催となった一九八〇年のモスクワ五輪は、前年七九年十二月のソ連によるアフガニスタン侵攻[*1]に抗議したアメリカとそれに追随した日本などのボイコットで「スポーツと政治」の関係が大きく問われた大会になりました。それに比べると取るに足りない話みたいですが、もう一つ、世界文化のグローバル化の上でとても興味深いことがあります。この大会を境に、ソ連の男子選手たちが、競技の後で選手同士で抱き合ってキスすることをしなくなったのです。

当時、ソ連の男性同士が人前で行うキスの習慣は欧米で「社会主義の兄弟の接吻（Socialist fraternal kiss）」と呼ばれていました。普通は両頬に互いに交互に三回行うキスですが、親しい関係になると唇にキスをします。社会主義に対すると同時に同性愛を暗示する揶揄的な意味も付いていたように思います。[*2]

世にも有名なキスは、今もベルリンの壁に残る「ブレジネフ（旧ソ連共産党書記長）とホーネッカー（旧東ドイツ国家評議会議長）との抱擁と接吻」の壁画（落書きアート）でしょう。これは一九七九年のドイツ民主共和国（東ドイツ）建国三十周年記念式典での撮影写真を素材に、一九九〇年に描かれました。もちろん「社会主義と同性愛への嫌悪と揶揄」を共示して「おお神様、私がこの死の接吻を生き延びるお助けを」というキャプションがドイツ語とロシア語で書き添えられています。[*3]

ベルリンの壁に残るブレジネフとホーネッカーの「熱き接吻」写真。
© Shinya Yamagata

ところで当時のソ連圏の選手たちのキスです。ソ連は体操が強くて、体操チームがよくテレビで映るんですね。中でも花形のスターはアレキサンドル・ディチャーチンという（私の美化された記憶の中では）美青年で、なにせモスクワ五輪では（有力国の欠場があったにせよ）実施八種目すべてでメダル獲得（個人総合などで金が三つ）という五輪史上ただ一人の記録を持つ超人でした。二十歳そこそこのこの美丈夫が、そして競技が終わるたびに、あるいは同僚選手が競技を終えるたびに、互いに近づき抱き合って唇と唇でブチュッとキスをするのです。それはもう、ボーイズラブのファンが見たら惚けて失神するほどの絵面でした。

ところがそれがなくなった。

第二次世界大戦でアメリカの黒人兵たちが英国戦線という「他の世界」に出遭って「奴隷とは違う黒人」としての解放運動に気づいたように、同じく、ゲイの兵士たちが他のゲイたちに出遭って終戦後の帰還の港町にそれまでと違うゲイ地区が出来上がったように、実はオリンピックで他の世界に出遭った自国の文化が、別の視線を得て突然「意味」を変容させる。世界目線、というか欧米目線を知ったソ連の選手たちにとって、「兄弟のキス」の意味がとつぜん性的なものに変わってしまったのです。なので不意に世界中継のテレビから彼らの抱擁と接吻がなくなった——。

前述した「本質主義」と「構築主義」の文脈でいえば、「黒人」も「ゲイ」も「キス」も、(我々が捉われがちな)その意味は、すべてが本質的なものだったわけではなく、それらの多くは社会的な背景によって(そのように)「構築」されたものだったわけです。

同様のことが一九八八年のソウル五輪でも起きました。それまで韓国では若い男の子同士が街なかでも手をつないで歩いていることは珍しくありませんでした。ところが韓国に世界の目が集まることで(あるいは「集まる」と意識したことで)、その風習は都市部で急速に消え去りました。男同士が手をつなぐことに(欧米の文脈での)性的な意味が付加されてしまったわけです。

逆に、九〇年代初めに私が（ソ連崩壊でバーター貿易の利益を得られなくなって経済破綻寸前の）キューバに取材に行った時には、ハバナの空港を出てすぐにいろんな男性と目が会うたびにウィンクされて「ん？」という気分になりました。それが会釈代わりだと気づくまでに半日ほどかかりましたが、北アフリカや中近東では今でも男同士が手をつないで仲良く歩いているのが普通の場合が多い。出会った時と別れる時も普通に頬にキスし合います。一方で、男女が手をつないだり握手したりキスしたりするのは、そうしたイスラム教国では世俗化した国でない限り今も大変なタブーであり、時に犯罪ですらあります。

その延長線上には、そのような不徳不倫で一族の名誉を汚したとして家族の男が娘や妻を殺す「名誉殺人」と呼ばれる行為までが存在します。

ところで、いま記述したことは「女性間」にはあまり起きていないように見えるのです。私は男

＊1　一九七八年発足のアフガニスタン人民民主党政権に対するイスラム勢力ムジャヒディーン武装蜂起の制圧のために、ソ連が一九七九年に軍事侵攻。介入は一九八九年まで続き、その後の紛争からタリバン政権が成立。アルカイダによる二〇〇一年のアメリカ9・11同時多発テロなどへ波及した。

＊2　ロシアでは十九世紀半ばからの労働者運動の象徴として平等、友愛、連帯の証のキスが同性間でも始まったとされる。

＊3　ドイツ語で「Mein Gott, hilf mir, diese tödliche Liebe zu überleben」ロシア語で「Господи! Помоги мне выжить среди этой смертной любви」

なのでよく見えていない部分も多いのでしょうが、女性たちは今も街なかで堂々と手をつなぎ合い、ハグをし合い、キスをしたってそんなに驚きをもって見られることは少ないように思われます。これはどういうことなのでしょう?

これを欧米社会では「女性の性は流動的」(性的流動性/sexual fluidity)という形で説明することがあります。それはちょうど男性でも十代には性的対象が流動的で……云々、という謂いにも似て、なかなか科学的検証が難しいのですが、しばしば一般的に言われる「性的指向(sexual orientation)は変化することがなく、さらに選択できるものでもない」という概念と対立するものとしていろいろと議論されています。

初期設定としての非・異性愛

手元に、英テレグラフ紙が二〇一五年十一月に伝えたエセックス大学心理学部の研究[*4]があります。とても興味深い記事です。[*5]

【見出し】
Women are either bisexual or gay but 'never straight'
女性は両性愛か同性愛であって、異性愛であることはない。

【リード】

A study has found that most women who say they are straight are in fact aroused by videos of both naked men and naked women

自分が異性愛者だという女性たちの大半が、実際には裸の男性、裸の女性、両方のヴィデオに性的に興奮することが研究でわかった。

【本文】

Most women are either bisexual or gay but "never straight", a study suggests.

＊4 「Sexual arousal and masculinity-femininity of women（女性の性的興奮と男性性－女性性）」by Gerulf Rieger, Ritch C Savin-Williams, Meredith L Chivers, J Michael Bailey;https://pubmed.ncbi.nlm.nih.gov/26501187/

＊5 https://www.telegraph.co.uk/news/uknews/11977121/Women-are-either-bisexual-or-gay-but-never-straight.html

ほとんどの女性はバイセクシュアルかホモセクシュアル（ゲイ）であって「ヘテロセクシュアル（ストレート）であることはない」ということがある研究で提示された。

Research has found that though lesbians are much more attracted to the female form, most women who say they are straight are in fact aroused by videos of both naked men and naked women.

調査で判明したのは、レズビアン女性は女性の姿にかなりはるかに魅力を感じるのだが、自分はストレートだという女性の多くは実際には、裸の男性および裸の女性の両方のヴィデオに性的興奮を覚えるということだった。

The study, led by Dr Gerulf Rieger from the Department of Psychology at the University of Essex, involved 345 women whose responses to being shown videos of naked men and women were analysed.

この研究はエセックス大学心理学部のゲラルフ・リーガー博士の指導で、三百四十五人の女性が男女の裸体のヴィデオを見せられてどう反応するかを分析した。

The results, which were based on elements such as whether their pupils dilated in response to sexual stimuli, showed that 82% of the women tested were aroused by both sexes.

結果は、性的刺激に反応して瞳孔が開くかどうかなどの要素を基にして、被験女性の八二%が両性に性的興奮を見せたというものだった。

Meanwhile of the women who identified as straight, 74% were strongly sexually aroused by videos of both attractive men and attractive women.

一方で自分をストレートだと自認する女性たちに限れば、その内の七四%が魅力的男性たち、魅力的女性たちの双方のヴィデオに強く性的興奮を覚えた。

This was in contrast to lesbians, who showed much stronger sexual responses to women than to men.

このことは、男性よりも女性にはるかに強い性的興奮を見せたレズビアンの反応とは対照的である。

The researchers said lesbians were the most like men in their responses because it is usually men who show distinct sexual responses to their favourite sex.

研究者たちによれば、レズビアンたちはその反応としては最も男性たちに近いと言う。なぜなら自分の好みの性別に著しい性的反応を見せるのは通常は男性だからだ。

Dr Rieger said: "Even though the majority of women identify as straight, our research clearly demonstrates that when it comes to what turns them on, they are either bisexual or gay, but never straight."

リーガー博士は「女性の多くは自分をストレートだと考えているが、私たちの研究によれば何が彼女たちに性的興奮をもたらすかという点では、彼女たちはバイセクシュアルかゲイであって、ストレートではまったくない」と話す。

Dr Rieger also said his study showed that lesbians who may dress in a more masculine way may not have more masculine behaviours.

リーガー博士はまた、より男性的な服装をするレズビアンたちがより男性的な振る舞いをするとは限らないということも研究でわかったとしている。

“Although some lesbians were more masculine in their sexual arousal, and others were more masculine in their behaviours, there was no indication that these were the same women,” he said.

「性的興奮において、より男性の反応に近いレズビアンがいる。振る舞いにおいて、より男性的なレズビアンもいる。しかしそれが必ずしも同じ人物であるというわけではない」と博士は言う。

"This shows us that how women appear in public does not mean that we know anything about their sexual role preferences."

これが教えることとは、女性たちが人前でどう見えるかは、それによって彼女たちの性的役割の嗜好について私たちが何らかを知り得るということではない。

この論文の正確性を判断するにはこのリーガー博士の他の調査研究も精査しなくてはなりませんが、一応ここでは女性の性的流動性というより、女性がパンセクシュアル（汎性《はんせい》的、全性的）だというこことを言っているのかと思います。つまり女性はもともと男女どちらにも惹かれるのだ、という結論。それを「流動的」と言うにしても、これは一度に同時にいろんなジェンダーやセックスの人たちを愛するということを意味するわけではありませんから（まあ、そういう人もいるでしょうが）、その時々であちらに振れる、こちらに振れる、ということで、時間軸を引いてみれば「流動的」はそもそも「汎性的」という在り方を土台にしたその時々の表現形なのかもしれません。

それよりもう一点、どうして女性たちがこうも「汎性的」に見えるのかということ、いや、「汎性的」であることを時に隠さず表現し得るのか（手をつないだり肩を寄せ合ったりいっしょに布団に入ったり）ということを考えると、男女の肉体的、物理的なシステムの違い、つまりは「本質的」な違いに加え、「構築的」な違い、つまり女性たちを取り巻く社会文化的な違いをもちろん考えねばならないのでしょうが、それに関しては女性研究者自身の声にこそ耳を傾けたいと思っています。

不在の女性たち

ゲイ男性が主要な人物として登場するTVドラマや映画や小説には割と定型的にその彼の〝苦悩〟に付き合う良き理解者（あるいはただの愚痴相手？）のような女性がカップリングされていたりします。これもまた（「主役はいつも男性」という性差別的ビジネスモデルと合わせて）ステレオタイプになってしまっているほどなのですが、性的少数者たちへの支持・支援が多く女性たちから湧き起こるのもまた、前述の、親愛を「汎性的」に表現することに躊躇が薄いことと関係するのかもしれません。

この表現の自由さはどこから来るのか？　もちろん思いやりや庇護心や共感性の高さといった、いわゆる「母性」的とされるものに原因を求める説明はさまざまにあります。一方で女性たちの、その種の従来の「タブー」に対する社会的制約のなさ、社会的規範性に対する紐帯《ちゅうたい》の緩さにも関係があるようにも思われるのです。

思えば女性たちは常にそういう社会的規範性から除外、疎外されてきました。男性間の同性愛を犯罪化した多くの国と文化でも、女性の同性愛は見逃されていました。例えば十七世紀から十九世紀にかけてのイングランドでは「異常性交」が死刑の適応対象になりました。当時の「異常性交」とは同性間性交だけでなく、とにかく「生殖」に関係のない性行為すべてを包括していました。口唇性交や肛門性交というのはすぐに連想できますが、そこには避妊や中絶までもが含まれていました。こうした非生殖性交への風当たりは十九世紀後半の都市部の工業化によってさらに強まります。

労働は家庭（私的な場所）を基盤にしたものから工場（公的な場所）を基盤にしたものに変わり、男性と女性の社会的役割（公的なジェンダーロール）もより明確に分化していきます。科学の分野でも、腹部外科手術の進歩が女性の受胎システムの解明に及びます。生理学的にも心理学的にも、セクシュアリティの概念に変化が訪れるのです。

ダーウィンの進化論（『種の起源』は一八五九年十一月二十四日に出版されました）の影響もあったでしょう、工業化に伴う中産階級の出産率低下は「人種的自殺行為」とみなされ、ひいては大英帝国の没落につながると危惧されました。これは現在の日本で「少子化問題」として懸念されているものと同じです。だから「異常性交（生殖が目的ではないセックス）」は家庭と社会、双方に対する脅威として認知され始めるわけです。そういう状況では、十九世紀の英国でも二十一世紀の日本でも、女性たちは「産む機械」になって「家」の中へと閉じ込められてゆく――。

一八八五年、「異常性交」に関する刑法から同性愛の条文規定が独立します。英国の上流階級の男性による若い男娼売春が横行していたことを背景に、いわゆる「ラブーシェール・アメンダメント（Labouchère Amendment）」といわれる修正条項が挿入されました。これによって「生殖が目的ではないセックス」のうちの、特に同性間の性行為が、公衆の面前ではもちろん、プライヴェートな場所においてすらすべて違法とされました。

この悪名高い修正刑法は英国社会に密告や脅迫を蔓延させます。オスカー・ワイルドがアルフレッド・ダグラス卿とのわいせつ行為で裁判にかけられた（一八九五）のもこの修正刑法が基でした。一九三〇年代の英国パブリックスクールを舞台にした『アナザー・カントリー（Another Country）』[*6]の主人公「ガイ・ベネット」は、冷戦期初期にかけてソ連のスパイだった英国外交官ガイ・バージェス（Guy Burgess／一九一一〜一九六三）をモデルとし、ホモセクシュアルの主人公がスパイとなった動機の中枢にこの修正刑法下の英国での同性愛弾圧を置いています。

同修正刑法が廃止されたのは二十世紀も後半に入った一九六七年のことでした。

ただし、この間の「同性愛」は、法的にも研究対象としても男性同性愛のことでした。レズビアンは社会的にもほぼ議論にすらされませんでした。この時代のフェミニストたちの重要課題も売春

＊6　ジュリアン・ミッチェル原作の一九八一年の戯曲、のちに一九八四年に映画化。本稿「プロローグ」内でも主演ルパート・エヴェレット来日時の「脱ゲイ化」に触れた。

と性病と婦人参政権（二十世紀初頭にかけての「サフラジェット」運動はすでに第五章で紹介しました）であって、同性愛は「ブルジョワの頽廃趣味」程度にしか認識されていませんでした。

犯罪化されていないんだからラッキーだったじゃないかと言う人もいるでしょうが、しかしそれはまた、女性たちの社会的な不在をも意味していたのです。彼女たちは、社会にではなく「家」の中にしか存在していなかった。あるいは、罪を犯す（資格がある）のは社会の主体としての男性であって、彼の「家」の中の、彼の付随物でしかない女性は、主体としての直接の犯罪者にすらなれなかったわけです。

そんなプライヴェートな存在たる女性たちが、パブリックの場での責任たる罪まで問われたりしたらあまりにも可哀想じゃないか――という「有難迷惑」というか、「痛し痒し」というか、庇っているつもりでその実、土間しか与えてない（それでも屋根があるから幸せだろう）的な言説は今も蔓延《はびこ》っています。

女性を劣位に置く、あるいは存在しないかのように見過ごす、という態度がどこから始まっているのかというと、少なくとも言説上では「いちばん古い」級にある「聖書」からしてそうなのですね。「聖書」というのはそもそもイエス・キリストと十二人の男だけのロードムービーというかロードストーリーなわけで、まるでホモソシアル（三百二十一頁参照）な、ほとんど男たちの物語なのです。

旧約聖書には、それこそ重要人物であるイヴ（エヴァ）から始まって女性は血統の説明もあって四十人ほど出てくるのですが、新約聖書の福音書となると二十人くらいしか登場しません（これ、私がざっと数えただけで正確には違っているかもしれませんが、少ないことは少ない）。しかも「私調べ」のその二十人の中の五人までが、名前を「マリア」というんです。聖母マリアでしょ、マグダラのマリアでしょ、ただのマリアでしょ……等々。「マリア」以外では名前すらない女性が十人くらいいて、それも話や手紙の中でのみ語られる二次情報としての女性が多い。結局、総登場人物数が二百人を超える壮大な物語の中で、女性はそれしかいない。あとはぜんぶ男。

歴史の主語が「（白人の、異性愛の）男性だった」とはすでに書きましたが、もちろんこれは聖書の時代ではいわゆる「白人」ではなく、ユダヤ人やアラブ人などあの辺りの男性でした。それがどんどん文明の趨勢《すうせい》が西欧に移るにつれていわゆるコケイジャン（コーカサス系）の白人男性に変遷していきます。その過程でキリストまでが白人のように描かれました。つまり聖母マリアだって白人ではなかったし、いずれにしても、女性たちはハナから蚊帳《かや》の外だったわけです。

「私」が「公」にモノ申す

女性たちは社会性を与えられなかった。女性たちは私的領域でしか生きられなかった。女性たちは公に発言することを許されなかった。つまり、いささかの例外はありながらも、部族や国家の誕生から続く「父権制」「家父長制」という雁字搦めの枠組みの中で、女はまさに「人間（MAN）」ではなかった——大雑把ながらそう総括すると、彼女たちがひとたび自分たちの「非・社会性」に気づいたときに、それが一気に「社会性」にジャンプするのもわかるような気がします。その意味で、「個人的なことは政治的なこと」といったモットーがフェミニズムから出てきたことは至極当然だったのでしょうし、黒人解放運動の一つのエポックが、アラバマ州モンゴメリーでのローザ・パークスの行動だったことも頷けます。さらに言えば、あの「ストーンウォールの暴動」の担い手が、「社会性」から最も遠いところに排除されていたドラァグクイーンやレズビアンたちが中心だったことも。

いったん「社会」に気づいたら、女たちはラディカルになるしかなかった。では男たちはどうだったかというと、彼らは「私」と「公」の二つを初めから手にしていました。「公」の領域で困ったら「私」の領域に、「私」の領域で不利になりそうだったら「公」の領域に逃げ込むことが可能だったわけです。で、中途半端に自分をごまかすことができた。「生きるってそういうことだよ」「大人になるってのは我慢を憶えることだ」「それが人生さ」と嘯きながら。

第七章で第二次大戦時代の抜粋を紹介した『LGBTヒストリーブック』に、「ストーンウォールの暴動」を遠目に眺めていたアイヴィー・リーグ出身の裕福なゲイ男性が「せっかく隠れて生きているのに！」と激怒したというシーンがあります。[*7]

すべてうまくいってたじゃないか。自分たちのバーもあるし、自分たちのビーチも、自分たちのレストランもある。それをあのオンナども（girls）が全部ぶち壊した。

そう、「オンナども」です。裕福な彼はどこかの立派な企業か事務所勤めか、いずれにしても立派な「公」の顔を持っていて、同時に、「ゲイな私」の心地よい場所も手にしていたのでしょう。それを行ったり来たりしながら上手に生きてきた。そして結局、「公」も「私」も曖昧に処理されるのです。

社会の変革は、女でも男でも構わないのですが、そういう「社会ってもんが何であるかよくわかってない連中」、先の謂いを借りれば「あのヒステリックなオンナども」がしばしばそのきっかけになります。「社会」を知っている「ワケ知り顔のオトナたち」には無理なのです。なぜなら、変革の必要性を、そういう人たちは無視しているか感じないか知らないからです。「社会ってもんはそんなに簡単なもんじゃない」と諭してくる彼らは、それは保守なのか、慎重なのか、諦めなのか——。

ところで、いつまで経っても「公」の領域に踏み込もうとしない集団もまた存在します。日本社会においては、それが多々窺える。第五章で、日本(東京)では、「公」の空間に「人」がいないと指摘しました。いるのは「ジャガイモ」で、だから「人」を「人」とも思わない。

＊7　第四章／七十七頁。

そんな社会では、そんな冷たさを補正・補修するように「私」の領域が起動します。「公」での悪意（あるいは善意の不在）は、「私」の空間での個々の善意が補塡するのです。

日本映画とアメリカ映画を比較して、常々感じるのがそのことでした。TVドラマでもいいのですが、日本ではほとんど民事訴訟や行政訴訟の物語がありません。裁判モノはほぼ刑事事件です。「私」が「公」を相手にモノ申す、あるいは闘う、ということがあまりない。一方でアメリカ映画はアメリカ社会を反映してかなりその手のドラマが多いのです。

人権問題では、エイズ禍を扱った有名な『フィラデルフィア』（一九九三）が、罹患した主役（トム・ハンクス）に対する差別裁判を描いています。環境問題ではジュリア・ロバーツがオスカーを獲った地下水汚染告発の『エリン・ブロコビッチ』（二〇〇〇）や、シェールガス開発の裏面を描いたマット・デイモン主演の『プロミスト・ランド』（二〇一二）がありますし、戦争や権力の非道を告発したものは枚挙にいとまがありません。オスカー作品賞、脚本賞を獲った『スポットライト』（二〇一五）は、カトリック教会による幼児虐待問題を真正面から追及する《ボストングローブ》紙の記者たちの奮闘を描きましたし、オスカーでメイキャップ賞などを獲った『スキャンダル』（二〇一九）はFOXニュースでの女性キャスターへの性的虐待を描く中で「ミー・トゥー（#MeToo）」運動[*8]にも影響した民事訴訟を重要な土台にしています。

日本映画でそうしたものがすぐに思い出されないのは私の勉強不足かもしれませんが、少なくとも大きな話題作がそうは生まれていないからではないかと思います。そこで第二次安倍政権下の内閣情報調査室のメディア操作が題材の映画『新聞記者』（二〇一九）が、リベラル系メディアで絶賛されるという現象が起きました。それくらい珍しい。

その代わり、日本映画はしみじみと、しっとりと、淡々と、「私」の世界を描きます。

そのような映画の秀作があります。今泉力哉監督、宮沢氷魚《ひお》主演の『his』です。出会いから十三年間の二人の青年の同性愛関係を描いた映画です。これがとても良い。そして、これがとても重要な問題を浮き彫りにしてもいました。

＊8　セクシュアル・ハラスメントや性的暴行の被害体験を共に告発すると同時に、共感と支援とを表明するSNS上の草の根運動。二〇〇七年に米国で登場したが、《ニューヨーク・タイムズ》による大物映画プロデューサー、ハーヴィー・ワインスティン（Harvey Weinstein）の大規模な性的虐待告発記事（二〇一七年十月）をきっかけに世界的運動に拡大した。

第十章　「男と女」と「公と私」と（2）

映画『ｈｉｓ』──私的な善意の役割

映画『ｈｉｓ』は、もともとは名古屋テレビで二〇一九年四月から五回にわたって放送された二人の男子高校生「シュン（井川迅）」と「ナギサ（日比野渚）」の恋愛ドラマだったようです。私はその番組を見ていないのですが、映画版は彼ら二人のその後、大学卒業を控えたシュンに、ナギサが「別れよっか」と唐突に切り出すところから始まります。その言葉は平安時代の「後朝《きぬぎぬ》の別れ」[*1]を強く示唆して、朝を迎えた二人が互いのセーターを交換する美しいシーンの後に呟かれます。

もっともそこで別れたままでは映画は終わってしまいます。なので『ｈｉｓ』はその後、東京から離れた山間の村でひっそり自給自足の一人暮らしをしているシュンを描きます。のちに会社勤めをしていた頃にゲイの噂が立ったシュン自身の辛そうな回想シーンがあることから、そんな噂に生きづらくなった彼が半ば隠遁でもするようにその村に越してきたことが示唆されるのですが、そこにまたまた唐突に、六歳だという娘・ソラ（空）を連れたナギサが訪れて来るのです。しかも「しばらくの間、居候させてほしい」と言って。
ソラの年齢から考えて、あの「後朝の別れ」から七、八年は経っているはずです。勝手にいなくなって勝手にまた現れて、しかも女と結婚して子どもができて――「何を今さら……」、私は宮沢氷魚演じるシュンに「はいダメ、はいダメ、今すぐとっとと追い返せ！」と激しく念を送っていたのですが、もっとも、それでもまた映画はそこで終わってしまいます。

考えてみれば、未来にではなく、過去のつかの間の幸せの時にしか希望がないように思えた年齢（時代、社会）というものもあるのでしょう。田舎暮らしに引っ込んだシュンはまさにそうだった。だから彼は戸惑いながらもあの「過去」と再び暮らすことを自分に認めるのです。たとえそれが思い出の中の幸せ、つまりは「過去形の希望」だったとしても。

シュンにとっての、そして観客にとってのナギサの身勝手さはソラの天真爛漫《らんまん》さによって相殺されるように見えます。けれどそうした奇妙な三人暮らしは、すでに危うさを含んでいます。ナギサは妻レイナ（玲奈）とソラの親権をめぐって離婚調停中の身であることが明かされます。その危うい縺《もつ》れとそこから裁判へと進む過程が副プロットとして並行します（ここでのレイナの描かれ方もまたナギサの身勝手さを相対化して、いささか可哀想すぎますが）。さらに村では、シュンとナギサの関係が知

＊1　平安時代の男女が一夜を共にした翌朝に互いの服を交換して身に着け別れること。

られることになります。気まずい沈黙と距離感……。

さてここから物語は「起承転結」の「転」に転じます。シュンを懇意にしてくれていた老猟師の「緒方」が急逝します。緒方は、ゲイの噂が流れているときにシュンを猟に誘い出し、山の中でふと立ち止まって「誰が誰を好きになろうとその人の勝手やで。好きに生きたらええ」と言ってくれた人でした。

その通夜の席で、酔いも回った村人がナギサに「あんたら、男同士で付き合ってんのか？」と問い掛けます。彼は「違いますよ」と軽く笑ってごまかしますが、しかし一方で感極まったシュンは立ち上がって「みなさん、話を聞いてもらえますか？」と突然のカミングアウトをするのです。

「ぼくは日比野渚のことを愛しています」

緊張が走り、観客の私までヒヤヒヤします。それを掬《すく》い取るように、根岸季衣演じる婆さんが言い放つのです。「この歳になったら男も女も関係ねぇ。どっちでもええわ」。通夜の場は笑いに転じ、二人を受け入れることになるのです。それだけじゃありません。たしか同じ婆さんが、シュンに「長生きしろ」と励ますセリフもありました。観客の私はしみじみとした思いの中でウルっとしてしまいます。

これがこの映画の肝の部分です。もう一つ、どちらが親として相応しいかを争うナギサとレイナの離婚裁判でも、ギスギスした弁護士双方の議論を遮るのはナギサの謝罪の言葉でした。こちらも人間としての、私的な、個人の思いがその場を掬う（救う）のです。

「私」から「公」への回路

社会的なさまざまな逆境を描きつつ、それを声高に訴えたり批判したりするのではなく、淡々と静かに個々の観客の心に滲み入るように印象づけていく。そのために、映画表現の中ではさまざまな逆境が個々人の登場人物の善意によって報われたり救われたり労《ねぎら》われたりする。悲劇や困難は、私的な領域の中で個人の善意によって回収されていく——。

そう考えたとき、私にはもう一つの日本映画が思い出されました。河瀬直美監督の『あん』（二〇一五）という映画です。永瀬正敏演じる訳ありのどら焼き屋さんに（なかなか美味しい餡《あん》が作れなくて売れないのです）、樹木希林演じるお婆さんが仕事を求めて訪れて、絶品の餡作りを伝授する、というお話です。

美しい桜の景色から始まる物語は淡々と、けれど着実に進んでいきます。なるほどよくあるグルメ映画かと思う頃に、最初にチラッと映ったお婆さんの手指の変形という伏線が顔を出してきます。彼女はそう遠からぬ所にある「らい病」つまりハンセン病患者の施設（旧・隔離施設）から通っていることが明らかになるわけです。そしてその噂によって客足が遠のくことになる——。

これもまた心に滲《し》みる佳作です。客が来なくなったことで、お婆さんはその店でのアルバイトを辞して「園」に戻ります。映画は「世間」の偏見と無理解とに直接対峙するわけではありません。店主の無言の悔しげな表情と、そして店の常連だった女子中学生（これは樹木希林のお孫さんが演じていました）と二人しての「園」訪問と再会とが、かろうじてこの病気を取り巻く「差別」と「やるせなさ」の回収に機能します。そして『ｈｉｓ』と同様、『あん』は観客の心に何らかの種子をそっと置いて終わるのです。

そこで一つ、なんとはなしの疑問が浮かびます――一人ひとりの心の底にひっそりと置かれるその「種子」が、「私」の土壌から芽吹くのはいつのことでしょうか。その私的領域での善意が、社会という公的領域での意志に発展することはあるのでしょうか？

もっと言えば、「この歳になったら男も女も関係ねぇ。どっちでもええわ」と言ってくれる心やさしい人々が、例えばシュンとナギサが同性婚を求めるようになったら、そこでもいっしょに、社会制度の改革のために署名運動なりデモなり裁判なりに立ち上がってくれるのだろうか？　樹木希林たちの無念を晴らすべく、ハンセン病患者差別の解消に動いてくれるのだろうか？

オスカーを獲ったあの映画『フィラデルフィア』で、エイズで痩せ細ったトム・ハンクスがデンゼル・ワシントンとともにそれでもとことん裁判で争い、勝利を勝ち取ったのは、あの悲劇が、政治の不在によってバタバタと人が死んだあの惨状が、私的領域における個人的な善意では回収できない規模と種類のものだったからです。だから私たち観客までもが、あの、司法による勝利に快哉を叫んだ。

ではその私たちの快哉と、『h・i・s』や『あん』におけるしみじみした感動とは、何がどう違っているのでしょうか？　同性愛差別もハンセン病差別も、私的領域における個人的な善意で回収できる種類のものだということでしょうか？　いや、個人的な善意で回収できる部分と、回収できない部分があるということでしょうか？　日本映画は前者を得意とし、ハリウッドは後者を描くということでしょうか？

ゲイの神父の名のストリート

私はこの差を、「私」の領域と「公」の領域との間の回路の有無の差だと思っています。ひょっとすると、というか多分に、二十五年近くをニューヨークで暮らしていたせいで、私はそうしたアメリカナイズされた方法論に感化されてしまっているかもしれません。それでもその「公」の行為もまた、時にとても（「私」の部分で「ウルッ」とする美しさとはまた別の種類ですが）美しい行為であることは確かだと思われるのです。ただ、その種の行為は、日本ではあまり目にすることがない。

いずれにしても、個人的な善意や思いやり、敬意を、それだけにとどめずに集団の善意や思いやり、「共同」の敬意として表現し直すこと――それは「私」から「公」への転位です。通りや橋の名前によくヒーローたちを顕彰してその名が冠されるという習慣についてもすでに触れました。

9・11テロ、崩壊した世界貿易センターでの第一号犠牲者として認定されたのは、その現場に真っ先に駆けつけたマイカル・ジャッジ（Mychal F. Judge）という神父さんでした。FDNY（ニューヨーク市消防本部）には、火事や事故の犠牲者を追悼する署付きの司祭がいるのです。遺体と瓦礫の転がる通りで祈りを捧げた神父は次に緊急指揮本部が設置された北タワーのロビーに急ぎます。そしてそこでも救急隊、負傷者、そして死者たちのために祈っていた午前九時五十九分、隣接する南タワーが突然崩壊を始めたのでした。

落下する大量の瓦礫が北タワー・ロビーにも降り注ぎ、待機していた指揮要員たちに襲い掛かりました。神父もその中の一人でした。死の直前まで神父は大声で祈っていたそうです。「Jesus, please end this right now! God, please end this!（ジーザス、これを今すぐ終わらせください！　神さま、お願いです、これを今すぐ！）[*2]」と。

ジャッジ神父は同性愛者でした。当時の消防本部長トーマス・フォン・エッセン（Thomas Von Essen）が言っています。

現場の組合時代から彼のホモセクシュアリティは知っていた。私は黙っていたが、五年前に本部長になった時に彼から言われた。そのことでよく笑い合っていたよ。私には簡単だったが、他の消防士たちにはきっと受け入れがたいことだったろうから。彼は私にはただ、並外れた、心温かい、真正直な男だった。ゲイだったってことは何に関してもまったくどうでもいいことだった。[*3]

二〇〇二年、ニューヨーク市は彼の住んでいた西三十一丁目の通りの一部を「マイカル・ジャッジ神父通り（Father Mychal F. Judge street）」と改名し、ハドソン川の通勤フェリーの一隻にも「マイカル・ジャッジ神父」号という洗礼名を与えました。

こういうことはすでに制度として欧米社会に根付いているのでしょう。私的空間（領域）と公的空間（領域）の双方で実現させないでは済まない人々の思い。私はその努力を美しいと思う。

通りや橋などを故人の名前に改名して顕彰する社会文化。マンハッタン西 31 丁目の一部は「マイカル・ジャッジ神父通り」になった。©大谷章人

「敬礼」という転位

例えばこんなエピソードもSNS上で大きく話題になりました。[*4]

二〇二〇年二月六日、アンディ・バーナブ（Andi Bernabe）は十八歳の誕生日を

迎えました。その日、登校した彼は友人の一人に合唱室に連れて行かれます。そこにはクラスメイトが待っていて、サプライズの「ハッピー・バースデー」が歌われました。それだけではなく、二十九人から寄付された計三百ドルが手渡されたのです。それは二年前にトランスジェンダー（FtM＝女性から男性）であるとカム・アウトした彼の、正式な名前変更の手続きに必要なテキサス州での申請費用でした。十八歳で成人となった彼は、この日、その申請が可能になるのです。クラスメイトからは、その申請が通った暁《あかつき》の、新しい名前の二十九人の署名入り証明書の手作りのダミーも手渡されました。アンディは喜びのあまりにその場に泣き崩れました。[*5]

クラスメイトたちは日ごろから彼に対するいたわりや思いやりを見せていたのかもしれません。でも、それだけでは十分ではないと感じた彼ら彼女らのその思いの源は何なのでしょう？　習慣でしょうか？　教育でしょうか？　おそらくその両方です。「私」と「公」の間に回路さえつながっていれば、この発想はそう難しいものではない。

もっとさりげない仕草で、「私」を「公」に転位させる表現もあります。日本でも放送されているアメリカの長寿番組に『Law & Order：性犯罪特捜班』というシリーズがあります。その第十九シーズンの第十八話に『兵士の掟』（原題はService）というエピソードがあります。アメリカでは二〇一八年八月に放送されたこの回は、売春婦をレイプし瀕死の重傷を負わせたとして起訴される三人の兵士の話です。

一人は若く童貞で、それをからかわれるのが嫌だという理由だけで当初は自分がレイプしたと供述します。ところが当の被害売春婦の証言から、実際の犯人は三人で最もランクの高い二等軍曹であることがわかります。けれど、その証言を補強する目撃者であるはずの三人目の軍曹が、上官である二等軍曹の犯行を証言することを頑なに拒むのです。なぜなら、裁判では証言の信用性をめぐり、自分がなぜその場で上官とともにレイプに加わらなかったのかが必ずや問われるからでした。つまりその時、彼は自分が「トランスジェンダーの男性」であるということも証言しなければならなくなるのです。

そこで原題の「Service」という言葉がカギになってきます。これは「軍務」とか「兵役」という意味ですが、もちろん「奉仕、奉公」の意味もあります。舞台設定はオバマ時代です。トランスジェンダーの兵士も診断書を提出して軍務に就けました。彼もそうして嘘偽りなく軍曹になってい

＊2　NY Daily News「THEY MADE AMERICA, THE BEAUTIFUL（アメリカを作った美しき人々）」by Michael Daly, September 11th 2002, https://web.archive.org/web/20101124040845/http://www.nydailynews.com/archives/news/2002/09/11/2002-09-11_they_made_america_the_beaut.html

＊3　「The Firemen's Friar（消防士たちの修道士）」November 12, 2001 New York Magazine

＊4　TikTok (@fluffiestboy) https://www.tiktok.com/@fluffiestboy/video/6790859869676113158

＊5　「This Trans Teen's Friends Surprised Him With Money for His Name Change（トランス・ティーン男子の友人たち　サプライズで改名資金を提供）」BY MICHELLE KIM, February 10, 2020

ました。国に奉仕するためです。ところが同僚や部下たちにはトランスジェンダーであることを知らせてはいない。それで、証言すればそれまでの（本当のことを言わないでいたという意味での）「嘘」が明らかになって同僚や部下たちの信頼を失い、自分で「天職」と信じる「サーヴィス」ができなくなることを何よりも恐れていたわけです。

捜査官は、それでも彼に、正義を為すことが国民への「サーヴィス」なのだと訴えかけます。果たして彼は、証言台から自分がトランスジェンダーであることを明かし、上官の二等軍曹の犯行を証言するのです。

ここまでは徹底してこの軍曹の「私」的な葛藤と正義への思いを描いてきたドラマですが、最後にそれが「公」へと昇華する場面があります。勇気と正義を示して証言した軍曹が法廷を立ち去る際に、裁判の行方を見守っていた部下の兵士たちが同時に傍聴席から立ち上がり、歩を進める彼に向けて一斉に敬礼を送るのです。

敬礼とは、兵士にとって最も公的な行為の一つです。公の兵士は軍を象徴しています。すなわち、国がそこにいるのです。彼ら兵士と同時に、国家が、彼に敬礼をしたのです。

一瞬ですべてを掬い上げる、この美しい転位の演出は見事としか言いようがありません。

「オトナ」であるということ

教育や習慣といった生活文化の背景が違う私たち日本人には、この種の芸当はなかなか難しいかもしれません。そもそもがワザと臭くなる恐れもあります。アンディくんのクラスメイトによるあのサプライズ企画のような発想も、日本の日々の学校生活においては果たしてすんなり出てくるか難しい。出てきたとしてもみんな賛成するかしら？　そもそもそんなことを誰がどのように発案、提案するのか。ホームルームで？　あるいは放課後の秘密の打ち合わせで？

日本での、これに匹敵するエピソードで思い出すのは、野口英世の左手の火傷の癒着《ゆちゃく》を治療するために、小学校の先生や同級生らが募金を行って手術代を捻出したという話です。英世はこれで医者を志したとか。明治二十五年、一八九二年のことです。なので、それに似たことは現代の日本でも（私が知らないだけで）どこかで起きているのかも知れません。ただ、言い出しっぺになるための勇気はかなりな大ごとである気がします。

私の知ったアメリカはその種のことが日常的に努力されていました。いたるところ、いたる場面で、そういう発想、自分の思いをどうにか公に表出しようという意思が、かなり頻繁に出てきます。「正義」と「公正」を為すための勇気も奨励されます。日常生活においてそうやって子どもの頃から公の行為や公の議論が奨励されるのですから、大人になってからの彼我の差、米日の差はもっと大きくなります。

「公の議論」といってもそう大げさなものではありません。その素地は、公の空間で声を出すこと、程度のことです。クラスルームで手を挙げて発言すること。もちろんそれが不得手な子も少なからずいます。勉強ができないので答えを言えない子もいます。けれど何をどう思うかを聞けば、結構な割合の子たちがまるで大人顔負けで滔々《とうとう》と話し始めたりするのです（こんな子たちが大人になり、そこであまり話してこなかった日本の新人大人たちとグローバル化のビジネスで渡り合うわけです。余程じゃないと日本人は勝てない。そのギャップが今の日米外交や通商交渉の現状を反映しているような気がします）。

クラスルームに限りません。通りや駅や地下鉄で、すなわち公的空間で、赤の他人がひょっとしたきっかけで声を出します。ぶつかって「あ、失礼（Sorry）！」。「すいません（Excuse me）、通ります！」と発語します。それはもう習慣です。相手は芋洗いのイモじゃありません。それが成熟した一個の市民の態度として奨励される。しばしば「そのバッグ、かっこいいね。どこで買ったの？」などの会話も始まる、と前にも書きましたが、東京のノリより大阪のノリに近いかもしれません。もっとも、東京は人口の四五％までがよそ者、地方出身者（しかも若者が多い）ですから、みんな田舎者に見られないよう、スキを見せないよう、必要以上に気張って構えているのかもしれないですね。でも、「公の議論」というのは案外、そういう「街なかで見知らぬ人に対しても声を出す」、というレベルの余裕から始まるのだと思うのです。

そうやって「公の領域」での言葉に慣れていないと、必然的にそこから発展して「公の議論」をする人間たちがやかましく思えてきます。それが外国人ならしょうがないかと諦めもするのですが、同じ日本人なら「欧米か！」とツッコミを入れたくなる。突っ込むくらいならまだ笑って済ませられますが、それが度重なるとやがてその人は私的な領域での「和」を乱す厄介者になってきます。

それを避けようと、日本では、「まあまあ、そう事を荒立てないで」「まあまあ、そこは仲良く」「まあまあ、そこはオトナ同士、穏便に」と取り成す人が必ず現れます。そしてこの「日本では」「欧米では」を連発して社会の不具合を比較し知らせようとすると、それすらすぐに「出羽守（「では」の守）」と疎まれるようになるわけです（でもその人たちも実は「日本ではそうじゃないんだ」という、逆の形の「出羽守」なのですが）。

「言挙げ」というバイアス

振り返れば、私は幼稚園のときから自分で手を挙げること、声を上げることをあまり躊躇しない子でした。たまたまそういう性格だったのだと思います。教師や上級生たちにも物怖じしなかったし、そのせいで大学で寮に入った時は生意気だと言われて二十三発も顔を殴られたこともありました。その頃は憲法九条に影響されてとんでもなく頑固な平和主義者でしたので完全に無抵抗で声も上げず手も上げず、翌日には鏡に映る腫れ上がった顔を見てさすがに仰天しましたが、当時知り合ったばかりの中上健次さんの顔みたいになったとヘラヘラ笑ってました。殴った相手はその顔に怯《ひる》んだのかこそこそ逃げ回り私の九条路線は効果があったようですが、そこに、物怖じしてはやってられない新聞記者という職業的な訓練と習慣と、さらにはニューヨークのタフな生活が加わって今の私がいます。タフではあったけれど、ニューヨークという場所が妙に馴染んだのは、とにかく話し倒すというその言語環境がけっこう私の性分に合っていたからなんだろうと思います。この本を書いているのはそういう私です。文章というものは拭い難くその種の性格的なバイアスを常に纏ってしまいます。

言葉が私的領域にとどまらずに「赤の他人」の遍在する「公」に向かって発せられる——言挙げとは、自ら「私」を離れてしまう言葉のことです。一方に、「もっと内々に、内輪だけで、穏やかに、事を荒立てずに、どうにかできるんじゃないか。それが『和』を乱さぬ、最も穏便な、成熟した解決法なんじゃないか。それが『ワン・チーム』『一丸となって』の『美しい国』ではないか」という引力が働きます。なぜならその昔、「公」とは天皇であり、幕府であり、明治政府であり、昭和の軍国政府であり、ひいては私的空間にある家の家父長のことでした。「公」の領域は不可侵で、そこで、あるいは、そこに向かって言挙げしたら、それだけで打ち首や村八分や勘当となり、連座する者たちまでが切り捨て御免となりました。これは根が深い。そうして大衆はそのうちに学習性の無気力に陥って、私的にすら救済されないものはもう「どうしようもないもの」と反応しなくなる。それが社会的成熟の在り方として浸透する。諦めることがオトナの処世となる。その次は、自分たちとは今や異質の、公的言語を発しようとする者たちを、逆にまず自分たちで抑圧するようになります。さらには否定します。それでもダメなら自分たちとは関係ない者として疎外する、あるいは無きものとして扱う――公の領域での、社会の内側での、自動抑圧装置のループの完成です。「公」の存在しない集団では、集団の不正を正そうという「内部告発」は「告げ口」になります。「私」から「公」への回路がつながっていないと、すべては個人的な怨嗟《えんさ》で語られてしまうのです。内部告発者は「告げ口する卑怯なやつ」です。「どうしてそれを法で守ろうとするのか？　それは特権だ、そんな必要はない」ということになります。

そう考えると、アメリカ社会ではオトナになるということは「公の空間」で言葉を発することであり、日本社会では逆に言葉を発しないこと、という極論が成り立つことになります。

学生時代、塾で国語を教えていたとき、『万葉集』に次の柿本人麻呂の歌があるのに気づきました。

葦原《あしはら》の／瑞穂《みずほ》の国は／神《かむ》ながら／言挙げせぬ国／然《しか》れども／言挙げぞ我《あ》がする。

(葦原の瑞穂の国であるこの国は、神の意のままにして言挙げはしない国ではあるが、私は言葉に出して言うぞ)

遣唐使を送る歌であるこの場合の「言挙げ」とは、唐に渡る人々の無事を、神による運命に任せずに、人麻呂自らの意思として叶えようとする言葉のことです。飛鳥時代のことですから文脈はやや違いますが、この言葉づらは「公＝神」に対する「私＝人麻呂」の宣言として、なかなか興味深いと思います。

「あなたを守る」方法

さて『ｈｉｓ』は、私的領域の物語でありながらも『あん』同様に美しい映画です（冒頭の「後朝の別れ」のシーンは、平安時代を想起させると同時に『ブロークバック・マウンテン』のジャックの実家でのシーンからもつながっていた美しいオマージュでした）。同時に私は、アンディくんに三百ドルの募金をしたクラスメイトの行為をとても美しいと思う。トランスジェンダーとしてのカミングアウトを通して正義に尽くした軍曹の行為を美しいと思う。

アンディくんのクラスの話のついでに、もう一つ映画の話をします。二〇一六年に製作された『カランコエの花』という、レズビアンがテーマとなる日本の高校が舞台の映画です。多感な時期の高校二年生の授業で、先生が突然、「ＬＧＢＴに関する話」を切り出します。それもそのクラスだけ。「人を好きになるのは感情の問題」「恋に性別は関係ない」。しかしどうしてそんな授業を唐突に？　生徒たちは逆に、自分たちのクラスにＬＧＢＴの人がいるからじゃないかと疑い始めます。それは男子生徒を中心に次第に「犯人探し」の様相を帯びていくのです。

「カランコエ」の花言葉は「あなたを守る」だそうです。けれどこの映画は、レズビアンの生徒を

「特別授業」を通して「公」の場で「守ろう」とした先生の失敗から始まります。この映画はレズビアンの生徒を守れなかった「私」たちの未熟さと悲惨さを露呈させるのです。ここで展開するのは、もう、「そうやっちゃいけないよ」なことのオンパレードです。無知な善意から唐突に授業を始めた先生からしてそうなんですが、レズビアンの生徒をかばうためにその友人（恋の相手）に「（彼女は）レズビアンなんかじゃない！」と言わせてみたり。

したがって、ネットに溢れるこの映画の感想も「そもそも彼女はレズビアンじゃない」「恋をして、胸がいっぱいなってつい恋バナをしてしまうような、どこにでもいる普通の高校二年生」「〝レズビアン〟という枠に無理やりあてはめられたことで、恋路がふさがれてしまった」といった主張に流れがちです。

そう、この本の最初で触れた「脱ゲイ化」です。「これはレズビアン映画ではない、普遍的な人間の愛の物語だ」という、例のアレです。「彼女はレズビアンじゃない」＝「レズビアンじゃないから正常だ」です。もちろん前章で触れた「エセックス大学心理学部の研究」のように「女性はそもそも汎性的（パンセクシュアル）だ」という議論は成り立ちます。けれどそれは「脱レズビアン化」とは違います。「レズビアンであったってかまわない」です。

かくして「ネットに溢れる感想」の引用元のそのネタバレ・サイトでの結論は「本作品『カランコエの花』を鑑賞する際には〝LGBT映画〟と構えるのではなく、優れた青春映画を観る心持ちで少年少女の表情や感情を丁寧に読みとり、その一つ一つを味わうことをお薦めします」というものでした。

そういう読みをさせるのは、映画として成功しているのでしょうか？　この映画は二〇一七年の『第二十六回レインボー・リール東京』のコンペティションでグランプリを受賞するなど、ほかにも結構な賞を獲っているのですが。

「私はあなたです」

プロットに関する〝アメリカナイズ〟されたステレオタイプな私の予想は、こういう映画はきっと最後にクラスの女子が何人か立ち上がって、〝犯人〟探しの幼い男子たちに向けて「私もレズビアンだ」「私もそうだ」「なんか問題ある？」と迫るというものでした。それは「#MeToo」の運動にも似て、実際にそうであることとともに、実際にはそうではなくとも自分の中に呼応する部分を意識化して、そこに同化する友情と連帯の気概を示す行為です。それは「私もあなたです」、そして「あなたは私です」という究極の「アライ」の在り方のように思えます。そんな青春ものは欧米のTVドラマや映画では結構あるような気がします。

ところでこれには次のような疑問が湧きます。たとえ「友情と連帯の気概」を示す行為だとしても、それは「青春」にありがちな勘違いなのでしょうか？　レズビアニズムを意識したこともない人が「私もレズビアンだ」と軽々しく発言することは、「性的指向は生まれつきのもので、変わらない」という（多く同性愛を肯定するために用いられてきた）定説に反する欺瞞なのでしょうか？

「性的指向」はおそらくそんなには変わりません。そこに自分でゲイなら「ゲイ」、レズビアンなら「レズビアン」と「性的アイデンティティ」を被せると、自身にとってもそれは固定したものの表明のように感じられます。

ところが一方で「性のグラデーション」とか「性スペクトラム」という考え方があります。性的指向で言えば「ホモセクシュアル」と「ヘテロセクシュアル」の間に、二元論（バイナリー）ではこぼれ落ちてしまうアナログな連続線がつながっているという概念です。私たちはその線のどこかにいます。その上で自分のその立ち位置（性的アイデンティティ）を、二元論的な単語で、あるいはピンポイント的な所記《シニフィエ》で固定させています。けれど最近はそんな二元論や固定化に縛られない、縛られたくない「ノンバイナリー（non-binary）」や「ノンコンフォーミング（non-conforming）」、あるいは「パンセクシュアル（pan-sexual）」という概念が出てきて、それを自称する人も増えてきました。

近年、TVドラマやハリウッド映画などのキャスティングに、トランスジェンダーの役はトランスジェンダーの俳優が演じるべき、ゲイやレズビアンの役も当事者の俳優たちが演じるべき、という主張が拡大しています。一方で、ゲイ役を演じることになるストレートの俳優がその批判を受けて「ぼくが一〇〇%ストレートだって、誰が知ってるんだ？」と返したことが芸能ニュースになっていました。そういうとき、どう応じるのか？

これは難しい問題です。かつて『ミス・サイゴン』（一九八九〜）というベトナム戦争時の売春バーを舞台にしたミュージカルがロンドン・ウエストエンドからNYブロードウェイに進出してきたときに、ベトナム人役はアジア人が演じるべきだと問題になりました。これは第五章で触れた「ジム・クロウ」という黒人差別の問題から派生しています。[*6] 顔を黒塗り《ブラックフェイス》にした白人が演じる「黒人」――「ミンストレル・ショー」の差別問題です。ただ、「アジア人」と言っても主役のベトナム人少女「キム」を演じたのが最初はフィリピン人女性だと知ると、アジア人の私たちなどはそれはまた違うんじゃないかとも思います。しかもフィリピンとベトナムとの二元論ではなくその間の「混血」の場合というノンバイナリーの問題もかぶさってくると、どこまでがどれだという境界はさらに曖昧です。

　この「べきだ」問題は、実はアイデンティティの問題ではなくもともとは「雇用」の問題でした。数の上でも白人が支配的なショービジネスの世界で、人種的マイノリティの雇用機会を少なくとも均等にするための呼びかけでした。それはジェンダー・バイアスの問題とも絡んで「スーパーマン」に対して「スーパーガール」が登場したり、「007、ジェイムズ・ボンド」への黒人男性、さらには黒人女性の起用が取り沙汰されることにもつながっています。

　そうした文脈でトランスジェンダーの役はトランスジェンダーと自認する人が演じるに越したことはありませんしそうすべきだと（あるいはそれができない場合には少なくともトランス女性役は女性俳優が、トランス男性役は男性俳優が演じるべきだと）思いますが、一方でゲイとストレートの場合には今度はゲイの俳優はストレート役を演じられないことになってしまう。さらに、性指向のグラデーション、ノンバイナリー理論の上では、ストレートの俳優が自分の中のゲイネスを懸命に拡張してゲイを演じること、ゲイの役者が自分のストレートネスを懸命に拡張してストレートを演じることができるのならば、それは要はその演技が上手いか下手か、迫真か皮相か、という問題になってくるのではないかとも思うのです。もちろん視聴者や観客の、そんなノンバイナリーな在りようを理解できるかの能力にも関わってきますが。

性的アイデンティティはストレート／ゲイだけれども、性的指向としては何割かゲイ寄り／ストレート寄りである人だって少なくはない。それにまた、そういうグラデーションの中でしか、日本社会でこうも多いホモソシアルな関係は説明できないような気がします。

そうやって見たときに、これまでまるでコウモリみたいな扱いも受けてきた「バイセクシュアル」や「MSM」という（これまでこの本で触れてこなかった微妙なカテゴリー、そしてこれから論じることにもなる）概念が、「LGBTQ＋」の「Q＋」、「ノンバイナリー」などの在り方にもつながって、違う可能性を見せてくるようにも思います。

女性たちはもとより、「ストレート男性」の中にも、この「中間の領域」に怖じけずに足を踏み入れ、あるいは踏み入れていた足のことを怖じけずに語る人が増えてくる。それは究極的に「私はあなたです」という表明と通底する、友情と連帯の問題、あなたと私の「入れ替え可能性」の問題

＊6　百二十三頁参照。

になるのではないか。そんな予感がします。それはかつてフーコーが『同性愛と生存の美学』（哲学書房／一九八七）の中で言った、「同性愛とは友情の問題である」ということに予言的に関わってくる問題だと思われるのです。

第十一章　男らしさの変容

カミングアウトをするということ

「同性愛という問題の数々の展開が向かうのは、友情という問題」であるというフーコーの謂いはさまざまな意味を含んでいますが、それはまた七〇年代から八〇年代にかけてのゲイ人権運動〝草創〟期の、どこか牧歌的な響きを伴っています。しかし実際に、エイズ禍の八〇年代、私はそれと必死に闘うゲイ・コミュニティと、そこに手を差し伸べるレズビアン・コミュニティとの、友情とか連帯とかとしか見えない姿を遠く日本から眺めながら、地球上の他のいかなる集団がこれほどによくエイズと戦い得るだろうかという感慨を抱いていました。その意味において、エイズ・ウイルスと呼ばれたＨＩＶがまず最初にゲイ・コミュニティを襲ったことを、誤解を恐れずに言えば、人類の僥倖《ぎょうこう》だとさえ感じていたのです。二重、三重の差別の中でさらに傷つき殺されながらも、彼ら彼女らがＨＩＶに対する人類全体の代理戦争を引き受けているかのように。

私が渡米した九〇年代には、ニューヨーク市のエイズ医療最前線の拠点病院の一つはヴィレッジにあったセント・ヴィンセント病院[*1]でした。そこで働くデイヴィッドという内科医に、ここは全米からゲイやレズビアンの医師と看護師らが志願するように集まっていて「ストレートだと出世できないんだよ」と冗談めかして言われたことを思い出します。私も笑ったのですが、冗談じゃないんだろうなとは知っていました。

あの頃は自分でゲイだと告げればほとんどのゲイ男性やレズビアン女性が信じられないほどのやさしさで接してくれました。遠く外国から来ている英語もおぼつかないおノボリさんに対するニューヨーカーのホスピタリティというのも多々あったのでしょうが、この人に会うといい、これを観るといい、パーティーに行こう、食事に行こう、と誘われるうちに友人の輪はどんどん広がっていきました。それはコミュニティというのと同時に、エイズ禍で押しやられる先のゲットーのような親密感でありながら、常に「公の空間」を志向している、日本では経験したことのない不思議な「身内」感でした。

一九九三年十月のカナダの総選挙を取材しに首都オタワに滞在したときも（私の勤務したニューヨーク支局はアメリカ大陸すべてが担当でした）、外国の選挙など初めてで何が何だかわからない私を、友人から紹介されたジョン・ハラム（John Hallum）というゲイ男性がものすごく助けてくれました。

＊1　正式名称はSt. Vincent's Catholic Medical Centers。一八四九年創立。十九世紀以来のコレラ禍の治療センター、一九一二年に沈没した豪華客船タイタニック号の生存者収容病院としても有名。二〇〇一年の9・11世界貿易センター・テロ事件でも現場に最近の大型病院として活躍したが、二〇一〇年、七億ドルの負債で百六十年の歴史を閉じ、現在は高級コンドミニアムなどになっている。

オーストラリアからカナダに移住し、高校教師をして早期引退したばかりだった彼は、私に政府や政党で働くゲイ男性たちを次々に引き合わせてくれ、当時重大事だったケベック州の独立問題や財政赤字問題をつぶさに教えてくれました。開票当夜にはジョンの家に何人もの友人ゲイたちが集まり、私にいちいち丁寧に情勢を説明してくれました。渦巻く英語にめまいを覚えながらも「すげえな、ゲイのネットワークって」と改めて感嘆していたものです。その後、この総選挙を総括する長文の解説記事を送ったとき、当時の担当局次長に「きみは政治も書けるんだな」と感心されました。それをジョンに伝えると「これをゲイ・パワーって言うんだよ」と言われました。私より二十歳近く年長の彼はその後、ゲイ・カルチャーを教えてくれ、翻訳本を手伝ってくれ、ニューヨークと日本を行き来した私の三十年近くにわたるメンターです。ちなみに、タクシーで「真っ直ぐ行って」と英語で指示するときに、「ゴー・ストレート」ではなく、「ゴー・ゲイリー・フォワード（Go gaily forward）」と言うのだと教えてくれたのも彼でした。「ストレート」とは意地でも言わない。「陽気（ゲイ）に前進！」というわけです。

とはいえ、ゲイやレズビアンがみんなそんなやさしい人かというとそういうわけじゃありません。当たり前だけど意地悪で嫌なやつだって世間と同じ数だけいます。人種差別するやつだって犯罪者だってもちろんいる。ただ、懸命にやさしくあろうとした時代があって、たまたま私はそこに居合わせたというだけでしょう。順番として、そういう時代を先に知ったのは幸運でした。

カミングアウトをするのは、人間というのが嘘というものに耐えられないようにできているからだと思います。一つ嘘をつくと、その嘘を取り繕うためにまた嘘をつかなければならなくなります。嘘と嘘の辻褄を合わせるためにまた別の嘘をつく。そうやって嘘に嘘が重なって、何が嘘だったのか、誰にどう嘘を言ったのかわからなくなる。そういうのはストレスになります。健康的じゃない。不健康が大好きという人もいますが、その種の話をしているんじゃなくて、その嘘には「本当のことを言わない」という消極的な嘘も含まれるから複雑、厄介です。ご飯論法や藁人形論法というのを、自分の詭弁《きべん》を自覚しながら使っていると頭がおかしくなるのと同じです。ならない人もいるみたいですが……。

もう一つ、「大義」のためのカミングアウトもあります。「大義」というと大げさですが、何か意味のあること、理由を持つことでカム・アウトする弾みとする——何度も触れているように、エイズと闘うため、差別と闘うため、不正義を糾弾するため、いじめられているクラスメイトを援護するためにカム・アウトすることもあるのです。

私が正式に母にカム・アウトしたのは、二人目のボーイフレンドができたからでした。タカヒロくんがサンフランシスコに移ってから二年後に、語学留学という名目で私のところにやってきた沖縄の青年でした。いっしょに暮らしているのに、彼にコソコソさせるのが忍びなかったという、大義というか「小義」でした。

二人で一時帰国した際に実家に連れて行って紹介しました。父はすでに他界していました。母はすでにわかっていたようです。母親というのは、そういうものなのかもしれません。彼女は彼をとても大切にしてくれました。寝る部屋は別々に用意していましたが、はて、あれは何だったんでしょう。そういえば弟夫婦が泊まるときもそうでしたから、あれは我が家の、というか母の実家の昔ながらの流儀だったのかもしれません。

「大リーグ」のカミングアウト

八〇年代から九〇年代に至るエイズ禍という「大義」を経験して、アメリカ社会では大量のカミングアウト運動が成果を結び始めます。ホモセクシュアルという性的指向のアイデンティティ、トランスジェンダーという性自認のアイデンティティの発見が、同時にヘテロセクシュアルおよびシスジェンダーという二つの次元のアイデンティティへの照り返しと発見に結びつき始めました。それがやっと、社会の一般大衆のレヴェルにまで降りてき始めた。

そのとき、性的マイノリティの解放の問題は、性的マジョリティの解放の問題と等価になります。もっとも、そこに取りこぼし、取り残しがあったのは、のちに起こる「非マイノリティ・ポリティクス」の問題として第七章「アイデンティティの誕生と『政治』[*2]」で触れましたが。

カミングアウトはそうやって、自分に向けた行為から社会に対する行為になっていきました。

性的マジョリティの表徴たる「男性」スポーツの世界で、それは劇的な、感動的ともいえる〝事件〟でした。

二〇〇一年三月、北米の四大プロスポーツ[*3]の一つ「大リーグ野球」のシーズン開幕日に、シカゴ・カブスが、以降、毎年恒例のイヴェントとする「ゲイ・デイ（Gay Day）」を始めたのです。名付けて「Out at the Ballpark」。これはなかなか翻訳が難しいのですが、米国ではプロ野球の球場は公園のようになっていてボールパークと言われます。そこで「アウト」というのは外に出かけてくるという意味と、同時に「アウト・ゲイ（out gay）」であることの二つの意味を掛けているのです。「アウト・ゲイ」とはすでにカム・アウトしてオープンにしている「オープンリー・ゲイ」と同じ意味です。

ちなみに「ゲイ・デイ」というのは、ゲイバーもない地域のコミュニティでLGBTQ＋の集う場を提供しようとバーやパブなどがある日・ある夜を特定してサーヴィスを提供する日のことを言います。夜の場合はゲイ・ナイトですね。それが一九九一年六月（「プライド月」です）、フロリダ州オーランドーのディズニー・ワールドに、「可視化」を目指した三千人のゲイやレズビアンが赤いTシャツを着て集まるというイヴェントが呼びかけられました。

＊2　百六十六頁参照。
＊3　NBA（National Basketball Association＝バスケットボール）、MLB（Major League Baseball＝野球）、NFL（National Football League＝アメリカン・フットボール）、NHL（National Hockey League＝アイスホッケー）。

なぜディズニーかというと、ゲイやレズビアンとしていじめられて鬱々としていた子ども時代の(ディズニーに象徴される)幸せと楽しさを、アウト・ゲイの今こそ取り返そう、ということでした。そして同時に、アメリカでハネムーンの旅行先として常にトップに挙げられるディズニー・ワールドで、ゲイ・カップル、ゲイ・ファミリーとして〝ハネムーン〟をやり直そうという意味もあるのです。

これは当初ディズニー本体とは関係のないゲイ・コミュニティの勝手な自主イヴェントだったのですが、四年後の九五年には全米から一万人が集まるまでに拡大し、当初は迷惑がっていたディズニーもどんどんゲイ・フレンドリーで協力的に変わっていきました。二〇一〇年にはゲイ・デイは六日間に及ぶ一大イヴェント「ゲイ・デイズ(Gay Days)」に成長し、プール・パーティーやビジネス・エキスポ、各種会議やゲイ・ファミリーの子どもたちのための行事も行われる計十五万人を集めるお祭りになりました。

大リーグ・カブスにおける「ゲイ・デイ」もそうやって始まりました。呼びかけたのはゲイ新聞《シカゴ・フリー・プレス(Chicago Free Press)》の広告営業部員だったビル・グーブルード(Bill Gubrud)でした。カブスの大ファンでもあった彼が広告主や読者に広く呼びかけ、開幕試合の団体席二千席を購入して球団に同イヴェントへの協力を働き掛けたのです。

すでにディズニーなど各種テーマパークでの「ゲイ・デイ」成功を知っていたカブスにとってもこれは大きなビジネス・チャンスでした。新たなファン層獲得へのプロモーションとして、さらにはアメリカを代表するスポーツ界の「ゲイ・デイ」第一号として、それは社会的にも大きなインパクトのあるものでした。ゲイへの偏見はすでに当時のアメリカでは（特にシカゴなど大都市圏では）そちらの方がタブーでしたからメディアも好意的です。それにホームの「リグリー（Wrigley）球場」はシカゴの有名なゲイ地区「ボーイズタウン（Boystown）」に近接していました。カブスはこうして、ゲイ新聞に初めて広告を出した男性プロスポーツのチームともなるのです。

現在では「Out at Wrigley」と改名されているこのイヴェントは果たして人権問題のニュースとしてメディアで大きく取り上げられました。シカゴでは今もＬＧＢＴＱ＋の野球ファンの団体席を用意した上で、試合開始の国歌斉唱と始球式をゲイやレズビアンのコンテスト優勝者が行うようになっています。カブスはシカゴのプライド・パレードでもフロートを出してＬＧＢＴＱ＋コミュニティへの支援を明らかにしています。

大リーグは計三十球団ですが、以後、ほとんどの球団がカブスに続いて同様のゲイ・デイ（あるいは「プライド・ナイト」という呼称）のイヴェントを始めました。

アメリカの多くの男の子たちの（また女の子たちにも）憧れの的である大リーグ選手たちがこうした動きを公的に支援するのは、その中に含まれるＬＧＢＴＱ＋の子どもたち、あるいはそれ以外の子どもたちにも少なからぬ影響を与えることは想像に難くありません。もっともそれだけで差別や偏見がなくなるというわけではありませんが。

同じように、LGBTQ+の十代の子たちの自殺が社会問題になった二〇一一年にも、さまざまな分野の数多くの有名人たちとともに大リーグ球団もまたYouTubeに「It Gets Better（必ず良くなる）」と訴えるヴィデオを上げました。その中には当時の黒田博樹投手が所属したロサンゼルス・ドジャーズの動画もあり、黒田投手本人も若きゲイやレズビアンらに向けて英語でメッセージを送っていたのです。おそらく球団かチームメイトからの指示でしょうが、黒田投手も日本にいたらそんな機会には恵まれなかったでしょう。

現在のシカゴ・カブスのオーナーの一人はローラ・M・リケッツ（Laura M. Ricketts）です。彼女はオープンリー・レズビアンの弁護士で、「ラムダ・リーガル（Lambda Legal）」という性的少数者向け法曹家市民団体の理事でリベラルな政治活動家でもあります。そしてLGBTQ+コミュニティからの初めての大リーグ球団オーナーでした。

二〇〇九年に彼女が所有権を獲得する前には、性的少数者であるとオープンにした人でプロスポーツのチームオーナーだった人は一人もいません。ここでもまた男性よりも女性の同性愛者が先んじました。男性優位社会なのに（あるいはだからこそ）、公的なカミングアウトでは女性が目立つのは事実です。

ちなみに大リーグでは、ゲイだと自らカミングアウトした現役選手はまだ一人もいません（現役を引退してからカム・アウトした選手はいます）。性的指向が理由で解雇された選手はMLB史上少なくとも三人いるとされますが、いずれも公には認められていません。そもそも、スポーツと同性愛に関する調査自体、一九九〇年代になるまで行われたことがなかったのです。

アイデンティティの開拓者たち

大リーグなどの、とても大きな社会的存在の側から、LGBTQ＋の少年少女たちに性的多様性の受け入れモデルを示す、という流れは、もちろん自然と出来上がったものではありません。

同じ頃、やはり男の子たちのロールモデルである「米ボーイスカウト連盟（Boy Scouts of America）」でも、ゲイの隊員やリーダーを認めるか否かの一大論争が起きています。組織を二分したこの論争の中では同連盟の全国諮問委員だった映画監督スティーヴン・スピルバーグが反同性愛の連盟規則に抗議してその職を辞したりインテルなどの有力企業が次々と支援を停止したりの運動が起きました。結果、同連盟は二〇一三年に同性愛男子の入会を認め、二〇一五年七月二十七日には同性愛者の成人がリーダーや職員に就任するのを禁じた規則の廃止を決定、即日発効させました。

同じようなことが九〇年代から二〇〇〇年代にかけてアメリカ社会の各方面で同時多発するのです。そこにはまず、自らを〝曝《さら》し〟てまでも相手からの承認を〝要求〟する、アイデンティティの開拓者たちが存在しました。

この時代で最も有名なLGBTQ＋コミュニティからのプロスポーツ選手は、著書『Being Myself』（一九八五／『ナブラチロワ テニスコートがわたしの祖国』訳・古田和与／サンケイ出版／一九八六）でレズビアンだと公表したチェコスロヴァキア生まれのテニス・プレイヤー、マルティナ・ナヴラティローヴァ（Martina Navratilova）でした。もう一人同じくテニス界には、八〇年代まで四半世紀にわたって女子テニス界に君臨した大選手ビリー・ジーン・キング（Billie Jean King）[*4]もいました。さらには彼女たちに先駆け一九七〇年代にカミングアウトをしていた、一九六八年メキシコ五輪出場の陸上十種競技選手トム・ワデル（Tom Waddell）[*5]もいました。

けれど、プロスポーツ界での本当のカミングアウト・ラッシュは二〇一二年、ロンドン五輪で日本を破って金メダルを獲得した米国女子サッカー代表のミーガン・ラピノー（Megan Rapinoe）あたりから始まったと言っていいでしょう。一九八五年生まれの彼女に続いて、女子サッカー界では以後、同じく米国代表で最多得点者アビー・ワンバック（Abigail Wambach）らカム・アウトが相次ぎます。二〇一九年のＦＩＦＡの女子サッカーＷ杯でも優勝した米チームは、主将ラピノーが反ＬＧＢＴＱ＋、反女性路線のトランプ政権（当時）への抗議として、恒例の優勝後のホワイトハウス表敬訪問を拒絶すると発言してやんやの喝采（保守派からは強烈な非難）を浴びました。

そのラピノーは二〇二〇年十月三十日、女性全米バスケットボール協会（ＷＮＢＡ）「シアトル・ストーム」のガードであるスー・バード（Sue Bird）との婚約を公にしました。バードのインスタグラムで、海岸で婚約指輪を交わす二人の写真を公開したのです。二人は二〇一六年秋から交際しているとＥＳＰＮの記事[*6]で明らかにしていました。

男子では二〇一三年にサッカーのロビー・ロジャーズ（Robbie Rogers）が、そして四大スポーツ界からは初めてバスケット（NBA）のジェイソン・コリンズ（Jason Collins）が現役カミングアウトをしました。

もう一つの四大スポーツ、アメリカン・フットボール界（NFL）では二〇一四年に、ミズーリ大学のディフェンシヴ・エンドだったオープンリー・ゲイのマイケル・サム（Michael Sam）が史上初めてセントルイス・ラムズ（Rams）にドラフト入団を果たしました。それを機に「複数の現役選手が同時に一斉カム・アウトする準備をしている」という情報も流れました。私も当時、一体どういうニュースになるだろうと期待したのでしたが、結局、いつまで待っても誰一人のカム・アウトもありませんでした。けれどそれから七年を経た二〇二一年六月二十一日、ラスヴェガス・レイダ

＊4　日本では「キング夫人」で有名。レズビアンであることを隠していたが一九八一年、女性との手切れ金裁判でカム・アウト。二〇〇九年、長年の女性および同性愛者の権利向上に貢献したとしてオバマが大統領自由勲章を授与。伝記的映画『Battle of the Sexes』（二〇一七）がある。

＊5　一九七六年に《ピープル》誌でゲイを公表。参加者数では夏季オリンピックにも比肩する世界最大級のアマチュアスポーツの祭典「ゲイ・ゲイムズ Gay Games」（一九八二〜）の創設者でもある医学博士。一九八七年七月十一日、四十九歳でエイズで死去。同大会は現在も五輪中間年の四年ごとに開催され、第十一回大会は二〇二二年で香港を予定するも、中国共産党による香港の民主派弾圧で動向が注目される。

＊6　http://www.espn.com/espnw/feature/20088416/wnba-all-star-sue-bird-ready-let-in

ーズのディフェンシヴ・エンド（DE）のカール・ナッシブ（Carl Nassib）が、現役選手として史上初めてカム・アウトしたのです。[*7]

男性スポーツ界、特にコンタクト・スポーツにおいてはなおさら「男らしさ」の呪縛が強く、ファンの反応も気になります。それは企業からの莫大なスポンサー料や人生設計にも関係してきます。万が一でもそれらを失うリスクは避けたいと思うのは人情で、その「呪縛」が長らく選手たちのカミングアウトを妨げてきました。

けれど、そのNFLにしても、二〇一一年のストライキでは性的指向に基づく差別から選手を守る包括的労働協約を結びましたし、さまざまな選手や経営者が「自分にはゲイの兄弟がいる」という話をメディアで公表し、LGBTQ+コミュニティへの支持を表明してきました。ヒューストン・オイラーズ（Oilers）では名前を明かさないまでも二人のゲイのチームメイトがいるとして同僚選手たちが「ぜんぜん問題はない」と話したり、地元のプライド・イヴェントに寄付をしたり、反LGBTQ+のヤジや暴言には罰金や罰則を設けてもきたのです。

（カム・アウトできない）ゲイの当事者の選手やファンを慮って、ゲイではない選手や経営者側が差別や偏見を取り除く環境をどんどん整備してきた——そうした中で、まずは高校や大学という若いスポーツ界ではアメフトやレスリングやラグビーなどの分野でも多くのカミングアウトが行われるようになっていました。ナッシブは一九九三年四月生まれですから、まさにそんな若い世代の一人です。

新しい世代による「男らしさ」の変容の兆し——そこではファンの受容度も変わり、スポンサーの認識も変わり、社会自体が変わります。

イアン・ソープの苦悩

二〇〇〇年と二〇〇四年のオリンピックで男子四百メートル自由形などで五個の金メダルを獲ったオーストラリアの競泳選手イアン・ソープ（Ian Thorpe）は、現役引退八年後の二〇一四年、三十一歳になるまでゲイであることをひた隠しに隠してきました。そのこともまた一因として、長年にわたって鬱病に苦しんでいたのです。

自分が自分ではないと嘘をつき続けることは、どうしてそれほどまでに辛いことなのでしょう。

私たちはきっと、自意識の生成過程で常に「自分が何者か」をさまざまな形で問い続けています。そしてそれは自分だけで片がつく問題ではない。なぜならばそれはいつも「自分が何者かわかった」その後で、「その自分を認めてほしい」という承認欲求とカップリングになっているからです。

人は一人では生きていけない、という命題は、もちろん物理的に一人で生きていくことができないという生物としての脆弱性を意味していますが、同時に、他者の眼差しによって鏡写しに形成される自我の自己認証なしには（いわゆる）「人間性」を獲得できないということでもあります。狼に

＊7　https://www.instagram.com/p/CQZXu_8nyy_/

育てられた少女ですら、狼たちによる承認が必要だったように。
つまりカミングアウトもまた、自分が何者であるかの表明に前もって、他者による承認をあらかじめの目的とした行為であるということです。誰も、否定されること、拒絶されることを目指してカミングアウトなどしません。

This Is Me The Autobiography, Ian Thorpe, Simon & Schuster, 2013

このとき、しばしばおかしなことが起きます。否定や拒絶を恐れるあまり、主客転倒が起きることがあるのです。否定や拒絶されないような在り方の自分を、「自分が何者であるか」の答えの前に先に用意してしまうのです。承認欲求が目的化して、本来の自分のアイデンティティに気づく前に、「承認されるような自分」を作り上げる、信じ込む。

二〇一二年に出版されたソープの自伝『This is me』（未訳）で、ソープは「ここではっきりと書きます。私は同性愛者ではありません。過去の交際関係もすべて異性とのものです。私は女性に惹かれ、子どもが好きで、いつか家庭を築きたいと思っています」と記していました。「大きくなったときに自分の性的指向を（ゲイだと勝手に）決めつけられ、それが必ずしも自分の事実ではないと知るときの気持ちを私は知っています。私は、自分が誰であるかを知る前にゲイだと呼ばれたのです」――それは「嘘」でした。むしろ、「自分がゲイだと自分自身に知らせる前に」他者からゲイだと呼ばれて苦しんだのです。

自分を受け入れる第一歩として「ゲイ」のアイデンティティを自らに認めたソープは、現在オーストラリアで若者たちの悩みにリーチアウトする活動も続けています。

ジョン・カリーから、アダム・リッポンへ

ジョン・カリー（John Curry）という現代男子フィギュアスケートの先駆者についても書かねばなりません。

エイズ禍さなかの一九九六年、カナダ・エドモントンの世界選手権ガラ・エクジビションで、オープンリー・ゲイのアメリカのフィギュア・メダリスト、ルディ・ガリンド（Rudy Galindo）が全身を黒のビロードで包み、その首の周りを襟のような大きなレッドリボンでぐるりと飾ったコスチュームで現れた時のことを、今でもまざまざと憶えています。

鮮やかなレッドリボンはもちろんエイズ追悼のシンボルです。彼の演技は、彼の兄や彼の二人のコーチら、エイズに斃れた人々へと捧げられたのでした。その長いリストのなかには、その二年前に亡くなったジョン・カリーも含まれていました。

一九四九年九月に英国バーミンガムで生まれたカリーは、インスブルック五輪で英国に金メダルをもたらした二十代の最盛期を一九七〇年代に生き、プロに転向してからの円熟期を八〇年代に迎えます。その二十年がどういう時代だったか——すでに何度も、それがエイズの時代だったということは書きました。人は、自分の生きた時代と場所からは逃れられません。

ジョン・カリーは子どもの頃からダンサーになりたいと言っていました。しかしそんな彼の夢は工場経営者の父に否定されます。その代わり「許されたのはアイスケートだった。なぜならそれはスポーツだったから（I was allowed to ice-skate. Because it was a sport. They thought it was ok）」

そうした葛藤の中の彼の人生が『氷上の王、ジョン・カリー』というドキュメンタリー映画（二〇一八）になっています。

のちに「リンク上のヌレエフ」と呼ばれ、男子フィギュアを芸術と合体させたと賞賛された彼は、それでも当初は「男らしさ」の呪縛に苦しみました。当時の男子のスケートでは腕やスピンを使うことはタブーでしたし優雅さも不要と言われました。「スケートを始めた時、ぼくが腕を宙に上げて演技を終えるとコーチがその腕を掴んで体に押し付けるんだ（略）そうしないとぼくを叩いた。文字どおり叩いた。もっと屈辱的だったのは、医者に連れていかれたことだ。まるで何かを治さなきゃいけないみたいに」。別のコーチは「きみは絶対に成功しない」と言い放ちます、「スケーターとしても、男としても」。[*8]

当時のフィギュア界には彼の演技はあまりに華やかすぎ、あまりにも違っていて挑発的ですらあったのです。そしてインスブルックの金メダル獲得直後に、あるインタビュー記事が配信されました。その中で彼は（オフレコだったとしていますが）自分がゲイであることも語っていました。それが事実上のカミングアウト、あるいは他者によるアウティング（同性愛者だと暴露されること）となったわけです。

当時のメディアは彼のスケーティングの革新性や芸術性を語るよりも多く彼のセクシュアリティに注目し、それは多く好奇の目でもありました。ニューヨークで「ストーンウォールの反乱」が起きてまだ七年しか経っていない時のことです。七〇年代のゲイ・コミュニティもヒーローを求めていました。けれど彼に続きゲイであることを明らかにするアスリートは、スポーツ界全体を見渡しても皆無でした。

当時、スポーツ界でカム・アウトしていた一流選手は、一九二〇年（！）にウィンブルドンのシングルで優勝したビル・ティルデン（Bill Tilden）、前述の一九六八年メキシコ五輪十種競技のトム・ワデル、そして現役引退後の一九七五年に、初のNFL選手のカミングアウトとして話題になった

＊8　The Guardian, 2018/2/17「Adam Rippon, John Curry and figure skating's complex history with gay athlete（アダム・リッポン、ジョン・カリー、そしてゲイ・アスリートたちとの複雑なフィギュア・スケート史）」https://www.theguardian.com/sport/2018/feb/17/adam-rippon-lgbt-figure-skaters-john-curry

デイヴィッド・コペイ（David Kopay）――この、わずか三人だけです。

このアウティングに伴い（『氷上の王』の中では彼は、ゲイであることを否定したり、恥じる気もなかったと笑っていますが）、当時の新聞見出しの一つは「Broke Gay Barrier（ゲイの壁を打ち破った）」と彼を賞賛する一方で、別の新聞は「The Haunted Hero（取り憑かれたヒーロー）」と彼を形容しました。その下に「My"Gay"Tag」と続けて。カリーはどこに行くにも「ゲイのタグ付け」に「取り憑かれるヒーロー」となったのでした。もっとも、世界中から寄せられたカミングアウトへの賞賛と感謝の手紙の中にはあのエルトン・ジョンからのものもあり、ゲイの金メダリストを真に「ヒーロー」として密かに勇気をもらったゲイたちも数多《あまた》いたことは想像に難くありません。

カリーは最も純粋な男性スケーターだったと考えられています。彼のアイス・シアターでの業績はソロでもアンサンブルでも現在でも広く崇拝されていますし、その仕事は彼の後の一流プロたちに引き継がれています。

『氷上の王』では短いシーンながらニジンスキーのバレエ「牧神の午後」を踊るカリーの姿が出てきます。同性愛関係にあったディアギレフといっしょに秘密裏に作り上げたニジンスキーのあの独特な振り付けが、彼と同じ衣装をまとったカリーの牧神の中に蘇っていて、一瞬鳥肌の立つ思いがします。

一九八七年、カリーはＨＩＶ陽性と診断され、九一年にはエイズを発症します。抗ＨＩＶ療法として有効なカクテル療法が開始された九五年を待たずに、彼は九四年に四十四歳で亡くなります。

映画では描かれていませんが、その最期を看取ったのはかつて彼の恋人だった俳優アラン・ベイツ（Alan Bates）でした。ベイツは当時女優と結婚していましたが、カリーと二年間の熱いロマンスを続けたのです。カリーがエイズに苦しんでいると知ったベイツは彼の元に駆けつけ、最期の日々を通して彼を看病しました。カリーはベイツの腕の中で息を引き取ったそうです。

それから二十四年後、二〇一八年の冬季・平昌《ピョンチャン》オリンピックでは誇らしげにメダルを掲げるアダム・リッポン（Adam Rippon）とエリック・ラドフォード（Eric Radford）の二人の写真がツイッターに上がりました。[*9]

「忌々しいゲイのタグ付け」はラドフォード（右）とリッポンの誇らしげなメダル写真で反転した＝平昌五輪で。
©Eric Radford

リッポンは米国チーム団体として銅を獲得し、ラドフォードはカナダのペアとして金を獲得したのです。二人がいっしょに写ったのには理由があります。米フィギュア界ではジョニー・ウィアー（Johnny Weir）も有名なオープンリー・ゲイのオリンピアンでしたが、男性アスリートとして冬季五輪で表彰台に上ったアウト・ゲイは彼ら二人が初めてだったのです。

そのツイートのタグには「#olympics」「#pride」「#outandproud」「#medalists」とあり、何より「代表

する者」という意味で「#represent」として虹色の旗がそれに続いていました。レインボー・フラッグはＬＧＢＴＱ＋ら性的少数者たちの象徴です。ジョン・カリーに〝取り憑いていた〟「ゲイのタグ付け」は今やっと、「#outandproud（アウト・ゲイで誇りを持った）」者たちの徴《しる》しのタグになっていました。

ツイートの下に連なる五千近いコメントの一つに、ビリー・ジーン・キングからのものもありました。六〇年代から八〇年代にかけて女子テニス界に君臨した女王、のちにレズビアンとしてカム・アウトしたキング夫人は、二人に向けて「あなたたちは若い世代をインスパイアしただけじゃなく、私たち古い世代をもインスパイアしてくれた」と記していました。

リッポンは二〇二一年二月、長く交際していたフィンランド人男性ユッシ・ペッカ・カヤーラ(Jussi-Pekka Kajaala) との婚約を発表しました。

それにしても、ＬＧＢＴＱ＋の日本のアスリートに関しては、なかなか公に触れられることが少ないのはなぜなのでしょう。米誌《アドヴォケット（Advocate）》[*10]が同じくフィギュアの村主章枝《すぐりふみえ》選手のバイセクシュアリティに触れていましたが、日本のメディアはあまりそこには触れないようです。日本のスポーツ界だけが純粋ヘテロセクシュアル、シスジェンダー世界であるということは絶対にありません。

二〇二一年六月二十日、元なでしこジャパンで現・全米女子サッカーリーグ（ＮＷＳＬ）ワシントン・スピリッツの横山久美選手が、「横山、カミングアウトします」と題したユーチューブ動画でトランスジェンダーであることを公にしました。[*11] 横山選手もドイツやアメリカでの生活を経て「オープンにしていいんだな」と感じたと言います。「最近は日本でもＬＧＢＴＱっていう言葉が普及してきて色々取り上げられていますけど、自分みたいな立場の人たちが声を大にして言わないと、まだまだ発展していかないいかなと思って」と。するとなでしこリーグに所属していた別の三選手が、トランス男性として情報発信活動を始めるというスクープが五輪開催中の東京新聞七月二十九日付夕刊一面トップで報じられました（「元なでしこ 自分らしく／引退後男性に 3人が動画発信／性のあり方、スポーツに関心を」[*12]）。

東京五輪は、日本人関係者の相次ぐ差別発言や運営の杜撰さが露呈する大混乱の大会になった一方で、世界各国のアスリートがメダル獲得などを契機にＬＧＢＴＱ＋をカミングアウトしたり、アウト済みの選手はあらためてメッセージを発したりと、さながら多様性と反差別を訴える世界的一大イヴェントの体も示しました。ここでも「私」と「公」を結ぶ者たち、外の世界を知る者たちが発言し始めています。潮目は日本でも、確実に変わってきています。

＊9　https://twitter.com/Rad85E/status/963024289300602881
＊10　「31 LGBTQ Women Who Changed Sports, Culture, Politics, History（スポーツ、文化、政治、歴史を変えた三十一人のＬＧＢＴＱ女性たち） By Christine Linnell」; https://www.advocate.com/women/2020/3/30/31-lgbtq-women-who-changed-sports-culture-politics-history#media-gallery-media-3
＊11　https://www.youtube.com/watch?v=eUzd3Qf9N4Y
＊12　https://www.tokyo-np.co.jp/article/120214

第十二章　真夜中のホモフォビア

米演劇の吟遊詩人

二〇二〇年、世界は新型コロナに震撼します。感染はどんどん拡大して、前章で紹介したNBA（全米プロバスケットボール協会）で最初にカム・アウトした元スター選手ジェイソン・コリンズも、パートナーとともに新型コロナに感染したとニュースになりました。三月初めにニューヨークに行って、NBAのブルックリン・ネッツの「プライド・ナイト（これも前章で紹介したLGBTQ＋のファンのための「ゲイ・ナイト」イヴェント試合です）」の会場で感染したようだと言っています。世界中の大都市がこのコロナ禍でロックダウン状態に陥り、それは集客を控えざるを得ない演劇界をも直撃します。

そんな中で、「アメリカ演劇界の吟遊詩人」と言われたテレンス・マクナーリー（Terrence McNally）までもが三月二十四日、新型コロナウイルスによる合併症で避寒先のフロリダの病院で亡くなりました。

マクナーリーは六十年近くにわたってアメリカやイギリスのブロードウェイなどで活躍したオープンリー・ゲイの劇作家で、彼ほどブロードウェイにゲイ男性の役を登場させた作家はいません。演劇界のアカデミー賞とされるトニー賞の常連でもあり、マヌエル・プイグ原作のミュージカル『蜘蛛女のキス』(一九九二)や『ラグタイム』(一九九六)で最優秀ミュージカル脚本賞、エイズの時代のゲイ男性たちの友情を描いた『Love! Valour! Compassion!(愛! 勇気! 同情!)』(一九九四)や引退したマリア・カラスの公開レッスンから彼女の人生をたどる『マスター・クラス』(一九九五)では最優秀作品賞を受賞、二〇一九年には功労賞も受けた重鎮でした。

八十一歳という高齢でしたが、二〇〇一年に肺癌を患ったこともあって、以降、慢性呼吸器疾患の状態だったところに今回の新型コロナが襲いました。二〇〇三年、彼は舞台プロデューサーで非営利エイズ支援団体の公民権弁護士だったトム・カーダヒー(Tom Kirdahy)とヴァーモント州でシヴィル・ユニオンを結び、以来共に暮らしていました。二〇一〇年にワシントンDCで同性婚が認められた際にはそこで結婚し、二〇一五年、連邦最高裁判決によってついに全米で結婚の平等が決まった際に再度ニューヨークで結婚の誓いを新たにしていました。

九〇年代末に、マクナーリーにインタビューを申し込んだことがあります。私は『Love! Valour! Compassion!』を観て彼のファンになっていました。ワシントン・スクエアにほど近いニューヨーク五番街の自宅に招かれると、穏やかな紳士はコンドミニアムの落ち着いた書斎でゆっくりと演劇のこと、政治のこと、そして彼の時代にめまぐるしく移り変わったゲイであることの意味を私に話してくれました。

彼は一九三八年十一月にフロリダで生まれました。両親の経営する海辺のバー・レストランがハリケーンでやられてニューヨークに引っ越し、その後、テキサス州コーパス・クリスティで少年期を過ごします（この町の名はラテン語で「キリストの体＝聖体」という意味です。のちに彼は、キリストとその十二人の使徒たちを現代のコーパス・クリスティに生きるホモセクシュアルな集団として描き直した問題作『Corpus Christi』を一九九七年に発表します）。

劇作を始めたのはニューヨークのコロンビア大学奨学生になってからです。その時に俳優養成所「アクターズ・スタジオ」の創設者エリア・カザン[*1]と知り合い、その彼がジョン・スタインベック[*2]にも紹介してくれて、一家の世界一周クルーズに同行して子どもたちの家庭教師を務めたりもしたそうです。

もう一人、まだ学生だった一九五九年には十歳年上だった『ヴァージニア・ウルフなんかこわくない』（一九六二）の作家エドワード・オールビー（Edward Albee）とも知り合い、四年間にわたって同棲生活を送りました。『ヴァージニア・ウルフ～』は、実は多分にこの二人の関係をヘテロセクシュアルの夫婦に置き換えたものだと言われています。つまり、とてもフラストレーションの溜まる関係です。マクナーリーは、オールビーが自分の同性愛を隠すことが嫌だったのです。「芝居の初日とか新聞記者が大勢周りにいるときなんかにぼくは透明人間になった。それは間違っていると知っていた。そんなふうに生きるのはすごく大変だって」。二人はそうしてついに別れます。

次に彼が付き合ったのは三歳年上のブロードウェイ俳優だったロバート・ドリヴァス（Robert Drivas）でした。同じ頃、ブロードウェイでやっと自身のデビュー作『And Things That Go Bump in the Night（そして夜中にぶつかる事ども）』（一九六五）も上演されます。何かに怯えて地下室で生活する家族の近未来的ディストピア作品で、このデビュー作ですらバイセクシュアルとクロスドレッサー（異性装者）の二人の登場人物間のロマンスが書かれています。けれど、というか、だからこそ、というか、評論家の評価は散々でした。タブロイド紙《ニューズデイ》は「醜悪で倒錯的で悪趣味」と書き、またある評論家は「親はゆりかごにいるうちに彼を窒息死させるべきだった」とまで言ったそうです。これは三週間で幕を閉じました。彼は自分の作品が「オールビーのボーイフレンドが書いたもの」としてしか見られていないことを知っていました。時代の「ホモフォビア」が作品そのものの評価を覆っていたのです。

時代時代の同性愛嫌悪がどのようにアメリカの演劇界、映画界を覆っていたかは、ドキュメンタリー映画『セルロイド・クローゼット（Celluloid Closet）』（一九九五）に詳しく暴かれています。これ

＊1　『セールスマンの死』（一九四九）、『欲望という名の電車』（一九五一）、『エデンの東』（一九五五）、『草原の輝き』（一九六一）などの演出家、映画監督（一九〇九〜二〇〇三）。

＊2　『二十日鼠と人間』（一九三七）、『怒りの葡萄』（一九三九）、『エデンの東』（一九五二）などのノーベル文学賞作家（一九〇二〜一九六八）。

はアクトアップ（ACT UP）[*3]の活動家でもあったヴィト・ルッソ（Vito Russo）のリサーチが原作の、目からウロコの大変な労作です。ハリウッドを中心に百作以上が俎上《そじょう》に上っていますが、例えば『ミッドナイト・エクスプレス』（一九七八）では原作にあるホモセクシュアルのシーンが微妙に回避され、『去年の夏、突然に』（一九五九）でも『羊たちの沈黙』（一九九一）でも同性愛者は八つ裂きにされたり射殺されたりすることの背景分析をしています。異性愛社会はそうやって「逸脱者」を消し去っては「社会秩序」「家庭秩序」を取り戻す――そう、第八章で触れた大島渚の『御法度』も、すでに指摘し尽くされたホモフォビアの常套《クリシェ》だったわけです。

ブックエンドの両端に

マクナーリーは、一九七六年に別れた後も友人であり続けたロバート・ドリヴァスを一九八六年に、そのドリヴァスの後のロングタイム・パートナーだった十七歳年下の劇作家ゲーリー・ボナソート（Gary Bonasorte）を二〇〇〇年に、いずれもエイズで亡くしています。

『Love! Valour! Compassion!』はそんなエイズの時代、九〇年代初めの、ニューヨーク北郊二時間ほどの湖畔の別荘を舞台に、八人のゲイ男性たちの三回にわたる夏の週末の日々を描いています。別荘の主はブロードウェイで名を成した振付家グレゴリー。中年の彼には二十代の恋人、ハンサムで盲目の法律助手ボビー[*4]がいます。そこにやってくるのは付き合って十四年目のビジネス・コンサルタント同士のヤッピー・カップル、アーサーとペリー、衣装デザイナーでミュージカル大好きオネエさまのバズ、気難しく辛辣な英国人ジョンとそのひと夏のセックス・コンパニオンのラモン、そしてジョンの双子の弟で心やさしいジェイムズ。

若く溌剌とした体を誇示するラモンは到着した途端に同じく若いボビーに目をつけ誘惑しようとします。グレゴリーはそんなボビーに気が気ではなく、一方で振付家としての自分の才能が枯渇しているのではないかと悩みます。バズはいつもミュージカルの歌を歌ってはそれを会話の代わりにして明るく笑いを誘うのですが、実はＨＩＶに感染していて地域のエイズ・クリニックでヴォランティアもしています。そして自分は恋人を見つけるのが下手で、もうお付き合いは諦めているのだと言うのです。ところがそのバズが、やがてジョンの双子の弟ジェイムズに恋をします。

ジェイムズは兄に似ず誰にもやさしく心を尽くし、機知に富み、けれどいつも自分を卑下しているところがあります。そんな彼はバズの思いに応えます。けれど、ジェイムズもまたエイズを患っており、しかもそのステージはバズよりも進んでいて、二人は自分たちの関係がやがてすぐに死によって終わることを知っているわけです。

＊3　AIDS Coalition to Unleash Power（力を解き放つためのエイズ連合）の頭字名称。「ACT UP」自体に「暴れ回れ」の意味があるエイズ問題解決を訴える実力行使組織。ＧＭＨＣ創設者でもあった劇作家ラリー・クレイマー（一九三五〜二〇二〇）がＧＭＨＣを追放された後の一九八七年に作った。

＊4　yuppy。Young Urban Professional の頭文字からの呼称で、八〇年代半ばのアメリカ都市部の若きビジネス・エリートを指す。

『Love! Valour! Compassion!』は、エイズの時代の通底音としての悲劇を孕みながら、けれどだからこそ命の賛歌に満ちた、八人のゲイ男性たちのドラマになりました。

「八人のゲイ男性たちのドラマ」――そう、『Love! Valour! Compassion!』は、同じく八人のゲイ男性たち（と、ストレートという設定のもう一人の男性）のドラマである記念碑的演劇『真夜中のパーティー』への返歌、ブックエンドのもう一つの片割れなのです。

テレンス・マクナーリーの話を長々としているのは、彼の書いたエイズの時代の『Love! Valour! Compassion!』（一九九四）と、そのはるか以前のニューヨークのゲイたちを描いた問題作、マート・クロウリー（Mart Crowley）の『真夜中のパーティー（The Boys in the Band）』（一九六八）との、ホモフォビア、同性愛嫌悪の違いを論じてみたいからです。作者のマート・クロウリーはマクナーリーより三歳年上でした。彼もゲイでした。もっとも、クロウリーの方は女優ナタリー・ウッド[*5]のアシスタントとなるべくハリウッドに移っていたのでニューヨークのマクナーリーとは当時は面識はありませんでした。『真夜中のパーティー』がオフ-ブロードウェイで初日を迎えた一九六八年四月十五日というのは、あの「ストーンウォールの反乱」の一年と二カ月半前のことです。その時の演出家ロバート・ムーア（Robert Moore）もゲイでした。

それにしても原題の『The Boys in the Band』を『真夜中のパーティー』という邦題に変えたの

は誰の手柄でしょう。「真夜中」とはまさにこの芝居の性格を表す命名です。ちなみに「The Boys in the Band」というのは、映画『スタア誕生』（一九五四）で、取り乱すエスター（ジュディ・ガーランド！）に向けて、パートナーのノーマン・メインが「You're singing for yourself and the boys in the band.（自分自身と、そしてこのバンド仲間たちのために歌うんだ）」と諭したそのセリフから取られています——同じバンド（一団、部隊、絆）の中にいる仲間たち。これはそんな仲間たちの話です。

この作品は一九七〇年にウィリアム・フリードキン監督で映画にもなり、日本でも青井陽治の訳でPARCO劇場で何度か上演されていますから、知っている人も少なくないでしょう。

こちらは湖畔の自然とは真逆の、蒸し暑い真夏のニューヨーク、アッパー・イースト・サイドのマイケルのアパートが舞台です。そこにハロルドの誕生日を祝うゲイの友人たちが集まり出します。マイケルはカトリックで、ドナルドという恋人がいますが、自分のゲイネスを受け入れきれていません。ハロルドはそんなマイケルに辛辣な皮肉を投げかけ続けます。エモリーはけたたましいオネエ系で、数学教師のハンクとファッション写真家のラリーはカップルながら浮気性のラリーのことでギスギスしています。バーナードはエモリーと仲良しのアフリカ系、そしてハロルドの誕生日プ

＊5　『三十四丁目の奇蹟』（一九四七）、『理由なき反抗』（一九五五）、『ウエスト・サイド物語』（一九六一）、エリア・カザン監督『草原の輝き』（一九六一）のスター女優。ゲイであるクロウリーを経済的に支え、そのおかげで彼は『真夜中のパーティー』を完成できたとされる。一九八一年、謎の水死。

レゼントとしてやってくるのはカウボーイと呼ばれる若くちょっと頭の弱いマッチョな男娼です。その八人のゲイたちがみんなでわいわいやっているうちに、闖入者《ちんにゅう》がやってきます。それはマイケルの大学時代のルームメイトで、「ストレートのアラン」でした。何も知らないアランの手前、マイケルは最初は全員にゲイであることを隠すように言いますが、エモリーはどうしても自分のオネエが出てしまいます。そのうちにやけくそになってきてオネエ丸出しで開き直り、しまいにはアランに「気持ち悪い」と殴られるに至って場面は修羅場のようになります。そしてあるゲームが始まるのです。

それは自分が本当に愛していた、あるいは愛している人へ電話をかけて、その愛を告白できるかを競い合うものでした。この電話を契機に、それぞれの過去や人生が明らかになってゆくのです。そして「ストレートのアラン」の電話の相手は……？

ここに描かれるのはマクナーリーのデビュー作『そして夜中にぶつかる事ども』（一九六五）が酷評されたことと通じる、一九六〇年代という時代のそれぞれの（内なる）ホモフォビア、同性愛嫌悪です。そんなホモフォビアを自ら抱かざるを得なくさせられている、「時代としてのホモフォビア」です。

初演当時、この舞台にはさまざまな批判が起きました。一つは真正面から同性愛を描いた作品への、ホモフォビックな異性愛規範社会からの嫌悪感の表明です。もう一つは逆方向、ゲイ・コミュニティ当事者からの作品への不満でした。この作品が、あるいはマイケルに象徴される登場人物が、自己否定的なホモフォビアをあまりに露悪的に表現しているという批判でした。「そんなにひどく描かなくてもいいじゃないか」という……。

そういう時代──逃げ道も抜け道もなかったプレーストーンウォールの、「真夜中」のような暗闇の時代です。

クロウリーの設定したマイケルのアパート自体が大きな一つのクローゼットです。舞台にある「玄関の扉」の向こうの「外」は、いつも見えそうで見えない、窒息的な閉鎖空間なのです。

けれどブックエンドのもう一つの端、マクナーリーの一九九四年の『Love! Valour! Compassion!』は、湖や森に通じています。こちらの八人のゲイは、盲目のボビーは特に、周囲に溢れる自然を愛《め》で、悲劇の予感は漂いながらもフォビアは外気に浄化され、八人の周囲はやがて明るく輝くようなのです。

死んだ者たち、生きる者たち

『真夜中のパーティー』は、興行的な成功にも関わらず（映画版もほぼ同じキャストで撮影されました）、登場した八人の役者のうち、実際にゲイだった五人は最後までクローゼットを通しました。

そして一九八六年、まずカウボーイ役だったロバート・ラ・トゥールノー（Robert La Tourneaux）が四十四歳でエイズで死にます。八八年にはハロルド役のレナード・フレイ（Leonard Frey）が四十九歳でエイズで死にます。九二年にはドナルド役のフレデリック・コームズ（Frederick Combs）が五十六歳で、ラリー役のキース・プレンティス（Keith Prentice）が五十二歳で、エイズで死にます。そして主役のマイケル役ケネス・ネルソン（Kenneth Nelson）も一九九三年、六十三歳でエイズで死にます。ゲイの五人全員が死んだのです。

さらに言えば、演出したロバート・ムーア（Robert Moore）も一九八四年にエイズで死にました。プロデューサーのリチャード・バー（Richard Barr）も一九八九年にエイズで死にました。いちばんゲイっぽかったオネエのエモリー役のクリフ・ゴーマン（Cliff Gorman）はストレートで、死にゆく「カウボーイ」、ロバート・ラ・トゥールノーを奥さんとともに最期まで看病してあげていたそうです。

マクナーリーの『Love! Valour! Compassion!』にもゲイの役者が多く出演しています。その一人、バズ役はミュージカル『ラ・カージュ・オ・フォール』の米国版映画『バードケージ（Birdcage）』のあのネイサン・レイン（Nathan Lane）でした。みんなオープンリー・ゲイです。一九九四年、もう誰もクローゼットではありませんでした。「真夜中」は「ストーンウォール」（一九六九）で明けていました。もっとも、その夜明けの後にはエイズという別の影が待っていたのですが。

あの時代、エイズの八〇年代は、二重、三重のホモフォビアの時代でした。さまざまなスティグマがクローゼットの扉を外からも内側からも固く封印していました。だからクローゼットから出られなかったのもしょうがない。でも、そんな中でも出てくる人がいた。なぜなら彼らにとっては、命を賭しても、人生を賭けても、社会的な問題は社会的に落とし前をつけなければならなかったたからです。個人的な領域での闘いはケンカにしかなりません。社会的な領域に出て闘いは初めて歴史を刻むのです。

『真夜中のパーティー』は初演から五十周年の二〇一八年、ブロードウェイで再演されました。演じたのはマイケル役にジム・パーソンズ（Jim Parsons）、ドナルド役にマット・ボマー（Matt Bomer）、ハロルド役にザッカリー・クイント（Zachary Quinto）、そしてアンドルー・ラネルズ（Andrew Rannells）、チャーリー・カーヴァー（Charlie Carver）、ブライアン・ハッチンソン（Brian Hutchison）、マイケル・ベンジャミン・ワシントン（Michael Benjamin Washington）、ロビン・デ・ヘスース（Robin de Jesús）、タック・ワトキンズ（Tuc Watkins）。

全員が恥じることなきオープンリー・ゲイの俳優です。「性指向のグラデーション」とは言え、こればかりはストレートの俳優が演じるわけにはいかなかった。なぜならこれは、五十年前の陰鬱なホモフォビアを、「現状の閉塞感」としてではなく「時代の悲惨」として誇らかに認めようという、社会全体へ向けてのメッセージだったからです。

この作品は二〇一九年のトニー賞で最優秀リヴァイヴァル作品賞を受賞しました。今はそれを同じ俳優陣でそっくり映画に移した『ザ・ボーイズ・イン・ザ・バンド』がNetflixで観られます。そして原作者のマート・クロウリーも映画脚本に参加し、同時にカメオ出演もしています。そしてそのラストシーンは、四十八年前のフリードキンの映画にはない、夜明けに向けてのマイケルの疾走で終わります。そこに「ストーンウォールの反乱」から始まる未来が待つことを、今の私たちは知っています。

クロウリーは、奇しくもマクナーリーと同じ二〇二〇年三月、こちらは心不全でニューヨークで亡くなりました。八十四歳でした。

ちなみにこの『真夜中のパーティー』は日本でも二〇二〇年七月から、新型コロナの影響で観客数を半分以下に制限し、渋谷のBunkamuraシアターコクーンなどで『ボーイズ・イン・ザ・バンド〜真夜中のパーティー』として再演されました。この台本は、青井陽治の翻訳を変えて、私が新しく翻訳し直しました。

演出を担当した白井晃はこれを「初演から五十年が経って社会が性的マイノリティに対して、どれだけ変化したかを考える意味でも重要な作品になると思います。米国に比べてまだまだ日本においてはこの問題は根が深く、あらゆるマイノリティと社会との関係を考える意味でも、今まさに必要な作品だと思います。出演者の皆さんとさまざまな議論をして、この作品を日本で再上演する意味を考えながら創作したいと思います」とコメントしています。

私はプロダクション自体には直接関係していないのですが、ゲネプロ（本番同様に舞台で行う最終リハーサル）は見せてもらいました。

二〇二〇年日本版の「ハロルド」は鈴木浩介が演じました。ハロルドは、この芝居のもう一つの核をなす存在です。オリジナル版ではレナード・フレイ、五十年後の再演版ではザッカリー・クイントが演じた難役です。米国版ではこの二人とものの、ただただ不気味なハロルドが、鈴木が演じることで少しだけ、奥底にほんの少しだけやさしさを見せる男に変容していました。それが意図されたものなのか鈴木の人柄によるものなのか、コロナ自粛で演出家にも演者たちにも面会することを憚《はばか》られた私には確認できませんでした。ただ、あのとことん自己嫌悪（同性愛嫌悪）の強い芝居にもし「初演から五十年が経っ」た「変化」を見出すのならば、私はこの鈴木ハロルドのやさしさへの傾斜に、ここでも五十年前にはなかった微かながらの「夜明け」の予感を垣間見たような気がします。

第十三章「We Are Everywhere!」

白人、男性、同性愛者の視点

私がそもそも曲がりなりにも「ゲイのこと」を考えてみようと思い始めたのは、八〇年代のエイズ禍のニュースに触れてからでした。社会学にも哲学にも、あるいはジェンダー理論にも専門的な知識を持ち合わせないただの新聞記者として、私の教科書はほとんどすべてが毎日のニュース報道、ジャーナリズムを基にしたテキストや映像でした。しかも、英語の。

当時、エイズ報道はまずは英語による情報であり、かつ白人の記者たちの視点、あるいは白人の男性同性愛者の記者の視点で伝えられていました。一九八七年に刊行されたエイズ記録の歴史的な労作『And The Band Played On: Politics, People and the AIDS Epidemic』（『そしてエイズは蔓延した』訳・曽田能宗／草思社／一九九一）も、ランディ・シルツ（Randy Shilts）[*1]というユダヤ系の男性同性愛者のジャーナリストの手になるものでしたし、そもそも私が英語翻訳にも関わるきっかけとなった一九九〇年刊行の最初の訳書『フロント・ランナー』（第三書館）も、一九七四年にアメリカで刊行された『The Front Runner』という白人男性同性愛者のアスリートたちを主人公とする小説でした。

この作品は《ニューヨーク・タイムズ》のベストセラー・リストに載った史上初のゲイ小説です。もっとも、作者はジャーナリストの経験も積んだパトリシア・ネル・ウォーレン（Patricia Nell Warren）という白人「女性」同性愛者でしたが。

端的に言えば、「書く」という行為、「報道する」という行為は一種、権力を生み出す行為なので、それを担っているのが主に「白人」であり「男性」であるというのは（卵か鶏かの話はさておき）当然の成り行きなのでしょう。私の「教科書」はそうしておのずから、白人英語と、その言語によって語られる情報に伴う権力を纏っていました。

おまけにそもそも英語というもの自体が、世界の言語の中でも一、二に権力を纏っている言語ですし、さらに私が一九九三年にニューヨークに渡ってからは四六時中そんな英語情報に囲まれて、私の情報の権力傾向はさらに強まることになる……いや、本当のことを言うと当時は、そんなことはあまり大きな問題ではなかった。むしろ「ゲイのこと」を手に入れることで相対的には逆に、やっと非・権力の側の、あるいはそこから敷衍して反・権力ですらある情報と言説とを獲得したとい

＊1　ゲイ雑誌《アドヴォケット》記者の後フリーランスを経てゲイ男性として初の《サンフランシスコ・クロニクル》紙記者に。八二年にハーヴィー・ミルクの評伝『The Mayor of Castro Street: The Life and Times of Harvey Milk』（『Milk―ゲイの市長と呼ばれた男 ハーヴェイ・ミルクとその時代』訳・藤井留美／祥伝社文庫／二〇〇九）を出版。エイズ合併症で死去（一九五一〜一九九四）。

う感覚が優っていました。

「白人」の「男性」の「異性愛者」の言説に囲まれた世界で、その中の一つである「異性愛」呪縛が解けるだけで、こんなにもそれまでの「権力」とは別の視界が広がるものか──それは見かけ上、そして相対的に、異性愛規範という権力に対抗する「同性愛」という、反・権力、非・権力の情報でした。マジョリティ対マイノリティの構図、そして後者を基盤とするアイデンティティの獲得……。

白人規範性、男性規範性、という残る二つの権力への対抗は、意識してかしないでか、これも相対的に、まだ後回しできる問題のように思われました。

その開放感と解放感は、ニューヨーク以前に先ほどの『フロント・ランナー』を訳出する際から決定的でした。八〇年代の後半、確か一九八六、七年ごろから訳出を開始したその作品は、虚構とは言え、私には六〇年代から七〇年代に至るアメリカの陸上界を歴史的に捉え直す作業でもありました。スポーツに関係する第十一章でも触れたように、トラック&フィールド（陸上競技）の世界もまた男性性とジェンダー格差に支配されていました。そこでは男性同性愛を肯定的に描くこと自体が自動的に男性異性愛という「男らしさ」の権力への反攻でした。

そこを基盤として（というか、それしか基盤を持ち合わせないまま）私はニューヨークに渡っていました。

米国では父ブッシュの共和党政権を打ち破った民主党のビル・クリントン政権が始まっていました──この時代の課題は、それまで続いていた米軍における同性愛者たちの入隊禁止問題でした。

クリントンは大統領選の目玉公約の一つとして、この従軍禁止規則を就任早々に撤廃し、同性愛者も両性愛者も、つまりL、G、Bたちが（ちなみにこの時代にはT＝トランスジェンダーの話はほぼ議論にも上がっていませんでした）おおっぴらに兵として国家に貢献できるようにするとぶち上げていました。彼はこれを、大統領の専権で発せられる「大統領令」でちゃっちゃっとやってしまえると踏んでいたのです。しかし、事はそううまく運びませんでした。軍上層部、そして議会が、共和党ばかりか政権与党のはずの民主党もかなりの議員が、一斉に反発したのです。

九〇年代前半、「同性婚」など夢ですら無理だと思われていた時代です。世間一般に、ゲイやレズビアンはまだまだ「変なやつら」でした。結局クリントン政権は翌一九九四年二月に、悪名高い「Don't Ask, Don't Tell（ゲイであることを、訊くな、言うな）」という、なんだかわからない妥協案を法律として成立させてしまうのです。それは性的少数者の兵士に限って自分の性的指向や性的アイデンティティのことを話してはいけない、すなわち自分自身について「沈黙」という「嘘」をつけと強いる法律でした。その限りにおいて軍務を全うできる、と。

一九九四年はまた、「ストーンウォール・インの暴動」から二十五周年の記念年でした。その年まで、実はその「暴動」がどのように起こったのか、誰がそこにいたのか、〝定説〟めいた物語はありましたが、どこか都市伝説のような部分もあって詳細は不明でした。実際にそこにいてその反乱に加わった「ストーンウォール・ヴェテラン」と呼ばれる人たちの掘り起こしと彼ら彼女らからの当時の出来事の聴き取りも、実はこの二十五周年を機に改めて始まり、それがドラァグクイーンとトランスジェンダーとレズビアンたちの「反乱」だったというふうに次第に語り直されていったのです。

その結論は、「白人」の「男性」の「同性愛者」たちは、その権利獲得の「蜂起」に当たって必ずしも矢面に立っていたわけではなかった、ということです。ただし、いったん回り始めた歯車の動力の多くは、圧倒的な社会資本を蓄えていたその「白人」の「男性」の「同性愛者」およびそのアライが提供した——それはちょうど、世界の人権問題の提起が、圧倒的な社会資本を蓄えた欧米白人社会によって受け止められることで次の次元へと入っていくことに似ています。

同性愛者の人権問題が初めて主流メディアに取り上げられたのも白人男性がキャスターを務めるニュース番組でした。一九七二年、米民主党が全国党大会で初めて同性愛者の人権問題を議題に挙げた際、「アメリカの良心」と呼ばれたTVジャーナリスト、ウォルター・クロンカイト（Walter Cronkite）は自らの『CBSイヴニングニュース』で「同性愛に関する政治綱領が今夜初めて真剣な議論になりました。これは今後来るべきものの重要な先駆けになるかもしれません」と紹介しました。その後、彼は同番組でゲイ・レズビアン問題をレギュラーで取り上げるようになります。

言挙げする「GLAAD」

九〇年代のアメリカ社会ではすでに毎日、何本ものゲイ関連ニュースがCNNや三大ネットワーク（NBC、CBS、ABC）の報道番組で取り上げられていました。ゲイやレズビアンを狙った暴力事件、差別事件、ホモフォビアを隠さない宗教指導者・スポーツ選手・セレブリティへの抗議のうねり、子どもたちへの性的多様性の教育問題、勘当されるゲイ少年たちの行き場、テレビや映画での描かれ方、カップル向けの金融商品、養子縁組や代理母出産からゲイのペンギンのことまで、そして何よりもエイズ禍と、そこで遺される伴侶たちの悲劇——クロンカイトから二十年ほどが経っていました。「ゲイ」はまさにこの「人権の時代」の「旬」なテーマになっていました。

こうした言挙げで、LGBTQ＋の側から最も重要な役割を担った団体の一つが「GLAAD《グラアド》」でした。The Gay & Lesbian Alliance Against Defamation（誹謗中傷と闘うゲイ＆レズビアン同盟）の頭文字を取ってそう呼ばれたこの団体は、一九八五年、エイズとゲイ・コミュニティに関して目に余る偏見報道を続けていた《ニューヨーク・ポスト》に抗議するために立ち上げられました。

一九八五年——そう、第一章で取り上げたロック・ハドソンの死の年です。

この年の四月二十一日、ラリー・クレイマーの強烈なエイズ戯曲『ノーマル・ハート』が上演されます。

六月二十五日、ロック・ハドソンのエイズ発症が公表されます。

九月九日、HIV陽性の小学二年生児童の登校をニューヨーク市当局が許可したことに抗議して、市内クイーンズ地区の小学校の児童父母たちが登校ボイコットを行います。

十月二日、ロック・ハドソンが死にます。

十月五日、ニューヨーク市の教育長が全教室にアルコール消毒のコットンを常備するよう通達します。

十月二十五日、ニューヨーク州がすべてのゲイ向けサウナやセックスクラブに閉店するよう要請します。

そしてこの年の十二月十五日、アメリカ人の三七%がゲイに対して「以前より好ましくないと思うようになった」という世論調査が出ます。エイズ禍に直撃されるゲイ・コミュニティに対し「より同情的になった」と答えた人は二%しかいませんでした。そういう状況で《ニューヨーク・ポスト》はハドソンの死やゲイに対するセンセーショナルな中傷報道を続けていたのでした。あるいはそういう報道で、非・同情的な状況が形成されていったわけです。

十一月十四日、こうしたメディアの発信に対抗しなければならないと危機感を募らせたジャーナリストやライターたちが集まります。この中には前章で紹介した『セルロイド・クローゼット』の著者ヴィト・ルッソもいました（彼もその年、HIV感染を告げられていたのです）。翌十二月、彼らの呼びかけた《ニューヨーク・ポスト》社屋前抗議デモが、一千人を集めて行われることになります。これがGLAADの第一歩でした。

これを機に、ゲイ・コミュニティによる新聞、雑誌、テレビ、映画などへのメディア監視が公的に組織化されていきます。

一九八七年（ルッソとクレイマーらが「ACT UP」を立ち上げ、ミュージカル『コーラス・ライン』を演出・振り付けしたマイケル・ベネットがエイズで亡くなる年です）、「GLAAD」のメディア・プロジェクトチームの三人がゲイ関連ニュースの正当な取り扱いを求めて《ニューヨーク・タイムズ》編集局に面会を求めました。二月二十三日、彼らはタイムズ・スクエア近くの本社編集局で、編集主幹マックス・フランケル（Max Frankel）、および国内部、NY大都市圏部、科学部の三部長を前に、同紙のゲイ関連ニュースの取り扱いがいかに少ないか、重要ニュースでいかにゲイの視点が無視されているかを具体的に記事を例示しながら説きました。さらには当時《NYタイムズ》が同性愛者一般を指すものとして記事上で使用していた「ホモセクシュアル」という言葉と「ゲイ」という単語の違いを事細かに説明し、今後は「ゲイ」という単語で記述するよう申し入れたのです。

「ホモセクシュアルという単語は元来は精神医学・心理学用語で、その冷たい響きを嫌った」という説明が今でもなされますが、これは「ホモセクシュアル」という性的指向を示すだけの単なる形容詞ではなく、「ゲイ」という、「性」から始まる社会的かつ政治的に拡張したアイデンティティを引き受ける、アイデンティティの政治の獲得という文脈で考えた方が適切です。

《ニューヨーク・タイムズ》はこれを受け入れ、その編集方針はすぐにAP通信やその他の新聞、TV局で追随されます。これを機に《NYタイムズ》もゲイ・フレンドリーに傾斜していき、それに比例して社内でもゲイやレズビアンを公言する社員が急速に増えていくことになります。同性婚が法的課題になっていた二〇〇一年には、ゲイ・カップルの読者から自分たちの〝結婚（当時はシヴィル・ユニオンでした）〟告知を社交面（結婚通知欄があるのです）に掲載してもらえるかとの問い合わせに「ノー」と言っていたのですが、時代の流れでしょう、翌二〇〇二年九月には一転、掲載の決定を行いました。あの9・11テロから一年、愛する人との関係の大切さがアメリカ社会をしみじみと浸していた頃でした。そんなときにメディアが社会に与える「確認」と「承認」の意味に、私はあらためて感銘を受けたものです。

おカネを稼働させる仕組み

GLAADはその後も精力的に対抗言説の活動を続け、ロサンゼルス支部では映画産業におけるLGBTQ+の描写に関して映画会社と提携協力関係を築きます。ほかにもTVドラマや演劇、音楽、企業広報・広告、スポーツ、宗教、ヴィデオゲームやオンライン・メディアなどでもモニター活動を続け、一九九〇年からはそれぞれの分野でLGBTQ+コミュニティの人権向上に貢献した法人や個人、コンテンツを顕彰するGLAADメディア賞（GLAAD Media Awards）というイヴェントをニューヨーク、ロサンゼルス、サンフランシスコの複数地区で開催しています。第一回はわずか七部門三十四ノミネートという小さな規模でしたが、その後は大物ハリウッド・スターたちが司会やプレゼンターを務めたり、英語メディアだけでなくスペイン語メディアも対象にした常設四十部門、特別功労賞でも十賞が設けられる、全米中継の一大イヴェントになりました。第三十回記念となった二〇一九年はジェイZやビヨンセ、サラ・ジェシカ・パーカーらがプレゼンターを務め、マドンナが「LGBTQの受容を加速させた変革提唱者」賞を受賞しました。

それにしても「公の領域」のさまざまな言説に対する「公の領域」でのさまざまな対抗言説が、かくも迅速に組織化される八〇年代ゲイ・コミュニティのエネルギーには驚かされます。同時に、それが力を持つための資金がすぐに集められることも。

アメリカ社会は八〇年代のレーガノミクスを背景にバブル経済を経験し、それを当時の首相、宮澤喜一が「マネーゲームの国」と批判的に指摘しもしました[*2]が、逆にこの資本主義社会の中で何かに推進力を持たせたいときに、おカネ（金融）がモノを言うことをわかりやすく示した国でもあります。私はアメリカの教育を体験していないのですが、子どもでも学生でも社会人でも、何かをするときにどうすれば最も効果が出るか、そのためにはどうやっておカネを動かすかということをまず考えるという実践主義、実用主義の重要性は、おそらく学校や家庭での最初期からの教育の中で彼らの人格形成に刷り込まれるのだろうと思います。

さらには寄付文化です。日本ファンドレイジング協会の「寄付白書」（二〇一七）によると、アメリカの個人寄付額は年間で三十兆円を超えます。一方で日本は七千七百億円。GDP比でもアメリカの一・四四％に対し、日本は〇・一四％と十倍以上の開きがあります。日本より人口の少ない英

＊2　一九九二年通常国会で、宮澤喜一は当時のアメリカ社会が「ものづくり」よりも「マネーゲーム」に力が入っているとして「アメリカの労働の倫理観に疑問を感じる」と発言した。

国でも総額で一兆五千億円、GDP比で〇・五四％。おとなり韓国は人口五千二百万人と少ないのにGDP比では英国に匹敵する〇・五％で総額も日本と近い六千七百億円。

アメリカでは富裕層だけでなく、なんらかの慈善事業に寄付をする世帯は全体の九〇％にもなるのです。

結果、GLAADの年間予算は三十周年を前にした二〇一八年は企業や個人からの寄付で千七百万ドル近く（一ドル＝百円換算で十七億円）、イヴェント収入で百五十万ドル（一億五千万円）等々、総計二千万ドル（二十億円）に達しています。そして同年の支出は人件費で四百二十五万ドル（四億二千五百万円）など計約一千万ドル（十億円）という巨大なものでした。[*3]

もっとも、この寄付文化は一方で「チェックブック・アクティヴィズム」という言葉を生みました。小切手（チェック）をささっと書いて寄付さえすれば、大企業もお金持ちも、簡単に社会的大義の達成のための活動（アクティヴィズム）に参加したような気分になれる、という皮肉です。特にこの頃から企業の社会的責任ということが言われ始め、それをまた「社会的大義に関連づけた（Cause Related）」ブランディングなどのマーケティング戦略に利用しようという動きも活発になっていましたから。まあしかし、向こうがその気ならそれを十分利用させてもらうといったゲイ・コミュニティの強か《したた》さもこの時期に育ったのではありります。

よく知られているのが「ピンク・マネー」という対抗概念でした。ナチス・ドイツの強制収容所に送られた男性同性愛者たちが、ユダヤ人の「ダヴィデの星」のワッペンに対して「ピンクのトライアングル（三角形）」のワッペンを付けられたことから、このピンク（正確にはラヴェンダーとピンクの中間色）がゲイのプライドを示すシンボルカラーになりました。ゲイ・コミュニティがその購買力を誇示するために自分たちの使ったお札にわざとピンク色の印を付けたりしたのも、そのピンク・マネーの力を背景に寄付を募ったのも九〇年代です。ゲイ・フレンドリーな企業の製品を積極的に買うという「ロイヤリティ（忠誠心）」をアピールし、逆に反ゲイ企業には徹底したボイコット運動を展開するという、メディア戦略の伝統も続けられていました。[*4] それは個人のカミングアウトと連動した、もう一つの可視化運動でした。

組織化する当事者たち

ニューヨーク市警（NYPD）の内部に「GOAL《ゴール》（Gay Officers Action League＝ゲイ警官行動連盟）」というゲイ団体ができたのは、ストーンウォールで警察がゲイ・コミュニティと敵対してから十三年後の一九八二年のことでした。創設者は当時警察学校の教師だったアイルランド系アメリカ人チ

＊3　GLAAD FINANCIAL STATEMENTS（監査報告書）by Harrington Group ; https://www.glaad.org/sites/default/files/GLAAD%2019%20FINAL%20FS.pdf

＊4　「第二章　エイズ禍からの反撃」の「高級化を見せつけたゲイ・コミュニティ」（七十頁）の項目も参考のこと。

ャールズ・コックレイン（Charles Cochrane）巡査部長。すでにヒスパニックやアイリッシュやアフリカ系の人材グループがあり、オープンリー・ゲイだったコックレインはそれらと同じような人材ネットワークを作りたかった。そこで制服姿で新人教育の教室に現れるや、起立する新人警官たちに向けて「ゲイ警官の親睦グループを作るが、関心のある者はいるか」と尋ねたそうです。[*5]

その場に居合わせた当時の新人警官エドガー・ロドリゲス（Edgar Rodriguez）が思い出します——「教室は静まり返った。後ろの方で微かにくすくす笑いが聞こえた」。同時に「自分の胸で心臓がドキドキ打つのがわかった」。なぜなら彼は、「クローゼットのはるか奥底で生きていたから。そして『これは隠れゲイを見つけ出してクビにするためのワナだ』と思った」と言います。当然、「私は手を挙げなかった」と。

同じ日、同じ教室の新人女性が近づいてきて「ゲイ警官のミーティングってどこでやるの？」とロドリゲスに訊いてきたそうです。「どうして？」と訊くと「私、レズビアンだから」。「八〇年代、ホモフォビアが蔓延したＮＹＰＤ」の中でこの「ＧＯＡＬ」は誕生し、グループはその後すぐに「ゲイ・プライド・パレード」に参加しました。[*6]

ちなみに「手を挙げなかった」ロドリゲスはその十四年後の一九九六年にＧＯＡＬの会長になります。そして何年にもわたってプライド・パレードへの制服での参加を認めなかったＮＹＰＤを相手に差別訴訟を起こし、制服着用の許可を勝ち取ったのです。その九六年六月末のパレードで、ＧＯＡＬのゲイ・レズビアン警官たちは史上初めて公的に濃紺の制服を着て、ＮＹ市警マーチングバンドとともに誇らしげに五番街を下っていきました。それは全米で大きなニュースとなりました。

私もこのGOALを取材して、当時連載コラムを持っていた日本のゲイ雑誌《バディ（Badi）》でインタビューなどを紹介したことがあります。ニューヨークには当時、NY大都市圏で六万人と言われた日本人コミュニティに向けて日本語の週刊新聞も発行されていました。そのうちの一つ《読売アメリカ》でもこのGOALの行進が記事になりました。その見出しを読んで目を剥きました。「私たちは警官である前にゲイなのよ」――この、意味不明のオンナ言葉。

ニューヨークにいても日本語コミュニティはまだそうでした。私は同紙編集部に電話を入れて、「どういう意図でオンナ言葉にしたんでしょうか？」と穏やかに質《ただ》しました。編集長は「揶揄や差別の意図はなかった」と平謝りに謝ってきましたが、私に謝ってもらってもどうしようもありません。なので最後に、折に触れてこのエピソードを悪しきホモフォビアの実例として書かせてもらうと伝えて電話を切りました。その編集長とはのちに同じ北海道出身と知って仲良くなりましたが、

＊5　NBCニュース「Police at Pride? Gay cops, LGBTQ activists struggle to see eye-to-eye（プライド・パレードに警察が？　ゲイ警官とLGBTQ活動家たちが手を握り合うまでの苦闘）」June 23, 2018 : https://www.nbcnews.com/feature/nbc-out/police-pride-gay-cops-lgbtq-activists-struggle-see-eye-eye-n886031

＊6　アンディ・ウォーホルが一九八四年に撮影したパレードのGOALの写真がInstagramに残っている。https://www.instagram.com/p/8Tkuj5oYIT/?utm_source=ig_embed

くだんの一件は今またここでこうして紹介しているわけであります。

キワドサの向こう側に

いずれにしても、プライド・パレードは当時の日本ではほぼキワモノ、イロモノのイヴェントとしてしか紹介されていませんでした。掲載される写真や放送されるテレビ映像はパンツのおちんちんをぶらぶら揺らす半裸の男性たちやどぎつい化粧のドラァグクイーンたち(ばかり)[*7]で、まるで乱痴気パーティーのように紹介されていました。私もニューヨークに来る前はそういうものなのだと思っていました。

でも違いました。

最初に目に付いたのは「PFLAG《ピーフラッグ》[*8]」というグループでした。六月の晴れ空の下、「自慢のゲイの息子/娘です」「私はゲイの息子/娘を持つ誇り高い親です」というプラカードを掲げた母親や父親たちがその息子、娘といっしょに満面の笑みを浮かべながら沿道に手を振っている。観衆たちはやんやの喝采で彼らを祝福する――その光景は私には衝撃的に美しいものでした。

この団体はゲイの息子を持った一人の母親の活動から始まりました。一九七二年六月、当時はまだ「New York's Christopher Street Liberation Day March(ニューヨーク・クリストファー・ストリート解放の日マーチ)」と呼ばれていたプライド・パレードを、息子のモーティとともに歩いたジーン・

マンフォード（Jeanne Manford）は途中で多くのゲイやレズビアンに取り囲まれます。「自分の親もあなたのようになってほしい」「自分の親にも話してくれないか」と懇願され、支援グループの設立を決心した彼女は一九七三年三月十一日、グリニッチ・ヴィレッジのメトロポリタン・デュエイン・メソジスト教会（現在は「ザ・ヴィレッジ教会（the Church of the Village）」）で最初の公式ミーティングを持ちます。参加者は約二十人。その後その活動は口コミで全米に広がり、それらが結集する形で一九八〇年には「Parents FLAG」として教育機関やコミュニティ向けの情報発信を始めたのでした。

以後、名前は「Parents and Friends of Lesbians and Gays」（レズビアンとゲイの親たちと友人たち）の頭文字の形を取り、一九九三年にはそこにファミリーも加えて「Parents, Families and Friends of Lesbians and Gays」として「P-FLAG」に、さらに二〇一四年にはLGBTQ+すべてを包摂するために頭文字はやめて、ただ「PFLAG」となりました。ゲイやトランスとわかって勘当される少年少女たちが社会問題化する中で、家族サポートや啓発に努め、現在は全米四百支部、会員数二十万人を誇る最初で最大の「家族」グループです。

＊7　彼らの多くはバーやクラブで働くプロフェッショナルたち。パレードでは人権・社会団体が先頭で、そこに外国人コミュニティや公務員、法曹、大学、学生、企業などの団体が続き、クラブなどの商業フロートは後半に登場する。

＊8　https://pflag.org/

一方で「ｓａｇｅ《セイジ》」*9という年配者の団体もありました。こちらはスタッフやヴォランティアの若者たちが車椅子の高齢者を押し、あるいはチャーターしたバスに乗せ、ゆっくりと進んでいきます。困難な時代を生き延びてきたＬＧＢＴＱ＋の先輩たちには「サンキュー！」の声援が多く聞こえます。そして惜しみない拍手と「アイ・ラヴ・ユー！」の連呼。

「ｓａｇｅ」は一九七八年にニューヨークに出来ました。ＬＧＢＴＱ＋コミュニティのすべての高齢者問題を扱う団体で、ＨＩＶやホームレスなどの医療・住宅問題から日常の趣味や娯楽、コンピューター教育なども含め、高齢者の「家族」の役割を担っています。二〇二〇年のコロナ禍で活動は大きく制限されましたが、ブルックリンにはニューヨーク住宅開発公社などと共同で「ストーンウォール・ハウス」という百四十五世帯のアパートメント・ビルディング計画が進行中で、また六百三十平米のコミュニティ・センターも開設予定です。

「ＧＬＳＥＮ《グリセン》」は一九九〇年に教師たちのグループが始めた組織です。当初はこれもやはり「Gay, Lesbian and Straight Education Network」の頭字略語でしたが、ゲイとレズビアンに限らないのでこちらも頭文字はやめました。ＬＧＢＴＱ＋の若者たちにとって教育現場での安全な日常ほど大切なものはありません。そこでは教育者たちの理解とコミットメントの質がカギになります。「ＧＬＳＥＮ」は教育現場でのいじめや差別の実態調査も行い、ＬＧＢＴＱ＋支援の教育者の養成にも努めているほか、生徒たち自身がリーダーシップを取って行う活動も促しています。

その中には、一九九五年から始まった「the Day of Silence（沈黙の日）」もあります。LGBTQ＋の友人たちが日々差別や暴力を恐れて強いられている沈黙を共有し理解するために、学生・生徒たちが四月のある丸一日を「沈黙」で通すという誓いを立て、それを実行する「日」です。この日は誓いを立てた学生たちは「沈黙の日」のマスクをして関与を示したりします。けれど重要なのはその「沈黙」ではなく、その「沈黙」を破る瞬間です。翌日には若者たちはこれを終え、集会を開いたり議論をしたりデモを行ったり、あるいは政治家や行政担当者にLGBTQ＋を取り巻く環境の改善を手紙や電話、メールなどで働きかけていきます。この「沈黙の日」への参加は、二〇〇八年には全米八千校、数十万生徒・学生を数えました。

いやはやじつにアメリカ的な運動ですが、でもここからあの「Z世代」が生まれてきたのだと思うと、すごいことをずっとやってきているんだなあと感服するしかありません。ニューヨークのダウンタウンにあるGLSENの本部に行くと、今はトランジェンダーやクエスチョニングの人たちの代名詞をどうするかという問題に取り組むために、「MY PRONOUNS ARE（私に使う代名詞は）」として「SHE, HER, HERS（彼女）」「HE, HIM, HIS（彼）」「THEY, THEM, THIERS（性別関係なしの単複同形代名詞）」そして自分で好きな呼ばれ方を選んで示すための「空白」のピン・バッジ、計四種類が配布用に大量に用意されていました。

＊9　https://www.sageusa.org

ちなみに、三人称単複同形での「They」は、「彼」でも「彼女」でもないとするノンバイナリーやXジェンダーの人たちに好まれますが、単数形でも動詞が「are」などの複数形と同じであることでなかなか口をついて出てきづらいことがあるようです。これも慣れの問題で、例えば「You」が一人でも複数でも「are」であるのと同じだと思えばよい。すでに欧米のメディアでは通常の三人称代名詞を「He」でも「She」でもなく「They」で統一しようという動きも出ているようです。これもあまりに「PC（政治的正しさ）」だとして批判があるのですが、時間が経てば落ち着くところに落ち着くだろうと私は思っています。

私たちはどこにでもいる！

こうした各種の社会団体は枚挙にいとまがありません。検事や弁護士などの法曹関係者の組織、大学教職員たちのグループ、消防士たちのグループ、金融や航空業界やハイテク企業などの企業内

自ら呼ばれたい代名詞をピン・バッジで示す試みが始まっている。© Yuji Kitamaru

グループ……もちろんジャーナリズムの世界でも一九九〇年に「National Lesbian and Gay Journalists Association（ＮＬＧＪＡ＝全米レズビアン＆ゲイ・ジャーナリスト協会）」という団体ができました。ワシントンＤＣに本部を置き、会員は主にジャーナリスト、ジャーナリスト志望学生、コミュニケーション専門家で、こちらも現在は「ＮＬＧＪＡ」という略称は変わらずに、しかし正式名称は「The Association of LGBTQ Journalists（ＬＧＢＴＱジャーナリスト協会）」と変わりました。メディアにおける正しいＬＧＢＴＱ用語集（NLGJA Stylebook Supplement on LGBTQ Terminology）の提供や志望学生たちへの教育活動なども行っていましたが、インターネットの拡大による地方の新聞メディアの衰退や、二〇〇八年九月のリーマン・ショックによるジャーナリストたちの解雇もあって会員数は減ってしまいました。ただ、前述した《ニューヨーク・タイムズ》のゲイ・フレンドリー化に見られたように、ジャーナリズム業界においてはＬＧＢＴＱ＋の人権問題はとうにメインストリームの課題であり、そのテーマはあまねく共有されているというのが現実です。ちょうどそれはニューヨークやシカゴなどの大都市部の大型書店でＬＧＢＴＱ＋関連の書籍コーナーが独立して設けられるようになり、個人経営でコミュニティを支えていたＬＧＢＴＱ＋書籍専門店が消えていった二〇〇〇年代の歴史とも関係しています。

二〇〇三年九月、たまたま一時帰国して札幌に帰っていたときに、第七回『レインボーマーチ札幌』が開催されました。

日本での性的少数者パレードは、一九九四年の「ストーンウォール二十五周年」ＮＹパレードに参加して触発された当時のゲイ雑誌『アドン』創刊編集者で、昭和の昔から文字どおり孤軍奮闘でゲイ人権活動を続けていた南定四郎（一九三二〜）が、帰国二ヵ月後の八月に東京で呼びかけて行われたのが最初です。札幌はその二年後から始まり、ほぼ毎年開催されるようになっていました。

初秋の晴れた午後でした。私も大勢の参加者に混じって札幌の中心部を共に歩き、大通公園での閉会集会にも立ち会いました。そのとき、当時札幌市長だった上田文雄が壇上に立って「札幌はセクシュアル・マイノリティの皆さんを歓迎します！」とスピーチしたのでした。

私の周りで立って聴いていた参加者の多くが、そのとき不意に涙を流し始めました。一瞬、何が起きたのかと驚いたのですが、やがて気づきました。大統領選挙の候補者や連邦議員や市長までもがこぞって参加し、満面の笑みで沿道に手を振るニューヨークのパレード——私にとってはすでに当たり前だった政治家や有名人によるそんな支援と歓迎の言挙げが、日本の、札幌の彼らにとっては生まれて初めて耳にした公の受容の言葉だったのです。それればかりかおそらく、日本史上初めての、ゲイ・コミュニティそのものに対する支援の政治スピーチでもあった——それはクローゼットから出てもなおどこかで不安と怯えとを抱えていた多くの若いレズビアンやゲイたちにとって、身が震えるほどの体験だったに違いありません。

彼ら彼女らの涙は、日本のメディアでは新聞でベタ記事程度、スポーツ誌やTVニュースでは多くキワモノとして報じられる欧米でのプライド・パレードの、その「プライド」の何たるかを、そしてそれによるストレート社会の変容の可能性を、きちんと歴史を踏まえて伝えたいという私の思いを改めて強めてくれた涙でした。

この時に壇上に立った上田文雄は市長三選後の二〇一五年に退任して弁護士・市民活動家に戻り、現在は「結婚の自由をすべての人に」集団訴訟（同性婚裁判）の北海道訴訟で札幌弁護団の一員としても活躍しています。札幌地裁の管轄となるこの裁判では二〇二一年三月十七日、武部知子裁判長が東京、大阪なども含む全国五ヵ所の同様裁判の先駆けとして、同性婚を認めないのは（議論のある「婚姻は両性の合意のみに基いて成立」と定めた憲法二十四条や幸福追求権の十三条とは関係なく）法の下の平等を定めた憲法十四条に違反するとの、原告側実質的勝訴の画期的な判断を下しました。

パレードはその後、大阪（二〇〇六〜）や名古屋（二〇一二〜）などでも始まりました。それぞれの都市で、地域で、「目に見える存在」になろうとする新たな努力が生まれています。

一方、先行するアメリカでは性的少数者の政治運動、政治活動はデモから選挙からロビー活動まで広範囲に及んでいます。それらはすでに「白人」「男性」「同性愛者」の財力や動力に頼らなくとも各ジャンルで独自に進む方向にあります。

二〇二〇年はアメリカ大統領選挙の年でしたが、それはまた地方議会から連邦議会に至るまですべての選挙の年でもあります。ＬＧＢＴＱ＋の声を政治に届けるためには、一九九一年に「Gay & Lesbian Victory Fund（ゲイ&レズビアン勝利基金）」という選挙活動支援組織が立ち上がりました。現在は「LGBTQ Victory Fund」です。もっとも、普通は単に「ヴィクトリー・ファンド」と呼べばこの団体のことです。[*10]

九一年当時、地方と連邦レヴェルを合わせてもオープンリー・ゲイ／レズビアンの議員は全米で計五十人にも足りませんでした。とにかくまずは政治や司法の選挙公職者の世界に代表者を送り込まねば何も始まりません。米国では議員のほか検察官や裁判官、保安官、監査官なども地方自治のレヴェルで広く選挙で選ばれるのです。

この動きには実は先行する組織がありました。一九八五年に発足した、とにかく女性の公職候補を当選させようという女性政治団体「EMILY's List（エミリーズ・リスト）」です。「EMILY」は「Early Money Is Like Yeast」の頭文字です。つまり「選挙の早期に投じられる資金はイースト菌のようなもの」で、パンを大きく膨らませてくれる（女性たちの大きな糧になる）という意味です。そのアイディアを基に、当時のゲイとレズビアンの活動家たちが広く選挙基金の寄付を集め、広くLGBTQ＋の候補たちを公認・支援しようという運動が「ヴィクトリー・ファンド＝勝利基金」でした。

「虹色の波」が拡大する

一九九一年、シアトル市評議会（市議会）の候補シェリー・ハリス（Sherry Harris）が同ファンド最初の公認候補に選定されました。ファンドにはその時わずか百八十一人の寄付会員しかいなかったのですが、ハリスは二十四年間現職だった議員を破って全米で初めてのレズビアンかつアフリカ系アメリカ人の評議員（市会議員）に当選したのです。

寄付基金は翌九二年には計十二候補用二十六万三千ドル（当時のレートで約三千四百万円）に拡大し

ました。二〇〇〇年の選挙では五十一人の公認候補のうち五八％を占める三十人が当選しました。その中にはジョージア州という深南部の保守地盤で初のレズビアン州議会議員カーラー・ドレナー（Karla Drenner）もいました。

オバマ当選の二〇〇八年には百十一人を公認し七十八人が当選、七〇％という当選率でした。トランプ当選の二〇一六年選挙では百三十五人の公認候補中八十七人が当選。オレゴン州ではバイセクシュアルを公言するケイト・ブラウン（Kate Brown）がLGBTQ＋候補として全米初の州知事に当選しました。

二〇一八年中間選挙では「レインボー・ウェーヴ（虹色の波）」が巻き起こりました。ファンドは二百七十四人という最多の公認を行い、二百万ドル（同二億二千万円）を投入し、六四％の百七十四候補が当選しました。コロラド州ではジャレッド・ポリス（Jared Polis）が全米初のゲイ男性州知事になりました。公認以外のLGBTQ＋候補も含めれば総計四百三十二人が立候補して二百四十四人が当選したのです。

この「虹色の波」は二〇二〇年にさらに大きくなりました。デラウェア州上院選に初当選したミレニアル世代のサラ・マクブライド（Sarah McBride）はアメリカ史上初のトランスジェンダー州上院議員となりました。カンザス州下院議員に初当選した先住民チカソー族の血を引くステファニー・バイヤーズ（Stephanie Byers）も同州初のトランスジェンダー女性の州議会議員です。彼女は三十年

＊10　http://www.victoryfund.org

間続けていた教師時代の二〇一八年に、前出の「GLSEN」の年間最優秀教育者賞を受けています。オクラホマ州ではノンバイナリーのモーリー・ターナー（Molly Turner）も州議会議員に当選しました。カンザスとオクラホマはトランプが勝った「赤い州」です。

二〇二〇年はヴィクトリー・ファンドが把握しているだけでLGBTQ＋コミュニティからは二〇一八年中間選挙より四割増しの千六人が立候補し、当選者数も記録的な三百三十六人（追補：二〇二二年中間選挙はさらに増えて四百六十六人！）に達しました。うちトランスジェンダーは計三十四人、州議会議員はその中の八人に達しました。

また、これまで全米五十州で、市町村、州、連邦すべてのレヴェルでいかなる公選オープンリーLGBTQ＋議員・公職者がいなかったのはサウスダコタ、ハワイ、ミシシッピの三州だけだったのですが、二〇二〇年選挙ではハワイの州下院にアジア系でゲイのエイドリアン・タム（Adrian Tam）が当選し、この〝不名誉〟リストから外れることになりました。

二〇二〇年選挙の各社出口調査では、投票した人の中で自分を「LGBTだ」と答えた人は七〜八％に上りました。その前の二〇一八年選挙まではだいたい三〜五％だったのが、この回は投票率が上がったのです。

LGBTQ＋の有権者は圧倒的に反トランプでした。就任直後にホワイトハウスのウェブサイトからエイズや性的少数者のためのページが削除され、トランスジェンダーの人たちの従軍を禁止した「トランプの四年間」に危機感を募らせた性的少数者およびそのアライの有権者たちが大挙して投票所に押し寄せた——これがバイデンに勝利をもたらしたのかもしれないと《ワシントン・ポスト》が書いています。[*11]

選挙においてもLGBTQ+パワーの可視化は進んでいます。ただし、LGBTQ+の人口比率が仮に五％だとして、アメリカのすべての選挙公職者のLGBTQ+の割合は二〇二〇年選挙を経てもまだ〇・三％に満たない少なさであることも確か——それでも九〇年代を通してゲイ人権運動の啓発スローガンだった「We Are Everywhere!（私たちはどこにでもいる!）」は、今すでに確実に現実として認識されているのです。

＊11　Had LGBT voters stayed home, Trump might have won the 2020 presidential election（LGBT有権者が家にとどまっていたらトランプが勝っていたかもしれない）、2020/12/01
https://www.washingtonpost.com/politics/2020/12/01/had-lgbt-voters-stayed-home-trump-might-have-won-2020-presidential-election/

第十四章　ホモソシアル、ホモセクシュアル、MSM

ホモソシアルな体験

「私たちはどこにでもいる！」と言われるのに、ところが私は、日本で自分のようなゲイに会ったことがありませんでした――これは青少年期のゲイ男性によくある口上です。自分も含めたカミングアウトの少なさと、そもそもの出会いの機会の少なさのせいでした。いやそれ以上に、私は日本で与えられるゲイ男性の情報のほとんどいずれにも、自分との同一性を感じられなかった。「それら」の現象が「ゲイ」ならば、私はゲイではなかった。

前述したように、私はなにごとにも活発な男子だったし、長いものだからという理由だけで巻かれることは嫌ったし、だから時に生意気だと思われるし、正しくないと思ったことは正しくないと言い張る子でした。小学生の時に流行っていたドッヂボールでは、相手から投げつけられるボールは必ず受け止める、あるいは取りに行く子でした。ドッヂボールの「ドッヂ」の意味が、のちに英語では「（ボールから）身をかわす」という意味の「dodge」だと知ったとき、ゲームに臨む自分の姿勢が根本的に間違っていたのかと思って軽く目眩《めまい》を覚えたほどです。まあ、だから日本社会よりニューヨークの社会の方がしっくりきたのかもしれません。ニューヨークは相対的な意味で、物言わぬ日本社会よりも生きやすかった。身をかわさぬことが奨励されている社会のように思われたのでした。

「ゲイ」の話に戻れば、中学生で迎えた思春期に私は男性を性的対象にマスターベーションをしたことがありませんでした。女の子と付き合ってもいました。ただ、それにもかかわらず、私はよくそんな女の子とのデートをすっぽかしても男同士でつるんでいる方が好きだった（ヒドいヤツです）。そのときの私には、（あとから知った言葉でいえば）ホモセクシュアルというよりホモソシアルという形容詞の方が合っていたと思います。

「ホモソシアル（homosocial）」というのは、アメリカのクイア理論家イヴ・セジウィックの『男同士の絆 イギリス文学とホモソーシャルな欲望』（訳・上原早苗／名古屋大学出版会／二〇〇一）[*1]で有名になった概念です。ホモソシアル（ホモソーシャル）な関係性＝ホモソシアリティ（ホモソーシャリティ）というのは体育会系の学生たちによく見られる男同士だけの（Homo-）社会的つながり、紐帯（sociality）のことで、しばしば女性嫌悪《ミソジニー》と同性愛嫌悪《ホモフォビア》が伴うとされています。その男同士の関係においては、女たちは互いの絆を確かめ合うために通貨のように交換される存在で、セジウィックは「二人の男が同じ一人の女を愛している時、いつもその二人の男は、自分たちの欲望の対象だと思っている当

＊1 『Between Men: English Literature and Male Homosocial Desire』：Columbia University Press, 1985

の女のことを気にかける以上に、はるかに互いが互いを気にかけている」と指摘しました。ここから、ホモソシアリティこそが、ひいては女性を支配する家父長制を構成しているのだと言うのです。

中学生、高校生だった自分にそんな分析ができるわけもなかったのですが、ホモソシアルな自分が女子を嫌いだったかというとそんなことはありませんでした。私は自分が男であるということをとても強く意識していて、常に他の者たちを守らなくてはと思うような男子でした。そんな勝手な〝庇護〟の対象には自ずから女子や〝女っぽい〟男子たちも含まれていました。私はたまたま体力的にも恵まれていて、タカヒロくんのように「オカマ」と呼ばれていじめられたこともありませんでした。私の周りにはいつも女子がいたし、仲良く話したり遊んだりもしていました（なんだか「I have black friends（私には黒人の友だちがいる）」論法[*2]みたいに聞こえますが、そういう意図ではありません）。

ただし、男友だちの方がいっしょにいて心地よかった。なぜかはわかりません。ただ、そうだった。

ではセジウィックが指摘するようにホモフォビック（同性愛を病的に嫌悪する傾向）だったか、というと、そもそもホモセクシュアルを知らなかったのだから……いや、そういえば中学から高校にかけて三島由紀夫の『仮面の告白』（一九四九）を読んで、あるいは『午後の曳航』（一九六三）を読んで、三島のそれらの主人公の欲望の対象（男らしい車夫や船乗り）に、何ら欲望を抱いていない自分のことは知っていました。私はそこに描かれる「男臭さ」にまったく欲情してはいませんでした。むしろ、理解できなかった。私の感動の対象はむしろ、それ以前に読んでいたヘルマン・ヘッセの『車輪の下』（一九〇六）の世界であり、漱石の『こゝろ』（一九一四）の「先生」と「K」との関係、有島武郎の木田金次郎に対する、『生まれ出ずる悩み』（一九一八）の「君」への葛藤だったと思い出すのです。さらに三島の後で読むことになった大江健三郎の初期の主人公たちの一連の、表現の向こう側に性的な視線をも孕んだ危うい友情……。そう言えば三島の『禁色』（一九五一）の美しい「南悠一」には、その姿形を夢想していました。中学を卒業して札幌の高校へは「汽車」通学だったのですが（昭和の北海道は電化が遅れていたのです）、その通学列車という新しい空間に、途中から乗車してくる新しい友人がいました。そいつが信じられないほど綺麗な顔をしていたので、「南悠一」はきっと彼みたいなやつなんだろうと想像しました。べつに恋い焦がれるというわけではなかったのですが、列車に乗ってくるそいつの顔を眺めているのがとても好きでした。なぜかはわかりません。それだけの話です。あとは高校二、三年生のときに、（私たちの高校はススキノに近かったので）よく酒を飲んではベロベロに酔っ払って綺麗な下級生とキスをしたりしました。そのキスは嫌いじゃなかった——これはかなり性的でしたが。

私はその後、親元を離れて東京の大学に通い（というか、通わずに、バイトや読書や酒飲みに明け暮れる）

＊2　人種差別主義者と批判されたときに「自分には黒人の友人がいる」ということを根拠に「だから黒人差別者じゃない」と主張する、典型的に無意味な自己弁護論法。

寮生活を送りました。男だけ百人以上が生活する空間で、私は私を慕ってくれる下級生の一人と酒に酔った勢いで今度はキスだけじゃなくセックスをしました。拙いながらも、それが初めての「同性愛」行為でした。その彼への愛おしさが、友情なのか愛情なのか、当時の私は大いに戸惑いました。ヘッセも漱石も有島武郎も、友情からのセックスはしなかった（描かなかった）――けれど友情からのそのセックスは私にはとても気持ちの良いものでした。高校時代の女友だちとの性的関係はともに東京に出てきたせいで細々と続いてはいましたが、同性の下級生とのセックスのあとではむしろ煩わしく、友情と愛情の両方が合体したような男同士の関係の方が気が楽で面倒じゃないものでした。それは確かに高校時代の部活で感じたような男同士の、先輩・後輩の気の置けなさでした。でも、そういう関係性は、日本語のホモセクシュアルの情報とは合致しませんでした。そういう関係は、思春期の一過性の擬似的なもので、「真性のホモセクシュアルではない」と書かれていました。そして「真性のホモセクシュアル」とは、（これも「昭和」的なさまざまなテキストにステレオタイプとして描かれていた）「ジメジメとメメしく妬《ねた》み嫉《そね》み僻《ひが》みと嘘とに満ちた、『男』になり損ねた性的倒錯の、変態性欲の男たちのこと」でした。そう、三島の『禁色』に登場するあの「ルドン[*3]」の描写のように。「ホモ」とは、そういうものでした。そういうレッテルを貼られていました。「ホモ」たちは常にそう描かれる存在で、主語として自分たちのことを語る資格もなかった……「ホモ」たちはアイデンティティを持っていなかったのです。あったのは自らの性的指向の呼び名だけでした。

ホモセクシュアルの発見

東京に出てすぐの十九歳のとき、いっしょに大学に入った中学からの友人の誘いで銀座のホステスさんがパトロンに貢いでもらって開いた中野のスナックにアルバイトのバーテンとして入りました。バーテンと言ってもべつにカクテルの作り方を知っているわけでもない、ただの、バーカウンターの向こう側に立っているだけの酒注ぎ係でしたが、そこにはママの銀座時代から続く有名企業の社長や重役やらもが訪れて若かった私を可愛がってくれ、店が終わるとよく深夜のお寿司や天ぷらに（帰りのお車代付きで）連れ出してもくれました。そうした中で何度かママもいっしょに、新宿二丁目のバーに飲みに行こうということになりました。その時間にまだ開いているのがそういう店だけだったのか、それとも遊び慣れた大人のハシゴ先はそういうものだったのか、行くのは決まって「たかし」というカウンターだけの暗く小さな店で、スーツを着てネクタイを締め、ポマードで短髪を固めたマスターのたかしさんが一人、早口のオネエ言葉で切り盛りしていた店でした。

とても楽しい店でしたが、隣に座ったお客さんたちともいろいろ話したりしながらも（今思えばホステスさんなどの女性客も多かったので、純粋なゲイバーではなかったのでしょう）、私はここは強いて自分から来たいと思うようなところではないと感じていました。奥の壁の棚には歌謡曲レコードのシングル盤がジャケットなしで裸で積まれていて、一曲終わるたびにたかしさんは後ろを向いて次の一

＊3　作中で南悠一と檜俊輔が出会う舞台となる銀座のゲイバー。

枚を探すのです。一曲分、約三分ごとに行われる神経症めいたその選曲の儀式が印象的で、しかも客のリクエストに答えてどんな曲でも一発で探し出すその技に見とれて、「ゲイバー」経験どころではありませんでした。今も彼のダミ声は頭の中で再生することができます。

もちろん「来たい」と思うような店は探せばきっとほかにあったのでしょうが、私はむしろゴールデン街の馴染みの『無酒《ムッシュ》』というバーで、当時知り合った中上健次[*4]さんらと文学談義をしている方が楽しかった。その中上さんも私を時に二丁目の別の店に連れて行ってくれましたが、そこでも私の欲望の対象はいませんでした。私は高校時代の延長のような、「友情」に欲情していたのです。

The Front Runner, Patricia Nell Warren, Bantam Press, 1975

そんなときに『フロント・ランナー』に出遭いました。私は確か二十一歳になっていました。銀座にあったビル三階の「イエナ」という洋書店の出口付近で（入り口はエレヴェーターでしたが出口は階段でした）、たまたま平積みにされていたペイパーバックの山が目に止まったのです。表紙にはブロンドの長髪の美しい若者が腰をおろし、年上のコーチが背後で立っているロッカールームのイラストが描かれていました。きっと見る人が見れば一目でわかる、とても「ゲイ」な表紙でした。私はそれを買いました。そこには、ヘッセや漱石や有島武郎の描いたことの「次の話」が書いてありました。主人公の若き中距離ランナー、ビリー・サイヴはこう言っていました――「ぼくは、愛した人としか寝ない」。

私は初めてそこに、信頼すべき同性愛者を見つけたと思いました。彼がゲイなら、私もゲイだと言わなくてはならないと、そのとき初めて思ったのです。今から思えば、私は彼に自分をアイデンティファイ（同一化）したかったのでしょう。なんとも健気で純粋な、かつ依怙地な若者であったわけですが。

ある人は、ゲイ男性が生涯にセックスする相手は平均で三桁に及ぶと豪語しています。ある人はストレート男性よりもゲイ男性の方がはるかに性的に奔放だと吹聴します。そもそもゲイはハッテン場通いがやめられないんだから同性婚など到底無理だと諭すゲイもいます。

みんながみんな、一人ひとりまったく違う「ゲイ男性」を体現しています。そんなとき、こんな私が「ゲイのこと」をこうしてエラそうに語っているのに対して、他のゲイ男性たちは自らの「主語」が「略奪」された、と感じるかもしれません。さらに、ゲイの私がゲイの話をしても略奪感を振りまくのだとしたら、ゲイの私がレズビアンの話、バイセクシュアルの話、トランスジェンダーの話をして略奪感を与えるのは避けようもありません。人はしょせん、自分以外の代弁はできませ

＊4　芥川賞作家（一九四六～一九九二）。紀州熊野の被差別部落の風土を背景に濃密な地縁血縁関係を描き，民俗・物語・差別の問題を追究。『枯木灘』『地の果て 至上の時』『千年の愉楽』など。

ん。私は彼ら彼女らの代弁者にはなり得ない。そのとき、「LGBTQ+」と一括りに言うときの私は単に、敢えて言えば、歴史の中で謂れもなく主語を奪われたことに関する、「屈辱感」をのみ代弁していると思っています。そしてその「屈辱感」「略奪感」を通して自分の「ゲイのこと」を考え尽くしていけば、それは「L」のこと、「B」のこと、「T」のこと、等々にも通じる何かがわかるだろうという期待——「LGBTQ+」とは、そうやって見つけた共通項を糧として、それぞれが混じり消えてしまうことのない友情、交差する連帯を呼びかける合言葉なのかもしれないと思っています。それは巷間言われる差異を認識するための「交差性《インターセクショナリティ》」と同時に、「交差《インターセクション》」を手がかりにした連帯のヒントを与えてくれるものだと思われるのです。

「硬派」とは何か？

「友情に欲情した」だなんて、そんなにカッコ良いもんじゃなかったろうと私の若い頃を知る友人から突っ込まれそうなので、そのことをもう少し補足しなければなりません。

前言を翻すようですが、私は友情のほぼすべてで欲情してはいません。友情を感じる対象の中の、ごくわずかな集合に、ごく稀な何かが引き金となったごく稀な場合にのみ、性愛的に強く惹かれていく。そのような場合、「友情に欲情する」のか「欲情を友情にシフトさせる」のかの問題は差し置いて、セジウィックの定義した「ホモソシアリティ」とは別の（あるいは同種ながら）、より性的に踏み込んだ「ホモソシアリティ」は、ひょっとしたら我々が考えている以上に私たちの周囲に遍在しているのではないかと思う節があります。

森鴎外の『キタ・セクスアリス』（一九〇九、以下引用は「青空文庫」に拠ります）には、ドイツ語を教える私立学校の寄宿舎で主人公の「金井湛《しずか》」が十一歳で「始て男色ということを聞いた」だけでなく、「手を握る。頬摩《ほおずり》をする」「年長者」の「男」に「君、一寸だからこの中へ這入って一しょに寝給え」と言い寄られるフツーの経験を披露しています。そして十三歳になって東京英語学校に入ってから、「その頃の生徒仲間には軟派と硬派とがあった」と説明し出すのです。

ちょっと長いですがこの「軟派」と「硬派」について引用してみましょう。


軟派は例の可笑《おか》しな画[*5]を看《み》る連中である。その頃の貸本屋は本を竪《たて》に高く積み上げて、笈《おいずる》のようにして背負って歩いた。その荷の土台になっている処が箱であって抽斗《ひきだし》が附いている。この抽斗が例の可笑しな画を入れて置く処に極まっていた。中には貸本屋に借る外に、蔵書としてそういう絵の本を持っている人もあった。硬派は可笑しな画なんぞは見ない。平田三五郎という少年の事を書いた写本[*6]があって、それを引張り合って読むのである。鹿児島の塾なんぞでは、これが毎年元旦に第一に読む本になっているということである。三五郎という前髪と、その兄分の鉢鬢奴《ばちびんやっこ》との間の恋の歴史であって、嫉妬《しっと》がある。鞘当《さやあて》がある。末段には二人が相踵《あいつ》い

＊5　男女の春画のこと。

で戦死することになっていたかと思う。これにも挿画《さしえ》があるが、左程見苦しい処はかいてないのである。[*7]

軟派は数に於《お》いては優勢であった。何故というに、硬派は九州人を中心としている。その頃の予備門には鹿児島の人は少いので、九州人というのは佐賀と熊本との人であった。これに山口の人の一部が加わる。その外は中国一円から東北まで、悉《ことごと》く軟派である。

その癖硬派たるが書生の本色で、軟派たるは多少影護《うしろめた》い処があるように見えていた。紺足袋《こんたび》小倉袴《こくらばかま》は硬派の服装であるのに、軟派もその真似をしている。只軟派は同じ服装をしていても、袖をまくることが少い。肩を怒らすることが少い。ステッキを持ってもステッキが細い。休日に外出する時なんぞは、そっと絹物を着て白足袋《しろたび》を穿《は》いたり何かする。

そしてその白足袋の足はどこへ向くか。芝、浅草の楊弓《ようきゅう》店、根津、吉原、品川などの悪所[*8]である。不断紺足袋で外出しても、軟派は好く町湯に行ったものだ。湯屋には硬派だって行くことがないではないが、行っても二階へは登らない。軟派は二階を当《あて》にして行く。二階には必ず女がいた。その頃の書生には、こういう湯屋の女と夫婦約束をした人もあった。下宿屋の娘なんぞよりは、無論一層下った貨物《しろもの》なのである。

つまり何かと言うと、現在ではほぼ、「ナンパする」という動詞でしか使われなくなった「軟派」というのは、江戸の名残がある明治時代にあっては「女色」派の、いわゆる「チャラ男」層のことでした。そして「硬派」とは、今でこそ「蛮カラな男集団」という意味でしか遺っていませんが（そういえば私も中学生の頃、仲良しの男五人組で街なかを高下駄学ラン姿で闊歩していました）、もともとは「男色」派のことだったわけです。それは今で言う「ホモソシアリティ」の延長にありました。彼ら「硬派」の基となったのは江戸中期に書かれた例の『葉隠』[*9]にある「武士道」と「衆道」です。それに倣《なら》って「硬派」たちは女色を卑《いや》しむべきものとして排し、美少年に接近して稚児の関係を結んでいたわけです。

友情と愛情のあわい

ちなみにこの『キタ・セクスアリス』が発表された一九〇九年（明治四十二年）に十歳だったもう一人の文豪、川端康成はやがて数え十八で大阪府立茨木中学に入って寄宿舎生活を送ります。大正

＊6　武士間の衆道を描いた『賎の男太巻（しずのおだまき）』のこと。庄内の乱で戦死した二十八歳の吉田大蔵を追って討ち死にした十五歳の「容色無双」平田三五郎の契りを描いた。当時、十代後半の若者組の間で愛読された。
＊7　性的描写
＊8　遊郭
＊9　「武士道といふは死ぬ事と見付けたり」との一節で有名な、佐賀鍋島藩の武士の心得の秘伝書。男色の作法たる「衆道」に関しては「命を捨るが衆道の至極也。さなければ恥に成也。然れば主に奉る命なし」ともある。三島由紀夫は本書に感銘し『葉隠入門』（一九六七）を書いた。

時代です。このときに同室だった下級生「清野」との「恋」を、一九四八年から四九年にかけ六回にわたって雑誌に連載した『少年[*10]』という短編で回顧しています——

お前の指を、手を、腕を、胸を、頬を、瞼を、舌を、歯を、脚を愛着した。
僕はお前を戀《こい》してゐた。お前も僕を戀してゐたと言つてよい。

（中略）

僕はいつともなくお前の腕や脣をゆるされてゐた。ゆるしたお前は純眞で、親に抱かれるくらゐに思つてゐたに相違ない。（中略）しかし受けた僕はお前ほど純眞な心ではゐなかつた。

（中略）

しかしまた、下級生を漁る上級生の世界の底まで入りたくなかつた、あるひは入り得なかつた僕は、僕達の世界での最大限度までお前の肉體《にくたい》をたのしみたく、無意識のうちにいろいろと新しい方法を發見《はっけん》した。

（中略）

でも、舌や脚と肉の底との差はどれだけだらう。ただ僕の臆病が辛うじて僕を抱き止めたのではないかと自ら責められる。

とは言え川端は、執筆時の昭和二十四年から当時のことを締め括って「中学校の寄宿舎には、たとひいかなる事情がおありでも子弟を送ることはお止《よ》しなさいと、世間の父兄に私は忠告したい」と書くのですが。

明治、大正、昭和初期にかけ、女色を卑しむべきものとして排すことを旨としようがしまいが、日本で衆道や男色がまだ存在していたのは確かです。洋の東西を問わず、同性同士の欲望は紀元前から数多、記録に残っていますし、文明文化のいかんにかかわらずありとあらゆるところに遍在しています。

そこで当然のように疑問となるのは、どうして武士道では衆道を嗜《たしな》む動機付けとしてわざわざ女色を卑しむべきものと貶《おとし》めなくてはならなかったのかということです。「女色は卑しい」と思うことが男色への加速要因になることはあるかもしれませんが、加速ではなく、「女色は卑しい」と考えることが欲動のスターターになることはあるのでしょうか？　欲動は、そういう「考え」によっ

＊10　『川端康成全集』第九巻所収（新潮社／一九六九）。

て発動するものでしょうか？　この本でしばしば書いてきたように、私は自分の欲動の発動するきっかけとなるものが何かということは後付けとして知っていますが、どうしてそれが発動のきっかけになるかはわからないのです。なぜ欲動をもたらす、ある（極めて個人的な）特定の美しさ（と自分には思われるもの）が存在するのか？

なので、私にはどうにも逆に思えてきます。同性への欲動が先にあって、それを正当化、正常化するために「女色は卑しい」と理由づける。なぜなら「軟派は数に於いては優勢」だったから、劣勢の「硬派」にはそれなりの対抗的な理論武装が必要だった──「優勢」のものに理論化は必要ありません。マジョリティが自らを規定する必要がないように、異性愛が「異性愛」という名前すら持つ必要がなかったように。『葉隠』の中の「衆道」はまさに少数派だったからこそ書き記される必要があったのでしょう。

私がここで言いたいのは、しかし同性への欲望は、男であろうが女であろうが、（先に提示したように）それは現在の文明文化の規範性の中でかろうじて表面化している以上に（普遍的とまでは言わないまでも）数でも量でもはるかに多く存在しているのではないかという仮説です（私にとってはほとんど事実ですが）。『葉隠』にあるホモソシアリティにしろ、その同性への欲望に素直になれるなら、「女色を卑しい」と排するミソジニーの必要もなく存在し得るのだという提言です。

私たちはプロ・サッカーの試合でゴール直後の選手たちが歓喜と興奮のあまりにキスし合う場面をしばしば目撃しています。そうした半ば絶頂のトランス状態にあっては興奮の発露はしばしば同性にだって向きます。中にはキスされて怒り出す選手もいますが、そこで怒る理由はそれが社会的な規範性への「違反」だと感じる外的な要因であって、内発する怒りではないような気がします。

そもそも、友情と愛情のあわいはどこで境界が引かれるのか？　正岡子規が夏目漱石に抱いた感情、宮沢賢治が保阪嘉内に抱いた感情……ちなみに「友情」「友人」という言葉は明治期に輸入された翻訳語です。

フランス語では友人も恋人も同じく「アミ」です。男性の場合は「ami」、女性の場合は「amie」。これはもともとはラテン語の「愛（アモル／amor）」から派生したものです。同じくラテン語を元とするスペイン語の「アミーゴ（amigo）」も同源です。

英語の「friend」は古英語では「freond」で、動詞はこれもまた「愛する」という意味の「freon」でした。

友情も愛情も、友人も愛人も、元を辿れば同じもの――これは友情と愛情が地続きであることを意味しています。境界線はさまざまな文脈でそれぞれに後付けされたものです。

例えば寄宿舎や刑務所、兵舎といった往々にして同性だけの閉鎖空間ではしばしば「横行する」とされる同性間の性行為および恋愛感情を、私たちは長く「擬似恋愛」とか「代償行為」とかとして教えられてきました。これは同性同士の間の感情は友情であって、性欲を伴う恋愛とは違うものだという認識を基にしています。性欲はどうしても肉体的欲求として発生してしまうので、そこに同性しかいなければ同性に向かってしまうのは代償物としてしかたのないことだ、という具合に。

そしてそれらの「一時的」な「特殊」環境に属する性的欲望は、「正常」な「本来」の環境に戻れば消える「一過性」のものである、という具合に。しかしそれは本当なのでしょうか。

大杉栄[*11]もまた『続獄中記』(一九一九)の冒頭部分で、「畜生恋」として刑務所での次のような体験を披露しています。

実際みなずいぶん仲がいい。しかしその間にも、他のどこででもあるように、よく喧嘩がある。時としては殺傷沙汰にまでも及ぶ。が、その喧嘩のもとは、他の正直な人々の間のようには、欲得ではない。そのほとんどすべてが恋のいきさつだ。

ちょっと色の生っ白い男でもはいって来れば、みんなして盛んにちやほやする。まったくの新入りでも、監房や工場のいろんな細かい規則に、少しもまごつくことはない。なにかにつけて、うるさいほど丁寧に、よく教えてくれる。庇ってもくれる。みんなは、ただそれだけのことでも、どれほど嬉しいのか知れない。

こうしてみんなが、若い男のやさしい眼つきの返礼に、何ものにも換え難いほどの喜びを分ち合っている間は無事だ。が、それだけでは、満足のできない男が出て来る。その眼の返礼を独占しようとする男が出て来る。平和が破れる。囚人の間の喧嘩というのは、ほとんどみな、直接間接にこの独占欲の争いにもとづく。これは世間の正直な人々の色恋の争いと何の変りもない。

どこの監獄の囚人の間にも、この種の色情はずいぶん猛烈なものらしい。もっとも、これだとて、決して囚人特有の変態性欲ではない。女っ気のない若い男の寄宿舎なぞにはどこにでもあることだ。現に僕は、陸軍の幼年学校で、それが知れればすぐに退校されるという危険をすら冒して、忠勇なる軍人の卵どもが、ずいぶん猛烈にこの変態性欲に耽っているのを見た。はなはだお恥かしい次第ではあるが、僕もやはりその仲間の一人だった。

これは「決して囚人特有の変態性欲ではな」く、「若い男の寄宿舎なぞにはどこにでもある」「変態性欲」であると大杉栄は言います。そしてその彼自身も「やはりその仲間の一人だった」と吐露するのです。

「愛人という神聖なる友」

フリードリヒ・S・クラウス（Friedrich Salomon Krauss／一八五九〜一九三八）というオーストリアの民俗学者は『日本人の性生活』（訳・安田一郎／青土社／二〇〇〇）の中で、次のような日本人の匿名政治家の報告を紹介しています。

＊11　明治・大正期のアナーキスト思想家、社会運動家（一八八五〜一九二三）。大逆事件以後に危険視され、関東大震災直後の混乱時に憲兵隊に虐殺される。

サムライの古い考えはほとんど弱められないでひそかに生き続けている。そしてその主な支持者は昔も今も軍人階級である。私は軍隊内の同性愛の蔓延について、しばしば士官と語った。たとえ個々人はそれを認めたがらないとはいえ、兵士や士官の間で少年愛は非常に広がっていることは他のことから立証された。皮相な観察者さえも、日本の兵士が、われわれ一般人の場合よりも、はるかに情愛がこもり、友好的な仕方でお互いにつき合っているのに一驚《いっきょう》するだろう。

（中略）

日本の兵士は、平和時に、友達と手に手をとって歩き、友達と親密なきずなを結ぶように、戦時でもそうである。われわれは実際こう言うことができる。同性愛的な関係のなかでも、古いサムライ精神が、一八六八年前の古い時代にはなかったほどすばらしく、満州（Mandschurei）の戦場でよみがえったと。何人かの士官が私に、他の兵士に対する一人の兵士の恋愛から自分の生命を賭して戦った光景や、一人の兵士が確実に死が見舞う場所で自由意志からわが身を犠牲にした光景を物語ってくれた。そしてこれは、ただ単に戦闘精神や死を軽んじる心――この美徳は日本の兵士に独自のものであるが――の発露ではなく、他の兵士に対するはげしい恋愛感情からなされたのである。そしてこの軍隊は、祖国愛から自分を犠牲にするだけでもないし、兵士という使命で倒れるだけでもなく、愛する友人の生命を守るために、愛に殉ずるこのような兵士をもっていることを実際幸福だと思っていいのである。

この匿名政治家の指摘をも超えて、これは「ただ単に日本の兵士の非常な特徴」ではなく、世界の文化圏に遍在した傾向であることは少し調べればわかることです。ノーベル文学賞作家でもあるフランスのアンドレ・ジッド（一八六九〜一九五一）はそういう関係性を含めて同性愛そのものを必死に擁護する、架空の対話形式での作品『コリドン（Corydon）〜四つのソクラテス的対話』を一九二四年に発表しました。

『コリドン』は日本では新潮社の『アンドレ・ジイド全集』（全十六巻／一九五〇〜一九五一）の第四巻『背徳者』の巻に伊吹武彦訳で収められています。それからすでに七〇年も経っていますが、日本でもやっと同性愛に対する正面きっての議論が成立するようになった現在、この作品はぜひ文庫本などで再刊行されてほしいものの一つです。

同性愛の歴史とそれぞれの社会における位置とを論じる『コリドン』は、ジッド自身の「序」によれば、一九一一年にわずか十二部を匿名で出し、さらに一九二〇年にはこれに加筆したものを同じく匿名で二十一部刷ったそうです。フランス革命で同性愛を死刑とする刑法はなくなりましたが、それでも公的秩序や道徳を乱すものとしてさまざまに抑圧されていた時代です。ジッドが「友人達が、この小冊子は最も私を謬《あやま》るものだと繰返しいってくれる」と一九二四年決定版の序文で書いているとおり、実名でこれをＮＲＦ出版社から刊行した同年以降、彼はフランス社会の批判非難の矢面に立つことになりました。しかしジッドの死の前年の一九五〇年、『コリドン』は今度はアメリカでも出版されるのです。そして日本でも全集内で。

本作では対話は「私」と、かつてその友人だった「コリドン」の間で進みます。「私」は偏屈で無作法なインタヴューワーです。その「私」に対して医師「コリドン」が、自然主義者として、歴史家、詩人、哲学者として、自分の主張を裏打ちする証拠文献の数々を持ち出してきて、紀元前五世紀のペリクレスの時代のギリシャからルネッサンス期のイタリア、シェイクスピアの時代の英国に至るまで、文化や芸術に優れた文明に、同性愛というものが遍《あまね》く存在していたことを論証していくのです。

ちなみに、「コリドン」という名は、紀元前一世紀のローマの詩人ウェルギリウスの『牧歌』の第二歌に登場する、美少年アレクシスを愛した羊飼い青年コリドンの名前から採ったとされます。

さてその論証も終わりに近い部分で、「コリドン」がプルタルコス（プリュタルク、西暦四六〜一二〇頃）の『英雄伝』を引き合いに出して説明する場面があります。旧仮名、旧字は現代表記に変えて引用します。

「《伝うる所によれば、テーベの聖軍はゴルギダスの編成にかかり、精鋭三百を以て成る。調練費、維持費は国家がこれを支給する。……或る人々のいう所によれば、この軍隊は、愛する者とその愛人とから成っていた。この点について、パンメニスのいった面白い言葉がよく引合いに出される。『愛するものは、その愛人の傍に列べなければならぬ。愛し合っている人々から成る軍隊は、乱し難く破り難いのである。何となれば、愛する者は、愛の対象に執着し、愛される者は、己れを愛する者の眼前に於て面目を失うことを怖れる故に、この軍隊の各員は、如何なる危険をも、敢て辞せないからである。』》これによって見ると、」とそこでコリドンはいった。「テーベ人にとっての不名誉、とはどういう意味であったかが分る。賢者プリュタークは尚も続けてこう書いている。《人間は、目前にいる他人よりは、たとい目前にはいなくても自分を愛してくれる人の方を怖れる。もしそれが本当だとすれば、先の話には何の不思議もないのである。》——どうだ、何と敬服すべき名言ではないか。」

(中略)

「《現に、或る戦士》は、」と彼は読み続けた。「《敵に倒され、今まさに殺されようという間際に、どうか胸を突刺してもらいたいと懇願した。『せめて私の愛人が私の骸《むくろ》を見付けたとき、うしろを刺された私を見て恥じなくてもよいように。』》また、ヘラクレスに愛されたイオラウスが、いつもヘラクレスの仕事を助けてその側に戦ったという話もある。(中略) アリストテレスは、当時もなお、相愛の男同士がイオラウスの墓へ詣でて、そのほとりで契を交すのが常であったと書いている。してみると、あの軍隊を《聖軍》と名付けたのも、《愛人とはその中に神聖な或るものの感じられる友である。》――プラトンをしてこういわせた思想に従ったものではないか、さもありそうなことと思われる。

《テーベの聖軍は無敵であったが、ケーロネアの戦に、遂に敗れた。この戦が終った後、フィリッポス（註　敵マケドニヤの王）は、殺戮の野を巡視しつつ、聖軍三百人の死骸が横たわっているところに足を止めた。皆胸を槍で突き刺されていた。槍と死骸が入り交り、ぎっしり集って、うず高い小山をなしていた。フィリッポスは駭然《がいぜん》としてこの光景を眺めた。そして、これが愛人の部隊であることを聞くと、思わず一掬《いっきく》の涙をそそいでこう叫んだ。『これらの強者が、破廉恥《はれんち》を敢てし破廉恥を許すがごとき輩なりしと夢にも思うものあらば、非業の死を遂ぐべし。』》」

洋の東西を越え、さらには一八〇〇年近い時をも越えて呼応、共振する、軍隊（という生命の有事）におけるこの「他の兵士にたいするはげしい愛の感情」、「相愛の男同士」の関係性は、いったいどういうものなのでしょう。

コリドンは続けます。

ユラニズムの無い時代又は所のみが、同時にまた芸術の無い時代、芸術の無い所だとまで僕はいいたいのだ。

「ユラニズム（uranisme）」[*12]とは同性愛に関する十九世紀の先駆的な研究者であったカール・ハインリヒ・ウルリヒス（Karl Heinrich Ulrichs）が命名した概念で、ジッドや同時代のマルセル・プルーストも用いた当時のフランスでの男性同性愛の呼び名です。

とはいえ、男性同性愛の「正常さ」や「男性」性を説くあまり、コリドンはアテネの衰微を「ギリシャ人が練武場に、通わなくなった」、つまり、男性性を尊ぶ「ユラニズムが異性愛に敗れた」せいだとまで語ったり、はたまた「異性愛と共に、その自然的補足物——即ち女性嫌悪が勝ち誇った」とも言ってしまう。コリドンは言います。「女性崇拝は、ユラニズムのお蔭だ」「女性崇拝が普通ユラニズムに伴って起る」「女が一層広く欲望の対象となれば、女は前ほど崇拝されなくなる」。

これは前述した日本における「軟派」「硬派」の考え方の裏返しみたいな論法です。ナンパ男性にとっては「女」たちは単に欲望の対象だからむしろ軽んじられ、硬派の男たちには肉欲の対象から離れて女はむしろ「女神」（のょぅ）になる、とでも書き換えられましょうか？

芸術性に関するコリドンの謂いについては、現代でも巷間聞かれる「ゲイの人ってみんな芸術的センス、美的センスがあるよね」という誤解とそんなに違わないかもしれません。

＊12　伊吹訳では「ズ」と濁る表記だが、フランス語の他文献の翻訳では「ユラニスム」と清音にする方が一般的。

磁場の乱れとしての同性愛

ところで、コリドンの語る『英雄伝』の戦士たちや日清戦争時の士官たちが目撃した兵士たちはそもそも互いにセックスをしていたのでしょうか？　直接的な言及はありませんが、経験的に言っても引用テキストの言外のニュアンスからも、彼らの関係性は肉体的につながっていたからこそ強かったはずです。ならば、彼らは「ホモセクシュアル」だったのでしょうか？

長々と時代を超えた友情絡みのさまざまな性愛的事例を挙げてきましたが、さてここに来て「ホモセクシュアル／バイセクシュアル／ヘテロセクシュアル」という言葉が、単に性的指向の矢印（同性に向かうか／両性に向かうか／異性に向かうか）の違いを示す形容詞なのか、それともそれを性的アイデンティティとして引き受けるものとして使うか、その違いで文脈が微妙に、しかし内実はかなり変わってくることに気づくはずです。

例えば、「あいつ、ホモなんだぜ」と言うその「ホモ」と、「あたしゃホモだよ」と言うときのその「ホモ」とは、同じに聞こえて色合いが微妙に違います。ともに侮蔑語ではありますが、前者の「ホモ」は同性に向かう性的指向のその向きをのみ指示してそれを揶揄しています。ところが後者の「ホモ」は、性的指向の自己認識の上に、自らのアイデンティティを重ねてその生き方を（諧謔《かいぎゃく》的にではありながらも）宣言しているニュアンスがある。それは、容易に第六章、第七章で指摘した「アイデンティティの政治」につながっていきます。
そうした違いを意識した上で、コリドンの語る『英雄伝』の戦士たちや日清戦争時の士官たちが目撃した兵士たちは「ホモセクシュアル」だったのか、と問い直すと、それはアイデンティティとしてのホモセクシュアルではなかったと言えるのではないかと思われます――あの時代、あの状況下で、アイデンティティの政治や連帯は必要なかったし、あったのはただただ互いに惹かれ合うその直截的な欲動でした。それで済んだのです。つまり彼らのホモセクシュアリティは、アイデンティティとしてではなく、その状況下での性愛的な欲動が同性に向かったという、その矢印の向きとしてのみのホモセクシュアリティだった――単なる客観的な形容なのです。
しかしその当時にもスティグマ（汚名の烙印）はありました。そのスティグマは同性間の肉体関係に付けられるものでした。だからその関係から、肉体性を排除する言説が生まれるのです。もう一度、コリドンの引用を再掲しましょう。

フィリッポスは駭然としてこの光景を眺めた。そして、これが愛人の部隊であることを聞くと、思わず一掬の涙をそそいでこう叫んだ。「これらの強者が、破廉恥を敢てし破廉恥を許すがごとき輩なりしと夢にも思うものあらば、非業の死を遂ぐべし」。

ここにある「破廉恥」とは「肉体関係」のことです。したがってここでは、肉体的な欲動（性愛の向きとしてのホモセクシュアリティ）の要素よりも、友情、友愛（ホモソシアリティ）の要素が言挙げされる。しかし、それが欲動の向きとして「ホモセクシュアル」であることは確かなのです。

性的アイデンティティとしての「ホモセクシュアル」ではなくて、性的指向としての「ホモセクシュアル」は、行為として存在します。それは「一過性」というよりも「都度性」といった方が的確と思われる在り方で存在する。性的指向は磁針が南北を示すように不変のものと思われることが多いのですが、その磁針も時に磁場の乱れで違う方角を指します。それは「間違い」ではなく、その時々の磁場に忠実・正確な「都度的な変位」です。

先に、「セジウィックの定義した『ホモソシアリティ』とは別の（あるいは同種ながら）、より性的に踏み込んだ『ホモソシアリティ』は、ひょっとしたら我々が考えている以上に遍在しているのではないか」と書きました。セジウィックの「ホモソシアリティ」は、そこで起きる「ホモセクシュアルな欲望」を「一過性」の「間違い」として忌避することで、異性愛規範社会の中で「正常」に維持されます。けれど、その「ホモセクシュアルな欲望」を「都度的」で「忠実」な「変位」として捉えれば、それは自身の性的なアイデンティティとは関係なく、いや、自身の性的アイデンティティはそのままに、ホモセクシュアルな欲望の矢印を肯定できるのではないかとも思うのです。なぜ肯定する必要があるのか？　その否定がホモフォビアに向かうからです。そしてそのホモフォビアは、自身の都度的な磁場の乱れをも否定して、自家中毒的な苦しみに帰結するからです。都度的な変位は、ここでずっと述べてきたように、誰にでも何度かは、また別のある者にはかなりしばしば起きるものなのに、あるいは起きるものだから、それに苦しむことは自他ともに不健康なのです。

例えば芸能界でのいわゆる「ホモネタ」というものが後を断たないのは、彼らが事実としてこのホモセクシュアルな欲望を特権的に享受しているからではないかと思います。もちろん、自分のことをゲイだ、バイセクシュアルだと性的指向の向きで固定的に認識している人たちは彼ら彼女らの中にもいるでしょうが、異性愛者だと認識していても同性と性行為に及ぶ人も少なくない。その場合、厳密には彼らはバイセクシュアルですらないかもしれません。なぜならそれはおそらく、圧倒的なヴィジュアルの美しさとか名声とか、財力とか才能とか、そうした一般社会とは別の、特異な磁場が存在することによる、性愛の方向性の乱れ、性的指向の都度的な変位でしかないからです。そして彼らは、自らのアイデンティティに揺るぎを持たない。彼らはみなその外見や才能において、かつそれらを基盤として、さまざまな場面で（皮層的ではありますが）特権者だからです。そして異性間のセックスであってもスキャンダルの恐怖という抑制力がなければ一般人よりも機会に恵まれるでしょうから、特権の場におけるジェンダーの垣根だって相対的にかなり低くなるのです。特権の素である肉体の垣根もまた。そう考えると芸能人はおしなべてかなりクィアではあります。

同じく、日本に来た欧米人の男性モデルたちもまた特権的な時代があったことを憶えています。私がニューヨークに赴任する前、八〇年代後半から九〇年代初めにかけてのバブル期の東京では欧米人モデルが少なからずいて、かつ、かなりもてはやされていました。その中にかなりの割合でゲイ男性もいました。そんな彼らが口々に言っていたのは、日本人の若い男の子たちは驚くほど簡単に寝るということでした。ゲイじゃない、ガールフレンドとセックスもしている普通の大学生の男の子たちが、欧米人モデルの男性たちの性的な誘いに冗談みたいに簡単に乗ってくる。私の友人のアメリカ人モデルは「日本人、みんなゲイなのかと思うよ、ホント」と言っていました。

あの時代、欧米人モデルはやはり特権的でした。日本の若い男性たちは、自分たちとは異世界にいる人間として彼らを見ていたのかもしれません。そこでそれまでの自分たちの磁場が崩れる。彼らとの性行為は特別な（特権的な）異世界でのことだから、現実の普通の日本社会でのこととは地続きではないと錯覚できたのかもしれません。そういう思いの中ではジェンダーや肉体の垣根は、つまり自分の普段の性的指向の在りようは、人種の垣根を超えるときに同時にまた変位していたのでしょう。同時にまた、彼らの「若さ」という磁場エネルギーも影響したはずです。若さゆえの欲動の磁場の奔放さと無法さ。それもまた「性的な誘いに冗談みたいに乗ってくる」理由でしょう。彼らはおそらく私の友人がそのとき思ったような「みんなゲイ」ではないのです。そんなアイデンティティは持つはずもない。ただ、性愛の矢印がその時、その都度、あちこちに振れていただけなのでしょう。

「ルビンの壺」の対称性

そう考えたときに、エイズ禍の時代に発明された「ＭＳＭ」という概念のことを思い出しました。「M(en who have) S(ex with) M(en) ＝男とセックスする男たち」という意味です。エイズ／ＨＩＶの感染予防のために生み出されたこの考え方は、ゲイかどうかという性的アイデンティティには触れず、性行動という行為（リスキーな行為）だけの次元に焦点を当てた呼び名です。性的指向がその都度云々という面倒な話もありません。HIVの性感染の危険性には性愛の内実は一次的には関係ありません。性愛の行為だけが関係します。ですから、感染予防を呼びかけたり検査を受けるよう勧めたりする対象は男性同性愛者である必要はない。男性同性間セックスをする、というその行為に対してだったわけです。

ところであの当時、自分をゲイだと認めようが認めまいが、男とセックスをする男たちがいるという事実は多くの研究者たちを驚かせました。しかも常習的なMSMのHIV陽性率が高い。その当時の状況や時代性も合わせて、私はあのころ、「ゲイ」というアイデンティティを持たない彼らを、複雑ながらも単純に「クローゼット」のホモセクシュアルたちだと考えていました。あるいはホモフォビアが強いあまりに自分のホモセクシュアルな欲望を認めないバイセクシュアルたち――そういう事情にある人たちは前述したように少なくないはずです。

そういう例で私がいつも思い出すのは『エンジェルズ・イン・アメリカ（Angels in America）[*13]』でも描かれたロイ・コーン（Roy Cohn）の、醜悪な姿です。

ロイ・コーンは劇中の重要な登場人物の一人で、実在の連邦検察官、弁護士です。マッカーシズムの時代に赤狩りの先頭に立って権力を握り、その後もニクソンやレーガンに取り入って私設顧問となり、アメリカ政界のフィクサーとなります。この時代に、「不動産王」のセルフプロモーションで台頭してきたドナルド・トランプとつながり、トランプに「負けたと認めない限り負けることはない」という〝人生哲学〟を教えた人物です。ちなみにこのトランプを彼に紹介したのがやはり共和党系の悪名高い政治ロビイストのロジャー・ストーンでした。この男は二〇二〇年のトランプのロシア疑惑で偽証罪などに問われ有罪となりましたが、同年十二月にその当のトランプによって大統領恩赦となりました。彼らはみなそういうサークルの連中です。

ロイ・コーンは一九八六年にエイズによる合併症で死亡します。しかし最後まで自分がエイズであることも、同性愛者あるいはMSMであることも認めませんでした……そして当然ながら、自らは男性と性交を続けていたのに同性愛者たちの権利拡大は一貫して否定し、抑圧すらした人物だったのです。「MSM」という概念は、そうしたアイデンティティがらみの価値観を一切排除した呼称です。

向き合う2人の人間の横顔に見えるか？　壺に見えるか？——「ルビンの壺」

いずれにしても、「『同性愛』めいた男性間の関係性」における精神性の部分をいっさい無視／否定したこの「男たち」の正体を、当時の私はなかなか見極められずに、というか得心できずにいました。

一方で、『コリドン』や明治期の戦士・兵士たちのあの男性間のホモソシアルな関係性は、逆にその精神性を強調するあまりに肉体性を捨象する。友情やら忠義やら契りやら絆やら、これはまるで「MSM」の裏返しです。ホモソシアルな関係は、男同士でしょっちゅうつるんで、家で待つ妻たちを蔑ろにする関係、休みになると家族ほっぽらかしでやれ草野球だやれ草ラグビーだと男同士の集いに精を出す関係に呼び名を与えました。残念ながらそれは理想主義者のコリドンが論じたような「女性崇拝」にはつながらず、逆に「女性嫌悪」になってしまう関係の名前になってしまうのでしたが。

ここで思い至るのは、「MSM」と「ホモソシアル」の関係が、まるで「ルビンの壺」の、「壺」と「人間の横顔」の関係にあるのではないかということです。「ホモセクシュアルな欲望」を軸に、精神性を捨象して見えてくるものと、肉体性を捨象して見えてくるものとが、合体しているの図。

＊13　ピュリツァー賞やトニー賞などを総なめにしたトニー・クシュナー作のエイズ戯曲の傑作。第一部『Millennium Approaches（至福千年紀が近づく）』（一九九三年五月ブロードウェイ初演）、第二部『Perestroika（ペレストロイカ）』（一九九三年十一月同）で成る。一九八五～一九九〇年のアメリカが舞台。二〇〇三年にはアル・パチーノやメリル・ストリープを起用し、マイク・ニコルズ監督のものとHBOでTVミニシリーズとしても制作・放送された。

ホモソシアリティは、つるみたい男との性的感情あるいは肉体関係に直面するとどう対処してよいのかわからなくなってパニックに陥る。そこからそれを否定することでホモフォビアになる。

MSM性は、セックスする相手の男との愛情や絆を突きつけられると不意に居心地が悪くなって怒り出す気分を抑えられない。そこからそれを否定することで、「行為者」ではあるものの、そこにアイデンティティは持たない何か別のものとなる。

先に「不健康」と書きましたが、これはさらに、ともに不幸であるように見えます（不幸じゃないと言い張る人たちは多いでしょうが）。

そう整理して初めて、私は映画『ブロークバック・マウンテン』（アン・リー監督／二〇〇五）の主人公、ヒース・レッジャー演じる「エニス・デル・マー」の心がわかった気がしました。

『ブロークバック山』の迷子

アメリカの男らしさの象徴の一つである「カウボーイ」という、初めて〝女性〟的などのステレオタイプではない男性同性愛者を登場させてオスカー監督賞などを獲ったこの（今では）古典的な名作は、「一九六三年夏、ワイオミング州のブロークバック・マウンテンでの羊の放牧という季節労働を通じて知り合ったエニスとジャック・トゥイスト（ジェイク・ジレンホール）との、その後二十年にわたる恋愛」を描きます。その全体の構造を私は二〇〇六年の日本公開時に『yes』という雑誌に書いた「クローゼットの闇に迷い込まないための——ブロークバック山の案内図」という評論で紹介しました。ただしいま読み返すと、その時はまだ、私はエニスのことを十分にはわかっていなかったのだと思います（とはいえ、リー監督や他の製作陣、キャスト自身はきちんと言語化して理解していたかというと、それも私には定かではありませんが）。

当時のその評論をここに再掲します。

「クローゼットの闇に迷い込まないための——ブロークバック山の案内図」

「愛とは自然の力」の二重の意味

朝ぼらけのワイオミングの山あいの道路をトラックが行き、グスタボ・サンタオラヤのスチール弦が冷気を貫き、エニス・デル・マーが美しい八頭身でトラックから静かに降り立ったとき、その歓喜と悲劇の物語はすでにそこにすべてが表現されていた。歓喜は遠い山に、悲劇は降り立った地面と地続きの日常に、そうしてすべての原因は不安げに結ばれるエニスの唇と、彼を包む青白い冷気とに。

「Love is a Force of Nature」というのがこの物語の映画版のコピーだ。「愛とは自然の力」。a

force of nature は抗し難い力、有無をいわせずすべてを押し流してしまうような圧倒的な力のことだ。「愛とはそんなにも自然で強力な生の奔流《ぼうりゅう》。だからそれに異を唱えることはむなしい」——そのメッセージ。

しかしここにはもう一つの意味が隠されてある。この「ブロークバック・マウンテン」で中心を成す「愛」は、いつも山や川や湖といった「自然」の中で生きていた。その事実。「愛とは、自然の形作ってくれた力」。あのはるかなブロークバック・マウンテンが彼らに与えてくれた力なのだ。そして実は、彼らの愛は、その自然の助けなしには生きられなかったのである。

このコピーの二重性は象徴的である。しかも原作のアニー・プルー、脚本のラリー・マクマートリーとダイアナ・オサナ、そして監督のアン・リーの意図はあからさまなほどに共謀的で明確だ。

エニス・デル・マーとジャック・トゥイストの愛の交歓はほとんど（四年ぶりのやむにやまれぬモテルの一夜を除いて）美しく瑞々しい山々と木々に囲まれ、抗い難い川の水の流れをまえに営まれる。対して彼らの日常は、埃舞う乾燥しきった下界での出来事だ。エニスにとっては無教養で小心で疲れ切ったアルマと泣きわめく赤ん坊たち、そしてうまくいかない仕事。ジャックにとっては《十五歳になっても字も書けない学習障害を持つ息子》やしゃしゃり出る義理の父親。出逢いではあれほどかわいかったルリーンがすぐに逆毛を立てた酸素漂白ブロンドのタバコぷかぷかテキサス女に変身してしまうげんなりさ加減。しかも老いた実の両親のいる実家のひからびた具合といったら！

混乱とすり替えを総動員させる確信犯

私たちはすでにここで、そうした日常への嫌悪の反作用として同性愛と共示される「瑞々しさ」「美しさ」に抗い難く誘われてゆくのである。読者が／観客が同性愛者か否かの問題を超えて、埃っぽさやオムツの臭いや夫婦の諍いといった機能不全の乾いた生活を選ぶか、すべての煩わしさを脱ぎ捨て裸でジャンプしてゆくあの澄んだ水を選ぶかという問題（そりゃだれだって後者を選びたくなるでしょう）。

読者／観客はこうして軽く混乱させられる。なぜならこれまで、異性愛の読者／観客の大半にとって同性愛とはむしろ荒涼たる性の砂漠のことだったはずだから。同性愛が「生活」を離れたものであることは思い描かれ得たが、それは「瑞々しい自然」へと向かうのではなく、「飽くなき放逸」へ「薄汚れた地獄」へと堕ちるものだったからである。

この小説／映画が「ゲイのステレオタイプを打破」したといわれる所以の一つはそこにある。たとえ男らしいゲイを出してきても「ゲイ」を描くだけでは固定観念を破ることは実は難しい。アン・リーたち制作陣はだから、「自然の力」まで総動員させてその共示性と価値観とのすり替えを謀ったのである。

観客はここで、自分が同性愛を求めているのか瑞々しく美しい自然を求めているのか、あるいはその両方を求めているのか（そういえば自分もかつて昔、どこか忘れてしまったはるか遠くに、こんな疼くような甘酸っぱい季節を置き去りにしてきたのではなかったか?)、それらを解決する余裕なく(あるいはその軽い混乱を楽しみすらしながら!)ストーリーにはまり込んでゆくのだ。

映画は「これはゲイのカウボーイの話ではない。もっと普遍的な愛の物語だ」と宣伝されるが、これが「ゲイ」をプロモートしていないならば何だというのか。いやそれはしかし、右派の文脈での物言いである。これは「プロモート」ではない。これはむしろ、汚名の返上なのである。「同性愛」というものに塗りたくられた歴史的文化的宗教的なスティグマを熨斗《のし》を付けてお返しする、これは実は頬かむりした確信犯の仕業なのである。

すべての背景にクローゼットの罪業

ところが、ここまで来て私たちはその「美しく」「瑞々しい」はずのホモセクシュアリティが大きなしっぺ返しを孕んでいることに気づくのだ。ジャックがタイヤレバー(タイヤのゴムを外すための鉄棒)で殺されたのかどうかというホモフォビアとゲイバッシングの問題だけではなく(ちなみに、この原作も映画も語り尽くさないことが多い。あたかもそれは私たちの現実生活で、事実がすべて私たちに語られ知られ得るものではないのと同じように。私たちはかなりの部分を事実ではなく解釈によって生きているのだ)。

それは家族の問題である。制度としてではなく関係性としての。

エニスはアルマに離婚を告げられる。ジャックの息子のことなどどこかに忘れられる。そうして二人が望んだはずの男同士の家族としての暮らしも、エニスの語った九歳の頃の記憶、男二人で暮らしていてタイヤレバーで虐殺されたアールという男の話でもって端から雁字搦めにされ動き出すことさえかなわなかった。

そのすべての背景に（同性愛者としての自分を隠匿している／隠匿せざるを得なかった、仮想の場所としての）クローゼットの問題がある。小説も映画も後半に向かって、テーマを密やかに同性愛からクローゼットの問題へと移行させてゆくのである。

エニスの泣き方はまさにその伏線だ。彼の心はクローゼットの中にあった。しかもそれがクローゼットだとすら知らなかった。だからそこから横溢した最初の涙を嘔吐だと勘違いし、ジャックに「おまえをあきらめられさえしたら（I wish I knew how to quit you）！」と告げられたときも《心臓発作なのか燃え上がる激情の横溢なのか》わからない泣き方でしか泣けなかったのである。

そうしてこのとき、すべての厄災の原因は同性愛にあるのではなく、クローゼットの罪業（あるいはクローゼットを強いる時代の罪業）なのだと判明するのである。

入り子細工として提示される四つのイメージ

ひとはクローゼットに籠っている限り幸福になどなれはしない。家族も裏切る。自分の心も裏切る。すべての親密なものたちを裏切るのだ。そしてあのブロークバック・マウンテンとは、そのクローゼットの反動としての、さらに仮想の理想郷の記憶でありながらもその実、より甘美で広大なクローゼットの装置のことでもあったと暗示されるのである。

いみじくもジャックが思うのだ――《ジャックが思い出すもの、否応もなくわけもわからず渇望してやまないものは、あの時、あの遠い夏、ブロークバック・マウンテンでエニスが彼の背後に近づき、彼を引き寄せ、なにもいわずに抱きしめてきたあの時間そのものだった。ふたりに等しくあった、セックスとは違うなにかへの飢えが満たされていた、あの時間だった。(略)そしてきっと、と彼は思った。自分たちはきっとあそこから、そうたいして遠くまでは行き着かなかったのだろうと。そんなもんだ。そんなもん》

この隠れたメッセージは映画でも原作でも最後になって形を取ることになる。あのブロークバックの証しは、ジャックの実家のその彼の部屋の、文字どおりクローゼットの中に潜んでいたからだ。重なり合うあの二枚のシャツとして。そうしてもういちど、本当に最後の最後にふたたび、こんどはエニスのトレイラーハウスのクローゼットの扉の内側に、ブロークバックの絵はがきとともに。

この映画が真に知的で雄弁なのはそのときだ。私たちはその最後に、入り子細工のように巧妙に区画され提示される四つの額縁イメージを見ることになる。

一つは、不器用なエニスが初めて明確な思いとともに重ね直したシャツとつながる、絵はがきの枠に収まる彼らの愛の時間。次にそれを取り囲む四角いクローゼット。そのとなりの、窓枠の向こうのうら寒げな外部世界。そうしてもう一つ、スクリーンという額縁に囲まれたアメリカの（あるいは多人種制作陣の）、それらすべてへの批評的な現在である。

「I swear....」の次に続くもの

この重層的な構造を観客に提示しながら、「ブロークバック・マウンテン」はじつに静謐《せいひつ》な雄弁さと訥弁さをもって私たちにつぶやきかけるのだ——「I swear....（おれは誓うよ……）」と。

その次に来る、いまだ言葉にならなかったエニスの思いを言葉にするのは、そうしてその時点からすでに二十年以上を経ている私たちの宿題なのである。なぜならそのときエニスのクローゼットの扉は、そのときもなおクローゼットではありながらも、私たちに向かって、少なくとも開かれてはいたのだから（本文中の《》で示される部分は原作小説からの引用で、拙訳に拠る）。

映画でのエニス（アニー・プルーの原作はとても短い作品で、彼の感情を十全に追うことは読者に多くを委ねています）は、コミュニケーションがうまくない、不器用な（だからこそ）男らしい男として描かれます。女性との意思疎通もそう得意ではない感じ。黙々と働く様はまさに無骨な「硬派」です。女性よりは男同士の付き合いの方が（上手いとかではないが）楽なはずの男性像。「男は黙って〜〜」という典型です。

そんなエニスがジャックに出遭う。ジャックの方は最初の登場シーンから、かつ引き続く山の生活でのエニスへの視線でゲイであることが暗示されます。ところが彼のその誘いに乗って荒々しい性交を行ってしまうエニスは、この男同士の付き合いに付随した肉体関係がどうしても自分の中で消化しきれない。だから、山を下りてジャックと別れるときになって、それが悲しみだとも寂しさだとも離れたくない恋愛感情だとも気づかずに、何が何だかわからなくなって嘔吐するしかなかったのです。

これはまさに、この章の文脈で言えばホモソシアリティしか知らなかったエニスが、その男同士の精神性の絆に紛れ込んだ肉体性の処理に自家中毒を起こしているシーンなのです。ホモセクシュアリティは否定したい、なのに、この自分の男同士の友情の絆（だと思っているもの）に紛れもなく付随している肉欲的な感情は、いったい何なんだ？　オレはいったい何をしてるんだ？　これは何なんだ、いったい？

そのままでいる限り、彼は不幸です。そして彼は不幸なまま（あるいは何かを諦めることで不幸を相対化しながら）この映画を終えるのです。

ワイオミングからヨークシャーへ

二〇一七年に、この『ブロークバック・マウンテン』へのオマージュあるいは返歌としか思えないような映画がイギリスで公開されました。

『ゴッズ・オウン・カントリー（God's Own Country）』（フランシス・リー監督／二〇一七）というこの映

画でも、「神の恵みの土地」とされる英国ヨークシャーの荒涼たる田舎で、羊と牛の世話をするだけの生活が舞台です。シチュエーションは『ブロークバック』と本当に似通っています。

そこに登場する牧場主の一人息子、主人公ジョニー（ジョシュ・オコナー）は、しかしエニスとは逆に、男とセックスすることには何の抵抗も感じていません。むしろ吐くほど酒を飲み、男とセックスしては日々の憂さを晴らす毎日です。肉牛の競り市の便所での行きずりの性交の後には、「コーヒーでもどう？」と聞いてきた相手に答えも笑顔すらも返さずにそそくさとその場を立ち去るだけです。セックス以外の何物をも求めていない、あるいは、セックス以外のどんなつながりが男同士の中にあるのかを知らない若者です。

やがて彼は、脳梗塞で半身不随となる父の意向により、ルーマニア人の移民労働者ゲオルゲ（アレック・セカレアヌ）を迎えることになります。男同士の関係性に「精神性」を求めぬジョニーはゲオルゲを「ジプシー」と（侮蔑語で）呼んで憚らない。けれど羊の出産期のために二人での山の生活が始まったとき、ゲオルゲはジョニーを組み伏せて「ジプシーと呼ぶな」と怒るのです。そこにいたのは一人の人間、一人の男なのです。そんな彼への気づきが何なのかわからぬジョニーは、例によってゲオルゲにセックスを迫る。それ以外に他者とのコミュニケーションの手段を知らないわけですから。

そのときです。キスを拒むいつものやり方のセックスの最中に、ゲオルゲと抱き合うジョニーの表情がふと変わる瞬間を私たちは目撃します。この演技はすごい。ルーティーンでしかなかった性交が、明らかに「愛というようなもの」に彩られたときの顔になります。それは精神性を伴う肉体

（性交）への、まざまざとした転位を明示するのです。

これは、単なる「MSM」だったジョニーが、簡単に言えば「ゲイ」になった瞬間です。二〇〇五年の『ブロークバック』から十二年を経て（アメリカでさえも二〇一五年に同性婚が合法化されていました）、同じようにヨークシャー出身の牧場主の息子であるフランシス・リー監督は、ホモソシアルな男同士の関係の肉体性を受け入れられなかったエニスの不幸に対し、MSMな男同士の関係性に精神性を受け入れたジョニーの幸福を対峙させたのです。

その証拠に、『ブロークバック・マウンテン』では一度も「ホモセクシュアリティ」が言葉として明示されることがなかったのに対し、『ゴッズ・オウン・カントリー』では「フリーク（freak）」「ファゴット（faggot）」という「ホモセクシュアリティ」へのきつい侮蔑語が二つのシーンで登場してきます。最初はジョニーのゲオルゲに対する揶揄の言葉として、最後は、二人が笑いながら認め合う互いへの愛情溢れる呼び名として。

一九六三年から始まるエニスとジャックの男同士の関係性には、その肉体性を認める「ホモセクシュアリティ」の入り込む余地はなかったのでしょう（これが製作された二〇〇〇年代初頭のアメリカでもまだ）。けれど時を経て二〇一七年には、ヨークシャーの田舎でも男同士の関係性を「変態」「オカマ」と笑って呼び合える幸せがあった。エニスとジャックが果たせなかった男同士で牧場をやりながら暮らすという「夢」は、時と場所を超えてジョニーとゲオルゲによって始められるのです。

そう考えると、第十二章では敢えてまだ触れなかった、あの一九六八年の戯曲『真夜中のパーティー（Boys in the Band）』に登場する「唯一のストレート男性」、八人のゲイ男性たちの誕生日パーティーに闖入してきた「アラン」の正体もわかってくるような気がします。

第十五章　セクシュアルの可能性

「昨日は酔っ払って」症候群

『真夜中のパーティー（Boys in the Band）』（一九六八）については第十二章で「時代の同性愛嫌悪」に絡めて論じました。そこに、前章までの「ホモソシアリティ」「ＭＳＭ」などの考察を経た今、改めて立ち戻ります。この戯曲は二〇二〇年七月の新訳版『ボーイズ・イン・ザ・バンド～真夜中のパーティー』の日本再演と、同九月のアメリカのネットフリックス版映画の世界公開が重なって、日本でも内容を知る人が増えました。日本再演での制作側からのプレス・リリースには、次のような「あらすじ」が紹介されています。

真夏のニューヨーク。アッパー・イーストサイドにあるマイケルのアパートでは、ゲイ仲間のハロルドの誕生日を祝う準備が進められていた。次第に仲間たちが集まりパーティーが始まろうとしている時、マイケルの大学時代の友人、アランがやってくる。唯一のストレートであるアランの存在はマイケルたちの感情に変化をもたらし、雰囲気が徐々に険悪になりつつある中、パーティーの主役であるハロルドが現れる。パーティーは更に荒れ、マイケルは強引に「告白ゲーム」を始める。それは、心から愛している、または愛していたと思う相手に電話をかけ、直接「愛している」と告げると言うものだった。これをきっかけに、それぞれの過去や本音が暴露されていく。

果たして、それぞれは誰に電話をかけ、どんな告白をするのか。そして、マイケルにゲイであることを隠していると責められるアランは一体誰に告白の電話をかけるのか。

やがてパーティーの宴が終わったあと、男たちはどこへ向かうのか……。

残っていた第十二章で取り残した問題はこの「アラン」に関してです。日本再演を紹介した雑誌やネットメディアでは「マイケルの友人である弁護士で、メンバー内では唯一のストレート」という紹介文もあります。でも、原作台本には「アラン　三十歳、上流階級風、アングロサクソンの風貌（ALAN thirty aristocratic Anglo-Saxon features）」とだけで、性的指向に関しては「ストレート」だとは記されていません。

アランは主人公マイケルの大学時代の友人で、その時の寮でのルームメイトでした。そして劇中のこの「真夜中の誕生日パーティー」の準備をしているマイケルに、今はワシントンDCに住むそのアランからじつに久しぶりの電話が掛かってくるのです。彼は何かとても切羽詰まった様子で「そこに行っていいか？」と訊いてきます。よく聞くと受話器の向こうでなんだか泣いているようなのです。アランはフランというやはり大学時代のガールフレンドと結婚していて、その結婚生活で何かあったのかもしれません。それでも電話でマイケルと話すうちに少しは気が落ち着いたのか、マイケルのアパートに来ることはキャンセルされます。「ストレート」で「ガチガチの堅物」の彼が、ゲイたちの誕生日パーティーにやってきては大変なことになりますから、マイケルはほっと一安心します。けれどそのアランがやはり不意にアパートにやってきてしまうのです。「パーティー」は混乱します。その混乱の果てに、これがゲイのパーティーであるとアランにも明らかになる――そして、物語は電話ゲームへとなだれ込んでいくのです。

マイケルはアランに積年の疑問をぶつけます。あの大学時代、アランは自分の親友だったジャスティンとヤッていたのではなかったか？　アランは隠れホモじゃないのか？　だから今夜、ついにそのクローゼットのストレスが高じて、泣いて自分に電話をかけてきたのではなかったか？

マイケル　ジャスティンの話では、その友情とやらはとても情熱的だった。

アラン　何が言いたい？

マイケル　大学時代、きみはあいつと寝ていた。数回。

アラン　何言ってるんだ。

マイケル　数回。一度は若さから。二度目は迷いから。だが、数回続くのは好きだからだ！

アラン　ウソだ！

マイケル　真実さ。なぜなら、ジャスティン・スチュアートはホモセクシュアルだから。やつはときどきニューヨークにやってくる。オレに電話してくる。オレはやつを何度もパーティーに連れてった。ラリーはやつと一回やった。オレもやつと一度寝た。そしてやつはおまえのことを全部オレに話した。

アラン　話したのは、作り話だ。

マイケル　おまえはジャスティンに首ったけだった。朝から晩までジャスティンのことばかり話してた。おんなじことが今夜も起きた。二階で、ハンクのことを話し始めたとき。なかなか魅力的なやつだとか、ああ、また始まったと思ったよ。

アラン　魅力的だって言うことのどこがおかしい？

マイケル　二階に上がってあの二人のところに行きたいか？

アラン　ぼくが言ったのは、ハンクが魅力的な人物だってだけだ。

マイケル　何回そう言えば気が晴れる？　ジャスティンの時も、何度そう言えば気が晴れた？　なんてテニスがうまいんだろう、なんてダンスがうまいんだろう、なんていい体をしてるんだろう、なんていい趣味だろう、なんて頭がいいんだろう、なんて楽しいやつなんだろう——女の子はみんな彼に首ったけだ——自分たちは、なんていい友だち同士なんだろう！

アラン　ぼくらは……ぼくら……すごくいい……仲のいい……友だちだった。それだけのことだ。

マイケル　見え見えだったんだよ——フランの前でも同じことを言い始めた。オレはヒヤヒヤだったよ。彼女だっておまえのことをどこかおかしいと気づいたはずだ。

アラン　ジャスティンは……ウソをついてる。たとえそう言ったとしても、それはウソだ。ウソだ。とんでもないウソだ。ぼくについて、有ること無いこと言って仕返ししてる。あいつは、とにかくぼくがあいつを捨てたってことが、赦せなかったんだ。でも。それ以外なかった。切るしかなかった……あいつが話してきたとき、自分のことを打ち明けてきたとき……ぼくに、恋人になってくれって言ってきたとき、ぼくは……おれは……やつに……気持ち悪い、って言ったんだ……おまえのことを、憐れむって言ったんだ。

マイケル　おまえが彼との友情を捨てたんだ、アラン。なぜなら、おまえが自分の真実に向き合えなかったからだ。うまくやってたじゃないか。ジャスティンと寝ながら、ヤツも自分にウソをつき、おまえも自分にウソをつき、おまえら二人とも女とデートして自分たちをオトコだって見せつけて、自分たちのことを親友同士なんだって呼び合って、じつにうまくやってた。けれどジャスティンがとうとう自分の真実に向き合わざるを得なくなった時、おまえはそれから逃げた。おまえはその事実を受け入れられず、（マイケル、デスクに行ってアドレス帳を手に取る）その代わりに友情と、その友人とを、同時にぶち壊したんだ。

（略）

マイケル　この受話器を取ってジャスティンに電話しろ。電話して謝れ。そして何年も前に

言うべきだったことを今、あいつに告げるんだ。（マイケル、受話器を上げてアランの目の前に突き出す[*1]）

この芝居の始めの部分で、マイケルは大学時代の同性間の性行為を「『うわ昨日は酔っ払って何したんだ、オレ』シンドローム（The Christ-Was-I-Drunk-Last-Night Syndrome）」と名付けています。「あったろう？　学校で誰かとやっちゃって翌日顔合わせたときにお互い『うわあ、昨日は酔っ払っちゃってさ。参ったぜ、何にも憶えてねえや！』ってひでえ顔して言い合うの」（劇中のマイケルのセリフ）というやつです。

さて、アランがジャスティンとヤッていたかどうかは観客の判断に委ねられます。ただ、このシーンは一九六八年の初演時、異性愛が規範だった当時の観客にはとても挑発的な運びでした。なにせ、すでにキンゼイ・リポート[*2]は知られていたにもかかわらず、同性愛は米国社会ではまだまだ絶対のタブーでしたし、話してはいけないことでした。たとえ観客の多くが、自分の「学生時代」を振り返って、そのようなことを自ら経験したりあるいは友人のこととして見知っていたとしても、それは「言わない約束」でした。この場面は当時のそんな欺瞞を衝いたシーンだったのです。

この芝居の最後に近く、電話ゲームの修羅場が終わったあとで、マイケルがただ一人残る恋人ドナルドにつぶやく有名なセリフがあります。

Who was it that used to always say, "You show me a happy homosexual, and I'll show you a gay corpse."

誰だったっけな、いつも言ってたんだ、「幸せなホモセクシュアルを見せてくれたら、陽気な死体を見せてあげる」って。

もちろんこれは一義的には「幸せなホモセクシュアル」も「陽気な死体」も「そんなものは存在しない」という意味です。一方で、「gay ＝陽気な」という掛詞の意味で、「陽気な死体（gay corpse）」とはつまり文字どおり「ゲイの死体」という意味にも変わります。つまりこれは、幸せなホモセクシュアルとは、死んだゲイのことだ、という含意です。ゲイは、死んで初めて幸せになれる——そういうふうに（も）信じられていた時代でした。

＊1　日本版『ボーイズ・イン・ザ・バンド』台本（拙訳／二〇二〇）。

＊2　米国の性科学者アルフレッド・キンゼイ（Alfred Kinsey）による人間の性に関する調査報告書（一九四八、一九五三）。被験成年男性の四六％が両方の性に性的に反応と回答。また、「三七％は少なくとも一度以上の同性愛経験を持っていた。二十歳から三十五歳の白人男性の一一・六％は同性愛と異性愛の両方の経験者で、さらに被験男性の一〇％が十六歳から五十五歳の間の少なくとも三年間、多かれ少なかれ、専ら同性愛だった。また、二十歳から三十五歳の女性の二〜六％は同性愛と異性愛の両方の経験者であり、一〜三％は専ら同性愛者だ」と報告された。

性の豊饒、幻想のドグマ

さて、アランがヤッていたのかヤッていなかったのかがかくも大きな問題となるのは、「ヤッていたかもしれない」という疑惑がそこに成立しているからです。その疑惑は、誰にも憶えのあるあの「学生時代」の、つまり性ホルモンの横溢する季節の私たちの欲動の放埒《ほうらつ》さの記憶から派生しています。「うわ昨日は酔っ払って何したんだ、オレ」シンドロームの蔓延です。ところでそのときの行為は、ちょっとした「間違い」なのか？　あるいはこれまでの規範的精神分析論が繰り返し教示してきたような、異性に向かうべきものの「代償行為」なのか？

この問題は、前章で説いたように「磁場の揺らぎ」で説明できるのではないかと思われます。本来の（ストレートな）性的指向はそのままに、「若さゆえの欲動の磁場の奔放さと無法さ」も稼働して、磁場の揺れに忠実に、「代償」や「間違い」や「一時的なもの」ではないその「都度」の真実として、どこかに潜んでいる「ホモセクシュアルな欲望」が実現する。あるいは逆にゲイ男女にとっては「ヘテロセクシュアルな欲望」だって、本来の性的指向はそのままに実現することがあるかもしれない――その欲望を意識化して「バイセクシュアル」と呼ぶか呼ばないかは（あるいは「ノンバイナリー」でも「ノンコンフォーミング」でも「パンセクシュアル」でも）、そこではすでにアイデンティティの問題になってきます。

もちろん、そうした同性間の性行為をまったくしない人も多くいます。そんなことは思いもしない、あるいはそんな思いを忌避する人もいます。それがどういう指向のせいかあるいはフォビアのせいか、それはあまり問題ではありません。問題は、「しない人」ではなく「する人」がいるという事実です。

私の高校時代、酒を飲んでキスをし合ったりした同性の友人たちで、その後に「ゲイ」というアイデンティティを持ったのは私の知る限りは私だけなのですが、そうした「昨日は酔っ払っちゃってさ」症候群も苦い思いで経験しながらも、私は幸せなことに結果的にそんな二、三の（その後の二十代から今に至るまではさらに数人の）友人たちと、「一線を越えた」ならではの仲の良さを維持できました。それは異性間の肉体関係と同じように、初期にはちょっと訳ありで、ふと危くて、心の奥底でどこかヒクつくようなスリリングな感覚を伴った関係性でした。あるいはそれは、私からの一方的な親愛の形だったかもしれません。でも肉体というのは、そんなにも心とつながって強く刻印される感情の実体であることは（お互いに）確かだったように思います。それは「間違い」でも「代償」でもなく、異性への欲動とは似て非なる、別種の、かつしっかりと相手を選んで働いた、「同性」なるものへの欲動として独立して成立していました。だから私はそれをのちに自分の性的アイデンティティだと認識することになったのだと思います。

ところで、「どこかに潜んでいるホモセクシュアルな欲望」というのは、普遍的なものとして前提的に記述してよいものなのでしょうか？

一九九八年に刊行された大部の労作『Biological Exuberance: Animal Homosexuality and Natural Diversity（生物学的豊饒：動物の同性愛と自然の多様性）』[*3]という本が教えてくれたのは、何が自然か反自然かという二元論を超えて、生物学が演繹《えんえき》の学問ではなく帰納の学問であるという論理の逆転でした。何か立派なドグマ（教義）があって、そこから「これはおかしい」「これは自然の摂理に反している」と言うのではなくて、今までそうだと思っていたことから判断したら「おかしいこと」「摂理に反していると見えること」があったら、むしろ逆に「今までそうだと思っていたこと」の方をこそ修正すべきなのだという発見でした。

Biological Exuberance: Animal Homosexuality and Natural Diversity, Bruce Bagemihl, Stonewall Inn Editions, 2000

「LGBTは種の保存に背く」「生物学の根幹にあらがっている」という、今も根強く世間一般に流布される物言いに対して、この本が紹介しているのは、哺乳類、鳥類、爬虫類、昆虫、そしてその他の動物世界で、四百五十種以上の生物に、無数の形態の同性愛的行動が観察される、という科学的提示です。このテーマで動物の生態を総まとめした本はそれまでにはありませんでした。著者のブルース・ベイジミールは二世紀にわたる動物学の文献を漁って、動物たちが非・再生産的(nonreproductive)、つまりは子孫を作る「生殖」とは無関係の、すべてのタイプの性的行為に関わってきたことを示しました。

動物界における性的およびジェンダー的な表現形は豊饒なヴァラエティに富みます。同性間の性的な遊びもあるし、求愛行動もあります。セックスもするし、番《つが》いになったりもします。さらには互いにいっしょに子育てをしたりして、中には異性間では番いを維持せずすぐに別れてしまう種でも、同性間では一生ペアとして絆を保つものがいたりする——動物界のゲイやレズビアンやトランスジェンダーのペアの存在や、子育てや性的プレイの存在を示すだけでなく、動物界の異性間、同性間の関係のいずれにもレイプや離婚や子どもへの虐待があること、さらに浮気もあれば逆に一生禁欲を貫く個体もいることを教えてくれます。

とどのつまりこの本は、ペンギンやトカゲやバンドウイルカやフラミンゴや吸血コウモリやキリンなどにおける夥《おびただ》しい同性間性行為の例を引きながら、動物というものが異性愛的再生産（生殖、種の保存）原理にのみ衝き動かされているのだという、ずっと長く信じられてきた「神話」を打ち砕くのです。生物学者たちは従来、これらの行動を「間違い」「代償行為」あるいは「アブノーマル」「擬似性交」「練習」というふうに分類してきました。しかしそれは彼らが研究途上で拵《こしら》えた生乾きのドグマから演繹した幻想に過ぎなかった——その幻想のドグマを、新たな事実を帰納してやることによって常時修正し続けること。それが本来の生物学です。そうすれば私たちが（あるいはアラン

＊3　Bruce Bagemihl 著、St. Martin's Press; January 15, 1999; 現在はペイパーバック版（Stonewall Inn Editions）および Kindle 版で入手可。

が？ エニスが？）、「学生時代」や「山上の異空間」でやらかしたあの同性間の性的行為はべつに「異常」な「間違い」ではなくなります。あの「症候群」を、「ビョーキ」の領域に押し込めて思い出せないフリをする必要もないことに気づくはずです。

私たちは、そうした意味でもさまざまに「セクシュアル」であっていい。というより、そもそもが「セクシュアル」である、と認めない限り、次には行けません。

逸脱していると思われた私たちの在り方の一つ一つの事柄、一つ一つの都度の「事実」を、むしろこれまでの「公理」の不足、不備、不全、不徳を埋めるものとして常に書き足していく――主人公は（主語は）、公理の方ではなく、私たちのそもそもの在り方の方なのですから。

そう考えると、人間のホモソシアリティというのは、「どこかに潜んでいるホモセクシュアルな欲望」を抑圧することではみ出す、「肉体性を捨象する」擬態としてのホモセクシュアリティなのかもしれません。そもそも「潜」むということ自体が抑圧の結果ですし。そうするとあるいは、「友情」それ自体もまた、愛情を擬態する用語だったのかもしれないという、次の問いが生まれてきます。

フーコーの「友情」

私が「ホモソシアリティ」のことを考えていた時に、それを言説として補強してくれたのがミシェル・フーコーでした。まだニューヨークに暮らす前、新聞記者として社会部の警視庁回りを担当しながらも、ちょうど目黒のアパートで気分転換にちまちま『フロント・ランナー』を訳していた頃です。そのころ、すでにフーコーはエイズで死んでいました。「エイズで死んだ」ということが彼を読むきっかけでした。おまけに高校時代から傾倒していた吉本隆明[*4]が、一九七八年に来日したフーコーと対談していたということもあって[*5]、『監獄の誕生』（原著は一九七五刊／訳・田村俶／新潮社／一九七七）あたりから読み始めたのです。そして出遭ったのが『同性愛と生存の美学』（訳・増田一夫／哲学書房／一九八七）でした。そこには結論として、こうありました——。

われわれは懸命に同性愛者になろうとすべきであって、自分は同性愛の人間であると執拗に見極めようとすることではないのです。同性愛という問題の数々の展開が向かうのは、友情という問題なのです。

ほかにも、

＊4　一九五〇年代に詩人として出発し、六〇年安保以降は日本の思想界の特異な花形的人物の一人（一九二四〜二〇一二）。『共同幻想論』『心的現象論序説』など。漫画家のハルノ宵子は長女、作家のよしもとばななは次女。

＊5　対談の内容は『世界認識の方法』所収（吉本隆明／講談社／一九八〇）。

通りで出会い、眼差しひとつで魅惑し合い、お互いの尻に手をやり、十五分後には性を享受し合っているという、直接的な快楽の形でしか同性愛を紹介しないのは、他の人々に対する譲歩のひとつなのです。そこにあるのは、同性愛の一種の小奇麗なイメージであり、同性愛は不安を与える潜在的な力を（中略）失っています。

とあります。

同性愛が社会に対して衝撃的なところは、性的な部分などではなくて、むしろ、愛が縦横無尽に発射されるからだと言うのです。

愛情、優しさ、友情、忠実さ、僚友関係、仲間関係などが抱かせることのある、不安の一切を無効にしてしまう。私は、こうしたことこそが同性愛を「当惑させるもの」にしているのだと思います。性行為そのものよりも、同性愛的な生の様式の方が遥かに。（中略）個々の人間が愛し合い始めること、それこそが問題なのです。

新たな関係を発見し、発明するためにおのれの性《セクシュアリティ》を用いるべきだと私は言いたい。ゲイであること、それは生成過程にあるということであり、さらに（中略）同性愛者になるべきなのではなく、しかし懸命にゲイになるべきなのだと付け加えましょう。

このことを、同性愛についてフーコーとの対談の時点ではまったく理解していなかった吉本隆明その人が、のちに次のように説明することになります。

同性愛は、常識に合致しない性行為を想像させるから人々を不安がらせるのではない。個々べつべつに切り離された人間が愛しあいはじめるというかつて人間の歴史が体験したことがない新しい人間関係が作られることが不安がらせているのだ。同性愛によって、制度をつくっている異性愛の様式や家族とはぶっ違いに横断する結合の線ができると、制度の支柱になっている法とか規則とか習慣のあるべきところに愛をもちこんでしまう。従って制度は、同性愛に不安を感じるのだとフーコーは指摘する。フーコーが描いている同性愛のイメージははっきりしているとおもえる。異性愛が対《ペア》をつくり家族制度を構築し、子供を産み、親族をひろげ、というように、世代と地域を超えて網の目をつくってゆくとすれば、同性愛は個々のばらばらの個人が愛の媒介だけで友情や知己の絆をつくって、異性愛の制度と直交するような新たな人間関係の網の目を、微細格子をつくりながら拡大してゆく。もしもっと極端なばあいを想定すれば、禁欲的な同性愛ともいうべき克己《こっき》を通じて、現在ではあり得ないような人間存在と人間関係の様式を発明することにつながってゆく。フーコーの言葉をもってくればこういう「同性愛的禁欲の中を、われわれは進むべきなのです」ということになる。[*6]

＊6　『言葉の沃野へ──書評集成〈下〉海外篇』所収（吉本隆明／中公文庫／一九九六）。

フーコーが言っているのは、マウンティングの支配関係とはぜんぜん違う、人間の関係性の新たな可能性のことです。家制度や、家父長制度や、国家制度や、つまり、従来の権力関係の呪縛の中で安息している関係性、ある一方が他方をマウントするような関係、どちらかがどちらかを支配する関係ならば、それは同性愛でも異性愛でも既存の歴史の中で収まりのつく場所があるのです。それは人を不安にさせない。なぜなら、そうした上下の、縦の支配関係はみんな、既成の権力を支えるもの、権力構造内の存在にとどまるからです。それはしっくりとある場所に収まる。同時に、友愛の存在しない性行為もまた、世界を不安にさせることはない。なぜならそれもまたしっくりと、ヤる／ヤられるの権力関係に取り込まれるから。あるいは、（これは私の解釈ですが）ついに記録されることのない「一過性」の行為として消えてしまうから。

つまり同性愛の禁止とは、セックスではなく、愛し合うことの禁止だった、ということになる。

こうしてフーコーの関心は「友情」へと向かうのですが、ただ、私のちょっとわからない部分は、「禁欲的な同性愛ともいうべき克己」と吉本が特筆した部分です。一九八四年に五十七歳で他界したフーコーはいつ、自分がＨＩＶに感染していると自身で知ったのでしょう。それはこの「禁欲」と関係するのかどうか？

フーコーは一九八一年にＵＣＬＡ（カリフォルニア大学ロサンゼルス校）に招かれて講義をします。八二年にはヴァーモント大学、八三年にはカリフォルニア大学の本拠地バークリーで大変な聴衆を集めます。その間、サンフランシスコのゲイ・シーンでSMのバスハウス（サウナ系のハッテン場です）に頻繁に出入りします。そしてそこで安全ではないセックスに勤《いそ》しむ。ほとんどの人たちがまだエイズ危機に関する警告を真に受けていなかった時期です。

フーコーは当時、SM行為に関して「以前は誰もまるで知ることのなかった、快楽の新たな可能性の真の創造である」とゲイ新聞で述懐しています。[*7] そしておそらくそのときに感染した。

フーコーですら、一九八一年、エイズ最初期にエドムンド・ホワイトとの対話でエイズのことを笑っていたとか……ホワイトがのちに《ザ・ネイション》誌に語っています。[*8]

I'd told him about it in 1981 when I was visiting, and he laughed at me and said, 'This is some new piece of American Puritanism. You've dreamed up a disease that punishes only gays and blacks?'

＊7 『The Passion of Michel Foucault（ミッシェル・フーコーのパッション）』by James Miller, 1993, Simon & Schuster 刊 ;P26~27「the real creation of new possibilities of pleasure, which people had no idea about previously」。タイトルの「passion」には、SM行為への「情熱」「熱中」の意味のほかに「受難」という意味も掛けられている。

＊8 『Q&A With Edmund White』By Jon Wiener ; https://www.thenation.com/article/archive/qa-edmund-white/

一九八一年に彼を訪ねたときにそれ（エイズ）について話したんだが、彼は私を笑ってこう言ったんだ。「こりゃ、なんかのアメリカ式ピューリタニズムの新しいヴァージョンだよ。きみたちはゲイと黒人だけを罰するような病気をデッチ上げてるわけだ」。

この、「友情」に関する『同性愛と生存の美学』は一九八一年から八四年にかけて、いずれも直接的、間接的に『性の歴史』[*9]をめぐって行われたフーコーへのインタヴューを集めたものです。フーコーは死の前年の一九八三年に入院して正式にＨＩＶ陽性と診断されるまで、少なくとも他の人への態度としては自分がエイズに脅かされているとは信じていなかったそうですから、彼の「禁欲的な同性愛ともいうべき克己」が、エイズに影響を受けたものかどうか（いや、きっと絶対に影響はあるとは思うのですが、それがどの程度か）は私にはわかりません。ただただ、もっとその「友情」について話をしてもらいたかったと思うだけです。

ゲイな「ティクトック」

性をどう受け止めるか？——その時代の変化の一例として、《ニューヨーク・タイムズ》に興味深い記事が掲載されました。

二〇二〇年十月二十四日付けの「ティクトックではみんなゲイ（Everyone Is Gay on TikTok）」という見出しの長文リポートです。[*10]

記事の冒頭で登場するのはコナー・ロビンソン（Connor Robinson）という、「薔薇色の頬とやや幼いシックスパックを持つ」十七歳の英国のティクトック・スターです。百万人近いフォロワーがいる彼がほぼ毎日のように投稿するのは上半身裸のちょっとしたダンス・パフォーマンスや日常のワンシーン。ある八秒間の動画は、エロティックなサウンドのヒップホップに乗せて、友だちのイライジャ・エリオット（Elijah Elliot）とロンドンのホテルの一室でお互いに顔や体をすり合わせ、あたかもセックスに及ぶようなシーンから壁際で互いが至近距離で見つめ合う瞬間へと移って終わります。こんな性的で思わせぶりなショート・ヴィデオのことを、彼自身が「break some barriers（何らかの障壁を壊す）」もの、と呼んでいることを記事は紹介します。

こんなにエッチチっぽいヴィデオですが、コナーもイライジャも「ヘテロセクシュアル」だと言っていて、フォロワーたちもこの二人の関係が「gay puppy love（仔犬っぽいゲイの愛情）」（日本語なら「BL＝ボーイズ・ラブ」のようなもの）とは違うことを知っています。でも、ティクトックではいまこんな男の子同士のイチャイチャ動画が続々登場していて、軒並みトラフィックを稼いでいる。コナー

＊9　第一巻『知への意志』（一九七六）、第二巻『快楽の用法』（一九八四）、第三巻『自己への配慮』（一九八四）、第四巻『肉の告白』（遺稿、二〇一八）。

＊10　Alex Hawgood, Oct. 24, 2020 ; https://www.nytimes.com/2020/10/24/style/tiktok-gay-homiesexuals.html?action=click&module=Editors%20Picks&pgtype=Homepage

とイライジャのこの動画は二月にアップされて以来この記事の時点で二百二十万ヴューを稼ぎ、炎やハートマークの絵文字でいっぱいな三万一千件のコメントが付いています。

コナーのフォロワーの九〇%近くは女性のようで、「女の子たちはかっこいいティクトッカーの男子二人が、互いにセクシュアルなことをするのが好きみたい」と話します。

ここまでならこれまでもよくある話です。日本のBLブームと同じように、「なんだ、ヘテロセクシュアルの綺麗な男たちがフォロワー稼ぎのためにゲイごっこで遊んでいるだけじゃないか!」「ぼくたちはゲイをネタにされたくない!」という例の、アイデンティティの「略奪感」も伴いながら。

でも、今回はちょっと様子が違うようです。

第二章「エイズ禍からの反撃」のところで、ゲイ・ビジネスの隆盛とともに九〇年代後半、マンハッタン・チェルシー地区の〈Gラウンジ〉というゲイバーで「ゲイフレンドリーなストレートの若い男女もゲイの友人に連れられて数多く訪れ、おしゃれなカクテルと会話を楽しんでいました。ニューヨークのストレートの若者たちの間では、ゲイの友人がいることはそのころ『シック(chic)』でクールなことになって」きたことを紹介しました。もう一つ、あれは二〇〇〇年あたりのことでしたか、それまではアメリカではゲイ・ポルノに出る俳優はだいたいがゲイの俳優だったのですが、そのうちにゲイじゃない、ヘテロセクシュアルの若いポルノ俳優もゲイ・ヴィデオに出るようになった。これは何かの文献で確認したわけじゃなくその頃のゲイ同士の話題として聞いていたことですので定かとは言えないのですが、とにかくジェンダーやセクシュアリティのアイデンティティの垣根が一方で低くなりつつある気配はしたものです。デジタル世代から「ジェネレーションY」「ミレニアル世代」へと移る、その走りの世代くらいの特徴です。それが今、「Z世代」でさらに進んだ――。

ホモフォビアの衰退

実は「It's so gay（それってすごくゲイ）」というのは、それでもミレニアル世代がまだ学生だった頃のアメリカではあまりいい言葉ではありませんでした。「やたらゲイだな」と言うのは貶《けな》し言葉、悪口、侮辱でした。ところがここ数年、そのニュアンスが変わってきています。《ニューヨーク・タイムズ》の記事は続けます（適度に意訳です）。

The youth-oriented social media platform is rife with videos showing ostensibly heterosexual young men spooning in cuddle-puddle formation, cruising each other on the street while walking with their girlfriends, sharing a bed, going in for a kiss, admiring each other's chiseled physiques and engaging in countless other homoerotic situations served up for humor and, ultimately, views.

若者好みのソーシャル・メディアは、表向きヘテロセクシュアルとされる若い男の子たちが何人もスプーンのようにくっつき合って寝ていたり、ガールフレンドと通りを歩いている男の子が他の男の子を物色したり、ベッドを共にしたりキスしたりするホモエロティックなヴィデオで溢れかえっている。

Just look at the hard-partying Sway Boys, who made national headlines this summer for throwing raucous get-togethers at their 7,800-square-foot Bel Air estate in violation of Los Angeles's coronavirus guidelines. Scrolling through the TikTok feeds of the group's physically buff members can feel as if you're witnessing what would happen if the boys of Tiger Beat spent an uninhibited summer in Fire Island Pines. There is a barrage of sweaty half-naked workouts, penis jokes, playful kisses and lollipop sharing.

この夏、ロサンゼルスのコロナ・ウイルスのガイドラインに違反して大人数、大騒音でパーティーを開いて全米ニュースになった「スウェイ・ボーイズ（Sway Boys）」と呼ばれる若い〝パーリーピーポー〟の一団は、そのティクトック・フィードをスクロールしていくと、まるで往年のファイア・アイランド[*11]ならかくあらんというような半裸のワークアウト風景やペニス・ジヨーク、ふざけ半分のキス、キャンディーの舐め合いで満載だ。

"These boys feel like a sign of the times," said Mel Ottenberg, the creative director of Interview magazine, which featured some of the Sway Boys in their underwear for its September issue. "There doesn't seem to be any fear about, 'If I'm too close to my friend in this picture, are people going to think I am gay?' They're too hot and young to be bothered with any of that."

九月号で下着姿の「スウェイ・ボーイズ」を特集した《インタヴュー》誌の制作部長メル・オッテンバーグ（Mel Ottenberg）は彼らを時代の象徴のように感じている。「こんなに写真で友だちとくっついて写ったらゲイだと思われるんじゃないか」という恐れを彼らは抱かない。若くてホットな彼らはそんなことは気にするヒマもない、とオッテンバーグは言う。

＊11　ニューヨーク市東郊ロングアイランドの南の砂州を利用したサマーリゾート地。パインズ地区は戦前からゲイの有名人が集い、戦後は特に六〇年代ごろからゲイのメッカとして一般にも有名になった。

As recently as a decade ago, an intimate touch between two young men might have spelled social suicide. But for Gen Z, who grew up in a time when same-sex marriage was never illegal, being called "gay" is not the insult it once was.

たった十年前なら、男の子二人の間で性的な触れ合いがあったりしたらそれは社会的な自殺行為だったかもしれない。しかし同性婚が初めから合法だった時代を育ったZ世代にとって、「ゲイ」と呼ばれることはかつてのような侮辱ではないのだ。

Young men on TikTok feel free to push the envelope of homosocial behavior "because they've emerged in an era of declining cultural homophobia, even if they don't recognize it as such," said Eric Anderson, a professor of masculinity studies at the University of Winchester in England.

ティクトックの男の子たちが、既成のホモソシアル行動の概念を自由に広げるのは「ホモフォビア（同性愛嫌悪）の文化が衰退した時代に登場してきたからだ。自分ではそうと気づいていないにしても」と英国のウィンチェスター大学の男性学の教授エリック・アンダーソン（Eric Anderson）は言う。

By embracing a "softer" side of manliness, they are rebelling against what Mr. Anderson called "the anti-gay, anti-feminine model attributed to the youth cultures of previous generations."

男らしさの「より柔軟な」側面を大切にしながら、彼らはアンダーソン氏の言うところの「前世代の若者たちの文化に特徴的だった反ゲイ、反オンナっぽさの規範」に反乱を起こしているのである。

《タイムズ》はさらに一歩進んで、男子の性行動を研究するロンドンのロウハンプトン大学社会学教授マーク・マコーマック（Mark McCormack）の意見を紹介します。彼によれば、ホモフォビアの衰退は彼らの行動を説明するある一面に過ぎず、彼らはべつにクイア・アイデンティティを弄《いじく》って楽しんでいるわけではない、と言います。むしろ彼らは、誰かが彼らをゲイかもしれないと思って不安になる気持ちをパロディにしているのだと言うのです。

In other words, pretending to be gay is a form of adolescent rebellion and nonconformity, a way for these young straight men to broadcast how their generation is different from their parents', or even millennials before them.

言い換えれば、ゲイを装うことは思春期の反抗と反伝統主義の一形態であり、こうした若い男の子たちが、自分たちの世代が親の世代と、あるいは一つ前のミレニアル世代とも違うということを発表するための方策なのだ。

なかなか複雑な若者の心理の読解です。まあ、若い頃はそういうものかもしれません。ただ言えることは、ホモソシアルであることは今やもう、ある世代のある一団にとってはセジウィックが指摘したようにはホモフォビックではないということです。五十万人のフォロワーを持つ米アトランタの十六歳の少年フォスター・ヴァン・リア（Foster Van Lear）は「新しい世代ではみんなフルーイッド（fluid／性的に流動的、自由）で、肉体的なことや好意や興味の感情を見せることにも前より躊躇したりしない。そんなことがOKじゃないなんてバカみたい（ridiculous）だ」とコメントしています。しかもその彼の母親、五十歳のヴァージニア（Virginia）も「ただの真ん中のストレートな人って、もうこういう子たちにはあまり面白みのない人なのね」と話すわけです。

愛は負けるが、親切は勝つ

あまりに長く《ニューヨーク・タイムズ》の記事を紹介しましたが、好意的に取り上げられるZ

世代の彼らの中に、「ゲイのふり」をただのクリック数稼ぎに使っている人がいないとは言えないし、ゲイをパロディにしている人だって、それはいるでしょう。ただ、私が言いたいのは、それでも時代は変化してきているということです。

表層的には日本や東アジアでのBLブームと似ていても、そこには昨今の欧米でのBTS（防弾少年団）ブームなどのアジア系男子の人気という、従来の白人マッチョなボーイズバンドへの傾倒とは異なる、明らかに「反マッチョな男性性」の魅力の発見があります。日本でだって、「りゅうちぇる」という異性愛者の男性タレントがそれを体現していると感じます。彼のどこまでがセルフプロデュースによるものかは知りませんが、たとえそれが演出されたものだとしても、そのプロデュースの方向性はこれまでのどの男性タレントの異性愛規範、ジェンダー規範からも出てこない新しく勇敢なものだと思います。彼ばかりではありません。二〇二一年に入って日本で流れてくる「ティクトック」にも、どんどんと「ゲイな」動画が投稿されるようになっています。これは二〇二〇年にはそう顕著ではなかった現象です。

そんなことを考えていると、英紙《ザ・タイムズ》（二〇二一年二月二十八日付）が「Only half of young attracted exclusively to opposite sex（異性にしか魅かれないという若者は半分しかいない）」という若者たちのセクシュアリティ調査の結果をニュースにしていました。[*12]

＊12　https://www.thetimes.co.uk/article/only-half-of-young-attracted-exclusively-to-opposite-sex-zbt9ckxwt

市場調査会社イプソス・モリ（Ipsos Mori）がイギリス人千百二十七人、アメリカ人千五人を対象に行ったこの調査では、十八歳から二十四歳までの「Z世代」に属する層では英米の差なく「異性にのみ魅力を感じる」という人が五〇%、残りの五〇%が「異性・同性ともに魅力を感じる」あるいは「同性のみに魅力を感じる」と答えたというのです。年齢が上がるにつれて「異性にのみ魅力を感じる」率が増えていき、四十一～五十四歳では七六%、五十五～七十五歳では八一%でした。性的指向心理学の専門家であるカナダのトレント大学カレン・ブレア（Karen Blair）は「Each recent generation has faced fewer and fewer external pressures to conform to heterosexuality（英米とも最近の世代は、異性愛に順応しなければならないという外圧がどんどん小さくなっている）」ことに理由を見つけています。

《ザ・タイムズ》は次のように書いています。

Perhaps Alfred Kinsey, a pioneer of research into sexuality, had it right when he wrote in 1948: "Males do not represent two discrete populations, heterosexual and homosexual. The world is not to be divided into sheep and goats. Not all things are black nor all things white."

きっと、セクシュアリティ調査のパイオニアだったアルフレッド・キンゼイ（キンゼイ・リポート三百九十頁参照）が一九四八年に次のように書いた時、彼はきっと正しく理解していたのだ：「男性たちは異性愛と同性愛という二つの別々の集団を表象しているのではない。世界は羊と山羊とに分かれているのではない。すべてのものが黒というわけではないし、すべてのものが白というわけでもない」。

若い彼ら彼女らの在りようは、世界を牽引してきた文化的なヘテロセクシュアル規範性の、肉体的な（かつそれ故に精神的な）ある柱をすでに解体しつつあるかもしれません。

「ストレート（ヘテロセクシュアル）」という（多数派であるが故になかなか曖昧な）アイデンティティは、「ゲイ」（あるいはレズビアンやバイセクシュアルやトランスジェンダーである）というアイデンティティと同じ地平に立つときにある種の「解放」を迎えるのかもしれません。「解放」とは、価値として同等の、往来可能な〝自由〟な因子になることです。「主語」と「目的語」の入れ替え可能性、自由往来です——それはいまだ多くにとっては思考実験のレヴェルを離れられないけれど、そのような思惟《しい》の地平では私たちはもっと楽で楽しく存在できることは自明です。「セクシュアル」であることの辿り着く先が、そんな楽さと楽しさであることを願っています。

ただ、問題はまだ残ります。いま説明してきた《ニューヨーク・タイムズ》の記事の若者たちは、みんな綺麗な男の子たちだということです。あれが綺麗じゃなければ話題にもなっていない。

この本では私はルッキズムについては触れてきませんでした。私自身が私なりのルッキズムに縛られているということは書きましたが（そしてそれがどういう理由なのかはわからないということも）。

フーコーがどんなに自由自在な友情と恋愛の放射を説いても、どうしたって相手のタイプ、容貌の好き嫌いはある。俗に「二丁目に捨てるゴミなし」（どんなブスな見た目や年齢の男でも必ずセックスの相手は見つかる）ということが笑い話のように言われますが、やっぱり美男・美女はどうしたって得をするでしょう。「非モテ」の問題は英語圏でも「Involuntery Celibate（本意ではない禁欲者）」の頭字を取った「インセル（incel）」の語が発明されているように、LGBTQ＋の地平にも同じように存在しています。それをどう解決していけるものか、今の私にはわかりません。もっとも、こと「顔」の美醜の問題に関しては（美醜の定義はさておき）、人間というものは顔の造作よりも表情なのだということは経験上わかっています。美しい造作でも醜い人は多くいます。人は表情で、可愛くもなるし汚くもなる。太宰治が『葉』（『晩年』所収／一九四七）の中でこう言っています――叔母の言う。「お前はきりょうがわるいから、愛嬌だけでもよくなさい」

正しいかどうかは別にして、これは当たっていると思います。もっとも、叔母のセリフはこのあと、「お前はからだが弱いから、心だけでもよくなさい。お前は嘘がうまいから、行いだけでもよくなさい」と落とすのですが。

さて、そろそろ紙数も尽きてきました。

高校時代だったか大学に入ってからか、カート・ヴォネガットを読み続けていた時期がありました。若かった頃、何度となく彼の語る暗く乾いたユーモアに救われました。本当に辛く悲しいことは、こうやって笑いをともなって考えるものなのだと、そのころ教えられました。

愛だとか友情だとかいろいろ書いているうちに、ふとまた彼の言葉を思い出していました。うろ憶えなのですが、すでに手元に彼の本はありません。彼が講演会だか本のサイン会だかに出席していたときの話だったか？——十代半ばの少年が彼の本を持ちながら彼に近づいてきて、次のようなことを伝えてきた……。

「ヴォネガットさん、そうやってたくさん本を書いてきてあなたが言いたいことは、とどのつまり、愛は負けるが親切は勝つということですよね」

——愛は負けるが親切は勝つ。Love may fail, but courtesy will prevail.

フィクションなのか事実なのかわからない彼のこのエピソードは（あるいは受け取ったファンレターに書いてあった言葉でしたか？）おそらく彼が一九六五年に書いた『God Bless You, Mr. Rosewater（ローズウォーターさんに、神のご加護を）』に書かれた想念とつながっていると思います——

"Hello babies. Welcome to Earth. It's hot in the summer and cold in the winter. It's round and wet and crowded. On the outside, babies, you've got a hundred years here. There's only one rule that I know of, babies-"God damn it, you've got to be kind."

やあ、赤ちゃんたち、ようこそ地球へ。ここは夏は暑くて冬は寒い。それに丸いし湿ってるし込み合ってもいる。この地表で、赤ちゃんたちよ、きみらが手にする寿命はせいぜい百年だ。そしておれの知ってるここでのルールはただ一つ。いいかい、それは——「てやんでえ、てめえら、やさしくなくちゃダメなんだ」。

最後の「kind（やさしい）」が「courtesy（親切、礼儀、丁重さ）」に変化しているのは、ヴォネガット特有の照れと皮肉だと思います。でもいずれにしても言っていることは同じです。

人は歳を取ります。歳を取ると恋愛も性も若い頃とは様相を変えていきます。すべては時間の中で移ろっていきます。そうそう、第十章で紹介した映画『his』の中で、根岸季衣演じる婆さんが「この歳になったら男も女も関係ねぇ。どっちでもええわ」と言ったように、恋愛も性も少なからぬ人にとっては実は大したことじゃなくなる、あまりどうでもよくなる——いま、そうした恋愛と性との行き着く先を予感しながら、そして人生においていったいいつの時期が自分の人生の「時の時」なのかを決めあぐねることを敢えて「よし」としながら、結局は、最も大切なのは「親切な関係性」なのかもしれないな、と思うのです。恋愛と性とを物理的に忘れてしまうとき、さらには肉体もまた物理的に喪《うしな》われてしまったとき、それでもそこに遺るものとしての「親切」とか「やさしさ」とか、そしてそこから伸びる「連帯」の意志のことを、私は中学や高校のあの頃からずっと、「友情」と呼んできたのかもしれないなと思うのです。

附録Ⅱ

『君の名前で僕を呼んで』考

あるいは『敢えてその名前を呼ばぬ愛』について

映画『君の名前で僕を呼んで《Call Me By Your Name》』は日本でも二〇一八年四月のゴールデンウィークから公開されて予想以上のヒット、ロングランとなりました。その映画を観て、どうして私にこの映画評を書かせてくれないのかなとやや僻《ひが》みながら、発表の当てもないまま自分で勝手に次のような文章をしたためました。いま読み返すと、この本でずっと展開してきた私の分析の肝心な部分の大体がこのテキストに凝縮しています。

映画を観ていない人にはネタバレになりますが、この映画は、愛と差別と友情とＬＧＢＴＱ＋に関心のある方なら一見の価値があると思います。そしてこの本をここまで読んでいただいた方々にとっては、次の映画評は、おさらいの意味も含めて格好のケーススタディーの材料になると思います。

どうぞ参考になさってください。

＊　＊　＊

これは、十七歳のエリオ（ティモシー・シャラメ）と二十四歳のオリヴァー（アーミー・ハマー）の、男性間における恋愛感情に関する映画です。その恋愛感情に対する是非はあらかじめ決まっていて、そこに向かって進んでゆくストーリーになっています。この映画は、その答えを提示したかったがための映画かもしれません。その答えというのは、最後に近い、エリオがひと夏の別れを経た部分で、父親が彼に向けて説く「友情」あるいは「友情以上のもの」と呼んだこの恋愛感情への是認、肯定です。この映画の影の主人公は、その答えを差し出してくれるエリオのこの父親と言ってもよいかもしれません。

原作を読んでいないのでこれが原作者の意図なのか、あるいは脚本を書いたジェイムズ・アイヴォリーの企図なのか実は判断しかねるのですが、しかしいずれにしてもこれを映画の中でこういう形で提示しようとアイヴォリーが決めたのですから、アイヴォリーの思いであるという前提の上で考えていきましょう。この父親は、アイヴォリーです。だからこの映画の影の主人公も、実はアイヴォリーなのです。

映画の設定は一九八三年の夏、北イタリアのとある場所。ご存知のようにJ・アイヴォリーは一九八〇年代に日本の「ゲイ・ブーム」を牽引した『モーリス』という映画の脚本を書き、自ら監督しました。原作はE・M・フォスターが一九一四年に執筆した同性愛小説です。

片や一九〇〇年代初頭を舞台に一九八七年に製作された『モーリス』。

片や一九八三年を舞台に二〇一七年に製作された『君の名前で僕を呼んで』。

この二つの時代、いや、正確には四つの時代は、とても違います。違うのは、先ほど触れた「男性間の恋愛感情」への是非の判断です。二〇世紀初頭は言うまでもなく男性間の恋愛は性的倒錯であり精神疾患でした。オスカー・ワイルドがアルフレッド・ダグラス卿との恋愛関係で裁判にかけられ、有罪になったのはそのつい二十年ほど前、一八九五年のことでした。二〇世紀初頭、E・M・フォスターはもちろんそれを深く胸に（秘めたトラウマとして）刻んでいたはずです。一方で映画『モーリス』が作られた一九八〇年代半ばはエイズ禍の真っ最中です。『モーリス』には、その小説原作年および映画製作年のいずれにおいても、男性間の恋愛を肯定的に描く環境は微塵もなかった。

対する『君の名前で〜』の一九八三年は、かろうじて北イタリアの別荘地にまでエイズ禍がまだ届いていなかったギリギリの時代設定です。聞けば原作では時代設定が一九八七年だったのを、アイヴォリーがわざわざ八三年に前倒ししたのだとか。男性間の恋愛が、秘めている限りまだ牧歌的でいられた時代。まさにエイズ禍の影を挿し挟みたくなかったがゆえの時代変更かもしれません。そして二〇一七年という製作年は、もちろん欧米では同性婚も認められた肯定感のプロモーションの時代です（おそらく企画段階では「トランプ時代」の到来も予測されていなかったはずです）。

アイヴォリーは、この『君の名前で〜』によって、『モーリス』（の時代）には描けなかった「男性間の恋愛感情」への肯定感を、（『モーリス』製作後にいつの間にかゲイだとカミングアウトしていた身として）自分の映画製作史に上書きした（かった）のだろうと思うのです。

もっとも、この映画には『モーリス』の上書き以上のものがあります。アイヴォリーは同性愛映画の名作の手法をさりげなく総動員させています。いたるところにちりばめられている『ブロークバック・マウンテン』へのオマージュ、そしてもう一つのゲイ映画の秀作『ムーンライト』（二〇一六）のタイムライン。

アイヴォリーの（あるいは監督のルカ・グァダニーノの）描いた「肯定感」の醸造法は『ブロークバック〜』からの借用です。『ブロークバック〜』ではエニス（ヒース・レッジャー）とジャック（ジェイク・ジレンホール）の逢瀬にはいつも水が流れていました。大自然の水辺という清澄な瑞々しさが彼らの関係を保障していたのです。一方でエニスとその妻アルマ（ミシェル・ウィリアムズ）の情交は常に埃舞うアメリカの片田舎での、軋《きし》むベッドの上でした。

それは『君の名前で〜』に受け継がれています。エリオとオリヴァーはいつも別荘のプールで泳ぎ、その脇で本を読み、思索をして過ごします。その水辺でエリオのオリヴァーに対する思いはスポンジのように（！）膨らみ、やがて初めて辿り着くキスはエリオが「秘密の場所」と呼ぶ清冽な池のほとりです。一方でエリオとマルシアの、成功した二度目の性交は使われていない物置部屋の、やはり埃舞い上がるマットレスの上でした。

それにしても男性間の恋愛への肯定感を醸成するために『ブロークバック～』でも『君の名前で～』でもこうして女性との関係性をそれとなく汚すのは、たとえ対比とは言えなんとも不公平というかズルい気がするのですが……。

ズルいのはもう一つ、二十四歳のオリヴァーに対して、エリオの「十七歳」という年齢です。男性なら（あるいは女性でも）わかると思いますが、十七歳の男の子というのは頭の中まで精液が詰まっているような、身体中がそんな混乱した性の海に浸かっています。意識するしないに関わらず何から何までもが性的なものと関係していて、時に友情と友情以上のものとの狭間もわからなくなったりします。自分の欲望の指向するものがなんだかわからなくなって、その人が好きなのか、その人とのセックスが好きなのか、それともセックスそのものが好きなのかもわからなくなって、自分は頭がおかしいのかと本当に気が狂いそうになったりもするのです。

だって、アプリコットですよ。エリオは桃ほどに大きなアプリコットを相手に自慰をして、そしてそれは日本で巷間言われるコンニャクとか木の股とかとは違ってとてもお尻の形（＝肛門性交）に似ているのです。その後で眠ってしまった自分のおちんちんをフェラしてきたオリヴァーにアプリコットの残滓《ざんし》を気づかれて、「何をしたんだ?」と冗談混じりに訊かれるわけです。エリオは真剣に打ち明けます。「I am sick（ぼくはビョーキだ／頭がおかしい）」と。

もうそういう年齢を過ぎているオリヴァーはその告白の深刻さを真に受けません。「もっとsickな（気持ち悪い、頭の変な）ことを見せてあげる」と言ってエリオの使ったそのアプリコットを食べようとまでする。そこでエリオは本当に泣くのです。「Why are you doing this to me?（なんでぼくにそんなことをするんだ）」。それはオリヴァーにとってはお遊びですが、真剣に悩む十七歳のエリオにとっては自分の「ビョーキ」を当てこする「辱め」「ひどい仕打ち」なのです。彼はそれほど自分のことがわからなくなっている。そしてオリヴァーの胸に顔を埋めながら「don't want you to go....（帰らないで）」と絞り出すように呟くのです。

この「十七歳」の告白を、性的混乱として受け取るのか、性的決定として受け取るのか、その選択をアイヴォリーは表向き、観客に委ねているように見えます。というのも、この年齢的な局面は『ムーンライト』にも描かれていましたから。

『ムーンライト』はシャイロンという一人の黒人ゲイ男性の少年期、思春期、そして成年期の三部構成で描かれ、ティーネイジャーの第二部で描かれるシャイロンは同級生のケヴィンとドラッグをやりながら（これも清冽な海辺で）キスをし、ケヴィンから手淫を受けます。シャイロンはそのやさしいケヴィンとの思い出を胸に、以後、第三部で筋骨隆々のドラッグディーラーとなってケヴィンと再会したその時まで、誰とも触れ合わず、誰とも抱き合いもせずに生きていたのです。

私たちは過去の何かから変化して大人になっていくのではありません。過去の何かは大人になってもいつも自分の中にあります。まるでマトリョーシュカ人形のように、過去の何かの上に新たな何かを作り上げ、それが以前の自分に覆い被さって大きくなっていくのです。

シャイロンはゲイですが、ケヴィンはゲイではありません。大人になった二人には本来ならあの青い月明かりの海辺での、思春期の関係性は戻ってこないはずです。けれど、今のシャイロンの筋骨隆々のあの肉体の下に、おどおどした十代のティーネイジャーのシャイロンも生きていて、同時にマイアミでダイナーのシェフとして働く様変わりしたケヴィンの中にもその皮膚の何層か下にあの海辺のケヴィンが生きていて、そのケヴィンはまるでマトリョーシュカの一番上から何個かの人形を脱ぎ捨てるようにして、逞しい今のシャイロンの下にいるひ弱なシャイロンを抱きしめるのです。そう、私たちは私たちの中に、今も十七歳の自分を飼っている。

十代のそれらは性的混乱なのでしょうか？　あるいはそれは思春期に起こりがちな性的未決定なままの性の（そしてその同義としての愛の）横溢だったのでしょうか？

アイヴォリーがその判断を観客に委ねるふうに提示しているのは、私はズルいと思います。

ここから例えば、「これはゲイ映画ではない」という言説が生まれてきます。「これはLGBTQ＋の話ではなく、もっと普遍的な愛の物語だ」という、お馴染みのあの御託です。

実際に日本での一般公開前、二〇一八年三月初めの東京での『君の名前で〜』の試写会では、試写後に登壇した映画評論家らが「ぼくはこの作品を見て、LGBTをまったく意識しませんでした。普通の恋愛映画と感じました」『ブロークバック・マウンテン』は気持ち悪かったけど、この映画は綺麗だったから観やすかった」「この作品はLGBTの映画ではなく、ごく普通の恋人たちの作品。人間の機微を描いたエモーショナルな作品。（LGBTを）特別視している状況がもう違います」云々と話していた、らしい（ネット上で拾った伝聞情報です）。

それはどうなんでしょう？　どうしてそこまで「ゲイでない」と言挙げするのでしょう？　まるでそれを強調することが、より普遍性を持った褒め言葉であるかのように。

私はむしろ、「十七歳」は「ゲイでもあるのだ」と捉える方が自然だと思っています。精液が爪先から頭のてっぺんにまで充満しているような気分の、そして知らないうちにそれが鼻血になってのべつまくなし漏れ出てしまうようなあの季節は、混乱とか未決定とかそういうものではなくむしろ、すべての（変てこりんさをも含んだ）可能性を持ち合わせた年齢だと見据える。そこでは友情すらも性的な何かなのです。そう捉えることこそがありのままの理解なのではないか？　社会的規範とか倫理観とか制約とか、そういうものに構築された意味を剝ぎ取ってみれば、それも「ゲイ」と呼ぶことに、何の躊躇があるのでしょう？

公開当時九十歳だったアイヴォリー自身に、そこまでの肯定感があったのかどうかはわかりません。アイヴォリーの分身であるエリオの父親のあの長ゼリフは、自らはその肯定感を得る前に身を退いてしまった後悔とともに語られます。この映画自体、「未決定」で「混乱」するエリオの自己探索の、ひと夏の出来事のように（表向き）作られてはいるのですから。

自己探索——それは冒頭の、エリオが目を留めるオリヴァーの胸元の、ダヴィデの星、六芒星のペンダントによって最初に暗示されます。それは自らのアイデンティティの証しです。そしてそのペンダントの向こうには胸毛の生えた大人の厚い胸があります。オリヴァーは知的で、自分が何者かを知っていて、しかも胸毛のある大人です。それらは今のエリオにはないものです。オリヴァーは到着した最初の日に疲れて眠りたくて夕食をパスするような、礼儀知らずの不遜なアメリカ人として描かれます。それもエリオが持ち合わせていないものです。なんだか気に食わないけれどとても気になる存在として、エリオはオリヴァーに憧れてゆく。「自己」をすでにアイデンティファイしている（と見える）二十四歳のオリヴァーに惹かれるのです。

そう、これはエリオにとっては自己探索の映画でもあります。けれど視点を変えれば、これは逆に、オリヴァーにとってはとても苦しい言い訳の映画であることもわかってくるのです。

それを象徴するのが「Later（後で）」という彼の口癖の言葉です。

なぜか？

オリヴァーがエリオに「Grow up. I'll see you at midnight（大人になれ。今夜十二時に会おう）」と告げたあの〝初夜〟のベッドで、この映画のタイトルにもなる重要な言葉、「Call me by your name, and I call you by mine（君の名前で僕を呼んで。僕は僕の名前で君を呼ぶ）」と提案したのが、エリオかオリヴァーか、どちらだったのか憶えていますか？

これを「二人で愛を交わし、お互いの中に自分を差し出した関係において、君は僕で、僕は君なのだ」というロマンティックな意味だと捉えることは可能でしょう。そしてエリオにとってはもちろんそうだった。エリオはそういう意味だと受け取ったのだと思います。けれどオリヴァーにとって、この呼称の問題はそんなに単純にロマンティックなものではないのです。

この呼称はオリヴァーからの提案です。そしてそのオリヴァーは、すでに自己探索を終えたクローゼットのゲイ男性、あるいは自己のアイデンティファイを先送りにした「ＭＳＭ」なのです。

この映画の早い段階で、オリヴァーはエリオの危うい感情に気づいています。初夜の後でいみじくも告白したように彼はあのバレーボールのとき、半裸のエリオの肩を揉んで「リラックス!」と言ったときに、すでに彼に狙いをつけていたのでした。さらに二人で自転車で街に行って、第一次世界大戦のピアーヴェ川の戦いの戦勝碑のところでエリオに告白されようとしたとき、それが何かを聞く前に「そういうことは話してはいけない」とエリオを制したのです。さらにさらに、その後のエリオの「秘密の場所」への寄り道でキスをしたとき、それ以上のことを拒んで自分の脇腹の傷の化膿のことに話を逸らしました。これらは自制心の表れではありません。これらは、自制心を失ったらどうなるかを知っているクローゼットのゲイ男性の「恐怖心」です。クローゼットのゲイ男性として、彼はその種の決定をいつも「Later」と言って先送りにしてきたのです。

それらの伏線となるのが、ピアーヴェの直前のシーンの、エリオの母親の朗読による十六世紀フランスの恋愛譚『エプタメロン』のストーリーです。ドイツ語版しか見つからなかったその本は、ルネサンス期に王族のマルグリット・ド・ナヴァルによって執筆された七十二篇の短編から成る物語で、母親はその中から王女と若きハンサムな騎士の物語を英語に訳しながら読み聞かせます。騎士と王女の二人は恋に落ちるのですが、まさにその友情ゆえに騎士は王女にそのことを持ち出して良いのかわからない。そして騎士は王女に問うのです。「Is it better to speak or to die?（話した方がいいか、死んだ方がいいか？）」と。エリオは母親に自分にはそんな質問をする勇気はないと言います。けれど横でそれを聞いていた父親は（ええ、あの父親です）エリオに「そんなことはないだろう」と後押しするのです。

ちなみにエリオの父親はエリオのオリヴァーに対する友情以上の感情を「母さんは知らない」と言うのですが、母親はもちろん知っています。すべての母親は、もちろん息子のそのことを知っています。

この母親による『エプタメロン』の朗読の力（to speak or to die＝まるでシェイクスピアのセリフのような「話すべきか、死ぬべきか」の命題）で、その直後のエリオはあのピアーヴェの戦勝碑のところでオリヴァーに告白しようと勇気を振るうわけです。告白の決心とともに、カメラは一瞬、頭上の教会の十字架を見上げるエリオの視線をなぞるように映します。そうしてからオリヴァーに向き合うエリオに対し、ところがすでにその素振りを察知しているオリヴァーは「そういうことは話してはいけない」と制止するのです。また Later と言うかのように。

これは自制心ではなく恐怖心だと書きました。なぜか？

ここに繰り返し現れる「話す／話さない」という命題は、ゲイへの迫害の歴史を知っている者には極めて重要かつ明白なセンテンスを想起させるのです。

それは先でも触れたオスカー・ワイルドの有名なフレーズ、「The love that dare not speak its name」です。

「敢えてその名を言わぬ愛」——ワイルドは、ダグラス卿との男色関係を問われた一八九五年の裁判で自分たちの恋愛関係をそう形容し、結果、二年間の重労働刑に処せられたのでした。このことは結局、オスカー・ワイルドの名声を破壊し、彼は悲惨な晩年を送ることになるのです。

知的なオリヴァーがワイルドの人生の恐ろしい顚末を知らないはずがありません。しかも一九八三年は、北イタリアの別荘地でこそエイズの影はありませんが、オリヴァーのアメリカではすでにレーガン政権の下、エイズ禍の表面化と拡大と、それに伴う大々的なホモフォビア（同性愛嫌悪）が進行していました。ゲイであることはまさに「話すか、死ぬか」の二者択一でしかないほどの恐怖でした。彼がクローゼットである事実は、誰もがクローゼットに隠れていた「あの時代」を示唆しているにすぎません。「敢えてその名を言う」者とは、つまりクローゼットからカム・アウトするゲイたちのことです。そしてあの時代、彼らはほぼ、「エイズ禍と闘う」という社会的な大義名分を盾としなければ「敢えてその愛の名前」など口にできなかったのです。

そう、「君の名前で僕を呼んで」と提案したのはオリヴァーです。

それは実は「敢えてその名前を呼ばぬ愛」の方法なのです。相手の名前を呼べば、それが「同性愛」だと知られてしまうからです。だから彼は自分の名前で相手の名前を代用させた。自分の名前で君を呼べば、それは同性愛ではなくて意味のない単なる「自称」だからです……その底に流れているのはだから、自制心ではなく恐怖心なのです。エリオが母親から『エプタメロン』の話を聞かされたと話したときに、オリヴァーが、騎士が王女にその思いを話したのか話さなかったのか、その結果を妙に気にしたのもそのせいです。

ピアーヴェの戦勝碑のシーンから、エリオの心はオリヴァーに決めています。その時のエリオはいつの間にかオリヴァーのダヴィデの星のペンダントを自分のものにしています。ペンダントに象徴される「アイデンティティ」を自分で選び取り、身に着けたのです。けれど肝心のオリヴァーがそこからビビり始める。だから「Trator!（裏切り者！）」と罵りたくもなるのです。なにせ、オリヴァーはエリオとの性的な場面ではまるで日常を転換するように、普段は吸わないタバコを吸うのですから。あたかも「酔わなければ性交できない」症候群のように。

ラストシーンに向かってまた『ブロークバック・マウンテン』が出てきます。ジャックが隠し持っていたエニスのシャツのように、エリオはオリヴァーが到着した初日に着ていた青いシャツを手に入れています。そしてとうとう帰米することになる前に、二人で旅行したベルガモでいっしょに緑濃い山に登るのです。そこには滝が流れてもいます。一心不乱にこの「ブロークバック・マウンテン」を駆け上がるエリオの後ろで、ところがオリヴァーは一瞬その足を止め、山と反対方向に向き直って遠くを見つめるのです。

それが何を意味しているのか、そのとき彼が何を見ていたのか——その年の冬、ニューヨークに帰った電話の向こうから、オリヴァーはエリオに結婚することを告げます。彼女とはもう二年前から付き合っていたのだと。

そして最後の三分半の長回しがスタートします。エリオの顔には、彼が見つめている暖炉の炎の色が反射しています。それは赤く燃える彼の性愛の象徴です。その向こう、エリオの背後の窓の外には雪が降っています。そしてその雪とエリオの間に、ハヌカ（ユダヤ教の祭事）の食卓の支度をする家庭が介在しています。

この三層構造も、実は『ブロークバック～』のラストシーンと呼応しています。時が経ち、老いたエニスのトレイラーハウスの中、そこにはエニスの性愛の象徴のブロークバック・マウンテンを写した絵葉書が貼ってありました。それが貼られているのはトレイラーハウスに置いたクローゼットの四角い扉でした。そしてクローゼットの横には窓があり、その窓からはうら寒い外の世界が見えていたのです。その三層構造。

エリオの見つめる炎、温かい室内、そして外の雪世界——アイヴォリーが提示したのは、『モーリス』で描けなかった肯定感だと最初に書きました。そのためにこの最後の三層構造は、『ブロークバック～』のラストシーンの三層構造と一つだけ違っています。

それは『ブロークバック～』での「クローゼットの四角い扉」が、「温かい家庭」に置き換わっていることです。エニスの性愛を守ったのがクローゼットだったのに対して、エリオの性愛を守るのは家庭なのです。

『ブロークバック～』のラストシーンは一九八三年の設定です。スタートは一九六三年でした。一九六三年からの二十年間を引きずるエニスの破れなかった「クローゼット」。それをアイヴォリーはその同じ年の冬に「温かい家庭」に置き換えて、二〇一七年からエリオを鼓舞しているのです。

おわりに

佐藤惣之助に『船乗りの母』という詩があります。息子は青い地球を何度も廻って世界の異郷を知っています。けれどその母親は「田舎にゐて」、「鶏をおひこみながら」「いちにちぼろを縫つてゐる」のです。

世界は大きい
地球も大きい
息子は地球をとぶ靴を持つてゐる
しかしどこへも行かない母親は
世界の田舎をもつてゐる

そう結ばれる短い詩を読みながら、少年だった私はその船乗りに憧れつつも、一つのことを突き詰めて生きれば、どこへも行かなくとも世界の大切なことに通じることができるのだと心したのでした。

私がこの本で望んだのはその二つのことでした。私は船乗りの息子のようにニューヨークというとてもユニークな都市に飛ぶことができました。そしてそこで「ゲイのこと」を定点観測し突き詰めることで世界の諸々の事象の正体を知ろうとしていました——もっともその観測には自ら限界があって、結局ここで展開できたのは日本とアメリカを行ったり来たりする二国間の文化比較でしかないかもしれません。けれどそのいずれもがとても基本的な事柄ながら、同時に多くの人がすっ飛ばしてきている、とても重要な、これまでの日本でほとんど誰も話してこなかったことだと思っています。

一九八二年に松田聖子が、いや松本隆が松田聖子に、「何故 知り合った日から 半年過ぎても あなたって手も握らない」「何故 あなたが時計をチラッと見るたび 泣きそうな気分になるの？」と『赤いスイートピー』で歌わせたとき、世間一般では、この「あなた」がゲイやトランスジェンダーやアセクシュアル（性愛を求めない人）であるかもしれない可能性を微塵も考えはしませんでした。平井堅が『even if』で「このバーボンとカシスソーダがなくなるまでは」「君は僕のものだよね」と歌い始めた一九九八年からもしばらく、やがて「彼の胸に戻る」「君も「いっそ酔ってしま」って終電を逃してしま「えばいい」と願う「僕」にとってのその「君」は、カシスソーダではなくバーボンを飲んでいる方の人物であることは、ほとんど誰も気づいていませんでした。

これらは本文内でも少し触れた「クイア・リーディング」ですらないほどの初歩的な読みですが、そういう新しい視点に出遭うたびに世界はまだこんなにも面白いことに溢れていると感じてきました。エイズの時代にその差別や偏見と闘う武器の一つとなった「政治的な正しさ（PC）」という概念も、登場当時は実はとても目新しく有効な、面白い概念でした。マイノリティ運動の基本となった「アイデンティティの政治」という概念も、実は同じように大きな発見でした。それらがあってこそ、それらに対する批判もまた面白く発展してきた。

けれど、帰国した日本で経験したのは「政治的正しさ」をすっ飛ばした「ポリコレ批判」でした。「アイデンティティの政治」も確立していないのにそれを批判する先取りの「反アイデンティティ・ポリティクス」でした。批判者、批評者たちはもちろん「PC」も「アイデンティティ・ポリティクス」も十分に研究しているのですが、けれどそれが、それを生み出したアメリカ社会のような大衆化、実体化を果たしていない日本社会では「反PC」「反アイデンティティ」にのみ先鋭化して、私の知ったような有効さや面白さをちっとも与えてくれないのです。この本は、ですからまずは「PC」と「アイデンティティ」の効用を語り、さらにそれらの弊害を乗り越える次の次元への道筋のヒントを提示したいと考えました。まずはそこを土台としないとわからないという、基礎中の基礎、アメリカの大学で言うところの「101（ワン・オウ・ワン）」講座みたいに書ければ良いなと念じたわけです——明治維新を機に本州から北海道に渡り、牛馬を商って結局は牛鍋屋から精肉店を営んだ家族の末裔として（とは言ってもたかだか四代ほどですが）、私はいつも商人の父や文学少女だった母を説得できるかどうかを自分の立論の基準に置いてきたように思います。すでに二人とも他界した今、それが成功したかどうかを確かめるすべはもうありませんが。

最初、「東京レインボープライド」の山縣真矢さん（当時は共同代表で現在は顧問）に依頼されて書き出したこのテキストは、なので「LGBT（で考える人生）の練習問題」という、なんだかエラそうなタイトルで同ウェブサイトの連載として始まりました。その直後に、今度は編集者の樋口聡さんから同じような依頼を受け、すぐに「よみものドットコム」にも併載という形で書き進めることになりました。二〇一九年一月のことです。

実は「反PC」「反アイデンティティ・ポリティクス」は、トランプ時代のアメリカでは知的な止揚という形ではなく、もっと下世話な反動、つまりは露骨な男性優位主義、白人至上主義、異性愛規範主義というバックラッシュの姿で露出することになりました。次の次元に進むのではなく、時代を逆戻りしたのです。そしてそれに対抗する形でのリベラル側の強烈なキャンセル・カルチャーもまた勢いを増しました。

本家「NYC プライド・パレード 2021」での主催団体「ヘリテージ・オヴ・プライド」© 植山慎太郎

NYCプライドマーチの主催団体「ヘリテージ・オヴ・プライド（Heritage of Pride）」は二〇

二一年五月、プライド月間の前月になって、近年、警察などの法執行機関によって「BIPOC（黒人・先住民・有色人種）やトランスジェンダーのコミュニティにもたらされる暴力がエスカレートしている」として警察官のイヴェント参加を拒絶する旨の発表を行いました。これによって排除されることになるLGBTQ＋の警官団体「GOAL」（三百二十五頁参照）は「仲間のメンバーがアイデンティティを祝い、ストーンウォールの反乱のレガシーをたたえることを妨げるものだ」と反発しています。

二〇二〇年はコロナ禍で中止となったNYのパレードでしたが、五十年を経てすっかり商業主義化してしまったとの批判の下、プライド・パレードとは別にBLM運動とも連帯した「クイア・リベレーション・マーチ（Queer Liberation March）」はその年も、さらには翌二一年も三年連続で開かれました。

「ブラック・ライヴズ・マター」はすでにLGBTQ＋にとっても欠かせないメッセージ＝「NYCプライド・パレード2021」で © 植山慎太郎

本家のプライド・イヴェントも、二〇二一年は事前にはほぼオンラインでのヴァーチャル開催と発表されていたのですが、ニューヨークのワクチン接種率が上がったことで急きょパレードも実施されることになり、例年よりもかなり小規模かつ短時間ではありましたが「それでも多くの人を楽しませる盛大なものとなったと感じた」と現地で取材したNY在住の写真家・植山慎太郎さんが教えてくれました。

結局、恒例の六月最終日曜の二十七日に、本家のパレード（NYC Pride Parade 2021）は午後零時三十分から二時間ほどいつものコースで行われ、一方のクイア・リベレーション・マーチの方は午後二時からミッドタウン四十二丁目のブライアント・パークからダウンタウンに向けて分かれて行進することになったのでした――アメリカ内部での保守とリベラルの分裂だけでなく、LGBTQ＋の中でもまた難しい分裂が生じているのです。

そんな中で、過去四十余年にわたり国際的に浸透してきたLGBTQ＋コミュニティのシンボル、ギルバート・ベイカー（Gilbert Baker）考案の「レインボー・フラッグ」（赤、オレンジ、黄色、緑、青、紫の六色ストライプ）は現在、二〇二〇年のブラック・ライヴズ・マター（BLM）やトランス・ライツ（トランスジェンダーの権利）運動のうねりを経て、黒人やヒスパニックなど非白人の象徴である黒と茶色、さらにトランスジェ

本家パレードとは分裂行進となったマンハッタンの「クイア・リベレーション・マーチ 2021」。横断幕には「トランスの子どもたちを守れ」とある。© 大谷章人

ンダーのプライド・フラッグにあるピンク、水色、白といった、計五色の「前進（プログレス）の矢印」の意匠を加えた「プログレス・プライド・フラッグ（Progress Pride Flag）」に急速に置き変わりつつあります。この旗は、二〇一八年にノンバイナリーのグラフィック・デザイナー、ダニエル・クエイサー（Daniel Quasar）が考案したものです（そういえばあの宇多田ヒカルもまた二一年のプライド月間に「ノンバイナリー」を公表しました）。

分裂と分断の時代にあってもなお、包摂と連帯とを旗印にしようという努力。それはさまざまに存在する「自分以外の可能性」を認める、違うと知っているからこそ強固な、コミュニティへの意志なのだと思います。

「プログレス・プライド・フラッグ」が舞う「クイア・リベレーション・マーチ 2021」© 大谷章人

こうした衝突と分断と、それでも続く包摂への努力を目の当たりにしながら、私がずっと考えていたのは大昔に大江健三郎を通して知った彼の恩師、渡辺一夫の随想『寛容は自らを守るために不寛容に対して不寛容になるべきか』についてでした。渡辺は自らの戦争体験とカトリシズムの経験から、とどのつまりは不寛容が戦争を起こすのだとして、（目先の利害打算とは違う）「より高度な利害打算」までを引っ張り出してきて徹底した寛容を説くに至りました。それは敗戦後まもなかったあの時代に、苦渋の中で導き出した意図的な論理帰結だったと思います。

これは一般に「寛容のパラドクス」といわれます。寛容が不寛容に対して不寛容であったならば、それはもはや寛容ではない。一方で寛容が不寛容に寛容であったなら、寛容を赦さぬ不寛容が蔓延《はびこ》って結局は寛容の拠点はなくなる――。

トランプが煽動していた差別、排除、暴力、敵対、自分ファースト（ミーイズム）と憎悪の規範化……そうした男性優位主義、人種差別主義、異性愛規範主義の「不寛容」に、寛容であることはできませんでした。私にとってそれは絶対的な結論でした。けれど、せめて「寛容であることはできない」という態度を、寛容に（tolerantly）遂行すること、「不寛容」を寛容に貫くこと（to carry out intolerance tolerantly）が、このパラドクスを緩和する唯一の方法なのではないかという思いに至りました。もちろん、これは寛容と不寛容との関係の、不寛容側には求められず寛容側にのみ求められる「片務」的な責務であり、その片務を引き受けるという寛容な覚悟なしには成立しない生き方です。でもそれが寛容の寛容たる所以、あるいは宿命なのだと諦めるしかない……とはいえ実際にそうやって対応するのはなかなか難しく、そう努力し続けるしかないという感じなのですが。

クリントン、ブッシュ、オバマ、トランプという四人の大統領の時代にアメリカにいて、アメリカ社会がその都度（世界の事象にコミットする当然の帰結、報いという意味も含めて）大きく揺れ動くのを目撃してきました。アメリカ政治のダイナミズムも知りました。ジャーナリストの仕事は一義的には日々の記録（ジャーナル）にあり、そこに身過ぎ世過ぎの仕事も加わって、外国人の私がニューヨークで一つのテーマでまとまった文章を書き上げるのは（生来の怠け癖も加わって）かなり厳しいことでした。特にこの数年はトランプ政権のファクト・チェックに専心していて、出演のラジオ番組でも「トランプ・ウォッチャーの北丸」と紹介されたりしていました。そんな中で東京に居を移し、新生活を始める一方で本書をまとめ上げることができたのは、ひとえに編集者の樋口聡さんのおかげです。

先に触れたようにこれは「よみものドットコム」の連載を中断し、そこに結論に至る大幅な加筆と改稿・差し替えを施したものです。その面倒なテキストの言葉遣いの一々から文脈の齟齬、不足、飛躍等々まで、樋口さんほどしつこい編集者は、かつて二十代で小説本を出したときにお世話になった新潮社の斎藤暁子さん以来でした。おそらく彼は私以上にこの原稿を読んでいます。本というのは書き手一人でできるものではなく、編集者との共同作業で編み上げてゆくものだということを改めて確認した二年半でした。その恩のいくばくかをこの本でお返ししたいのですが、売れるかどうかはわかりません。樋口さんはこの本でご自身の出版社「人々舎」を立ち上げたのですが、売れなかったらごめんなさい。

すべての運動（行動）は、それが必要とされなくなるために存在します。走ることは走る必要がなくなるために走る。食べることはもう食べなくていいくらいにお腹がくちくなるまで続いて終わる。すべての動詞は、その動詞の存在理由を無化するために動くのです。

反差別運動も、そういう運動が必要じゃなくなるために行われるものです。二〇二一年五月、「LGBT理解増進法」という「差別禁止条項」の欠落した法案をまとめた自民党は、差別を禁止したら何が差別かわからない人たちが萎縮して窮屈な社会になると心配し、立憲民主党など野党の要求でかろうじて追記した「差別は許されない」とする「基本理念」原案にすら党内了承会議で反対論が渦巻く——そしてその同じ口で「カム・アウトする必要のない社会」というぼんやりしたフレーズを使うのです。あたかも、差別のない社会があらかじめどこかに用意されているかのように。禁止しなくとも、禁止が必要のない時代になれるかのように。けれど、そんなことは起きたためしがありません。禁止は、敢えて禁止せずとも当たり前にその禁止の理念が共有されている状態を目指して行われるのです。

第十一章「男らしさの変容」で触れたNFLのカール・ナッシブ（二百八十九頁参照）はインスタグラムでのカミングアウト動画で次のように話しました。

I just hope one day, videos like this and the whole coming out process are just not necessary. But until then, I'm going to do my best and do my part to cultivate a culture that's accepting, that's compassionate.

いつかこのような動画とかカミングアウトの大変さが必要じゃなくなる日が来ることを願っています。でもその日までは、受容と共感の文化を耕していくために最善を尽くして自分の役目を果たすことにします。

そう、カム・アウトは、カム・アウトしなければカム・アウトの必要のない社会にならないことを知っているから敢行されるのです。自動的にはけっしてやってこない。それは数限りない歴史が教えてくれています。

私のこの本もまた、こんなことを書く必要がなくなることを願って書かれました。やがてこれが、過去のジャーナル（記録）としてのみの価値しか持たなくなることを待つことにして、今はここでキーボードを閉じることにします。読んでくださってありがとう。

二〇二一年のプライド月に　北丸雄二

本書は、「よみもの.com」および「TRP ONLINE」での連載
（2019 年 1 月〜 2020 年 8 月）を大幅に加筆・改稿したものです。

校正	山縣真矢
DTP	落合雅之
装丁	川名潤
プリンティング・ディレクション	鈴木純司（モリモト印刷株式会社）
協力	特定非営利活動法人 東京レインボープライド
	プライドハウス東京

北丸雄二（きたまる・ゆうじ）

北海道生まれ。ジャーナリスト、コラムニスト、翻訳家。
毎日新聞から東京新聞（中日新聞東京本社）に転社後、1993年からニューヨーク支局長。96年夏に退社後、ニューヨーク在住のまま執筆活動を続ける。在米25年の2018年に帰国、東京を拠点にTBSラジオやFM TOKYO、ネット番組「デモクラシー・タイムズ」などでニュース解説や評論を行う。東京新聞・特報面に毎週金曜日「本音のコラム」連載中。

訳書

『フロント・ランナー』（1990、第三書館）by Patricia Nell Warren
『スイミングプール・ライブラリー』（1994、早川書房）by Alan Hollinghurst
『ハーランズ・レース』（1997、扶桑社）by Patricia Nell Warren
『カーター、パレスチナを語る―アパルトヘイトではなく平和を』（2008、晶文社＝共訳）by Jimmy Carter
『LGBTヒストリーブック 絶対に諦めなかった人々の100年の闘い』（2019、サウザンブックス社）by Jerome Pohlen
『完全版 ノーマル・ハート』（2020、大都社）by Larry Kramer
――その他、英米文学の短編翻訳なども多数

ミュージカル・戯曲上演台本翻訳

『ヘドウィグ&アングリー・インチ』（2009～、山本耕史）
『アルターボーイズ』（2009～、東山義久）
『ロック・オブ・エイジズ』（2011、西川貴教）
『マーダー・フォー・トゥー』（2016、坂本昌行）
『ボーイズ・イン・ザ・バンド～真夜中のパーティー』（2020、安田顕）
――その他、2022～23年にかけ数本の翻訳戯曲の日本上演企画も進行中

寄稿・論考

『北丸雄二のNY日記』『NY通信』『World Index』（1997~2016、テラ出版《バディ》連載）
『太宰治をクィアする』（1998、青土社《ユリイカ「総特集 太宰治-没後50年記念特集」》）
『「木乃伊之吉」を救う あるいはホモフォビアの陥穽』（1998、青土社《ユリイカ「特集 島尾敏雄」》）
『「RENT」とあの時代、そして死者の代弁者』（2008、ミュージカル『RENT』日本公演プログラム用解題）
『自由と平等の攻防 ―― アメリカでの同性婚合法化の波を理解するために』（2013、シノドス）
『僕のやっていることはいつまでも残るって』（2016、ミュージカル『ラディアント・ベイビー』日本公演プログラム用解題）
『クイアな迷宮』（2016、青土社《ユリイカ「特集＝デヴィッド・ボウイ」》）
『物見の塔の王子が見たもの ――プリンスと「エホヴァの証人」考』（2016、青土社《現代思想「臨時増刊 総特集＝プリンス》）
『大いなる矛盾の導く先は？』（2017、青土社《現代思想「特集＊トランプ以後の世界》）
『AIDSをめぐる言葉の戦場――なぜ先進国で日本だけがAIDS禍を克服できないのか～映画「BPM ビート・パー・ミニット」をめぐって』（2018、ELLE）
『ストーンウォール50 作用と反作用の長き派手やかな道――ストーンウォール五十周年』（2019、2020、オーバーマガジン社《Over Vol.01, 02》）
『北丸雄二の「世界の見方」』（2020～、ニュースソクラ socra.net）
『トランプという災難、トランスの受難』（2021、オーバーマガジン社《Over Vol.03》）
――他に映画パンフレット寄稿や劇評、書評なども含め多数

愛と差別と友情と
LGBTQ+
言葉で闘うアメリカの記録と
内在する私たちの正体

2021年9月10日　第1刷発行
2023年4月22日　第5刷発行

著者　北丸雄二
発行者　樋口聡
発行所　人々舎
〒165-0034
東京都中野区大和町4-40-10
電話　03-5356-9784
FAX　03-5356-9786
URL　hitobitosaha.com

印刷・製本　モリモト印刷株式会社

ISBN 978-4-910553-00-9 C0036